Elfenkoning-manoeuvre

Robert Löhr

Elfenkoning-manoeuvre

Karakter Uitgevers B.V.

Oorspronkelijke titel: Das Erlkönig-Manöver
© 2007 Piper Verlag GmbH, München
Vertaling: Sander Hoving
© 2008 Karakter Uitgevers B.V., Uithoorn
Zetwerk: ZetSpiegel, Best
Omslag: Wil Immink
Afbeelding omslag: Caspar David Friedrich (1774-1840),
'Abendlandschaft mit zwei Männern' (detail)

ISBN 978 90 6112 158 9
NUR 302/342

Vader doodt zoon of dochter.
Broer houdt van zuster en doodt haar.
Vader doodt hem. Vader houdt van bruid van zoon.
Broer doodt bruidegom van zuster.
Zoon verraadt of doodt vader.

Friedrich Schiller, ontwerp voor het drama
De rouwende bruid (tweede deel van *De Rovers*)

1

Oßmannstedt

'Sakkerloot!' riep Goethe uit toen er van achteren een volle fles bourgogne met zoveel kracht op zijn schedel werd stukgeslagen dat hij de klap tot in zijn botten voelde. Hij had niet eens tijd gehad zijn duim uit de mond van de vrouw te halen. Versuft zocht hij houvast aan de tafel om niet door de knieën te gaan, maar de ander had hem al bij zijn kraag gegrepen en in de rondte gedraaid, en stond klaar om hem met een vuistslag te vellen. Intussen had Schiller het gewei gegrepen, compleet met schedel en houten schild, en nu liet hij het suizend op de rug van de aanvaller neerkomen. Toen de man bewusteloos op de grond zakte, knarsten de scherven onder zijn lichaam. Schiller omklemde met zijn ene hand het gewei en ondersteunde met de andere zijn vriend, totdat deze weer volledig bij zijn positieven was.

Ze zagen zich gesteld tegenover vier volwassen mannen – de man die door Schillers slag was geveld niet meegerekend – die nu opkeken van het onbeweeglijke lichaam van hun kameraad; het waren potige landlieden die de indruk wekten niet onbedreven te zijn in het vuistgevecht en het ook niet zouden schuwen als het zover mocht komen. De vrouw verliet haar plaats op de bank om het handgemeen van een veilige afstand gade te slaan, terwijl de herbergier snel zijn kruiken en flessen bijeenraapte, om ze het lot van de bourgogne te besparen.

Goethe hief sussend zijn handen op. 'Messieurs, geen haast, geen kwaad bloed. Ik ben zonder meer bereid het ongerief te compenseren.'

'Dat zult u zeker, vermaledijde lijkenrover,' zei een van de boeren, en hij deed zijn leren schort af. 'Dit komt u duur te staan. En u zult uw schuld met bijzondere munt betalen.'

De twee dichters deden gelijktijdig een stap terug, maar achter hen bevond zich alleen de muur en de uitgang bevond zich achter de vier mannen die nu op hen afkwamen. Schiller keek naar Goethe. Die haalde zijn schouders op.

'Wij zijn u graag van dienst!' zei Schiller. Hij zwaaide het gewei rond boven zijn hoofd, raakte de moedigste aanvaller op de kin en haalde hem neer. De drie anderen stapten naar voren, maakten Schiller de schedel afhandig en lieten vervolgens een regen van vuistslagen op hem neerdalen. Een klap in zijn gezicht spleet zijn lip, één in zijn maag benam hem de adem. Nu stortte Goethe zich met een sprong op de boeren en trok een van hen op de grond, waar ze al vechtend nu eens de ene, dan weer de andere kant op rolden.

In de tussentijd kreeg Schiller weer lucht en hij klemde het hoofd van een van de boeren onder zijn arm en rende tegen een houten balk, waarlangs zijn slachtoffer bewusteloos in elkaar zakte. Daarna haastte hij zich naar Goethe, die liggend op de vloerplanken pijnlijke klappen van de man boven op hem incasseerde, en dreef met een schop de kemphanen uiteen. Uiteindelijk gooide Schiller een tafel met het blad naar voren tegen de mannen, zodat Goethe en hij voldoende tijd hadden om de reddende deur te bereiken en de herberg uit te vluchten – waarbij ze alle stoelen op hun weg om-gooiden om de achtervolgers in hun jacht te dwarsbomen.

Meteen nadat ze de deur achter zich hadden dichtgeslagen, greep Schiller de spade waarmee de waard de sneeuw voor de ingang had weggeruimd en stak deze op een dusdanige manier tussen deur-kruk en kozijn, dat de woedende boeren de deur niet van binnen uit konden openen. Slechts hun gedempte verwensingen vonden hun weg naar buiten.

Schiller steunde met zijn handen op zijn knieën en wachtte tot hij weer op adem kwam. Goethe leunde met zijn rug tegen de muur. Het bloed, het zweet en de wijn op zijn hoofd dampten in de stille winterlucht. 'Ik voel me tot op het bot verpletterd,' zei hij, 'en leef om het te voelen.' Hij legde een hand op zijn hoofd en likte daarna aan zijn vingers. 'Mijn hoofd zou ik nog hebben opgeofferd, maar het spijt me van de goede wijn.'

Schiller ging rechtop staan en haalde behoedzaam twee bebloede scherven uit Goethes haar. 'We hebben onze jassen in het lokaal laten liggen.'

'Inderdaad. En over het lokaal gesproken: waarom is het daarbinnen eigenlijk zo stil geworden?'

Het was zo stil in het lokaal geworden omdat de drie boeren de achteruitgang hadden genomen en om de herberg heen waren gelopen. Toen hun van woede vertrokken gezichten om de hoek verschenen, beëindigden de twee mannen uit Weimar hun adempauze en zetten het opnieuw op een lopen. De boeren versperden hun de doortocht naar de straat, dus dienden ze het dorp op een andere manier te verlaten, tussen de huizen door en over de stoppelvelden. De sneeuw was diep en compact, zodat jagers en prooi maar langzaam vooruitkwamen, als op een stok met vogellijm, en in de maanloze nacht struikelden ze meer dan eens. Algauw helde het veld af en ten slotte was het helemaal geen veld meer, alleen een rivieroever. De twee daalden naar de rivier af, maar Schiller zette geen voet op het ijs.

'Hel en verdoemenis!' vloekte hij. 'De Ilm.'

'Kom, laten we naar de overkant gaan.'

'Dank je feestelijk. Ik geef me liever over aan dat gespuis dan aan de vissen.'

'Het is februari. Ga maar, het ijs houdt wel.'

'Erewoord?'

'Ga nu maar, ik geef mijn woord,' antwoordde Goethe.

'De hemel beware me voor uw fratsen. De oudste gaat voor.'

Zonder aarzelen zette Goethe zijn laars op het ijs en hoewel het hol onder zijn zolen kraakte, bezweek de besneeuwde ijsvloer niet onder zijn gewicht. Schiller weifelde tot het laatst, maar toen hun achtervolgers tot op geen tien passen waren genaderd, ging hij Goethe achterna. Ook de drie boeren maakten zich op om de Ilm over te steken. Ze sprongen pas weer terug op de veilige kant toen Schiller op de laatste meter met beide benen door het ijs zakte en tot aan zijn dijen in de Ilm zonk. Hij vloekte als een ketellapper totdat Goethe hem uit het ijs had bevrijd.

'U hebt me uw erewoord gegeven dat ik niet door het ijs zou zakken!'

'Blijkbaar heb ik me vergist. Maar we zijn veilig.'

Toen Schiller op de kant stapte, stroomde er ijswater uit zijn laarzen. Zuchtend ging hij in de sneeuw zitten en goot ze leeg.

Tussen hen in belandde een sneeuwbal. De jongste boer aan de overkant had geen steen gevonden waarmee hij kon gooien en had daarom zelf een projectiel van sneeuw vervaardigd.

'Mis!' riep Goethe, zijn handen als een trechter aan zijn mond.

'Wij weten waar u woont, heer geheimraad!' riep de woordvoerder met geheven vuist over de rivier. 'Juich niet te vroeg! In Weimar zullen we een bezoekje bij u afleggen dat u niet snel zult vergeten!'

'Ik kijk er nu al naar uit. U kunt op een warme ontvangst rekenen, heren!' antwoordde Goethe lachend. 'Tot dan, de hartelijke groeten!'

De boer trok zijn jonge kameraad, die al met een tweede sneeuwbal bezig was, aan zijn kraag omhoog en gezamenlijk stapten de drie terug naar Oßmannstedt, de schouders opgetrokken tegen de kou.

'Ik heb het koud,' klaagde Schiller, nadat Goethe hem weer op de been had geholpen. 'Koud, koud en nat!'

'Zullen we naar Wieland gaan om warm te worden?'

'Ik wil niet naar Wieland, ik wil naar huis.' Schiller wreef zijn armen met zijn handen warm en zocht in het licht van de sterren naar de straat. 'Dat alles zou beslist niet zijn gebeurd als we over iets anders, de oerplant bijvoorbeeld, hadden gediscussieerd.'

's Middags waren ze uit Weimar vertrokken in de richting van Apolda. Ze hadden tijdens hun wandeling langs de Ilm over koetjes en kalfjes gepraat: eerst over Napoleon Bonapartes luisterrijke kroning tot keizer der Fransen in de Notre-Dame in Parijs, toen over Napoleons plannen met Europa en daarna over het Franse volk als zodanig en waarom hun revolutie op een totale mislukking moest uitlopen. Intussen waren ze de tijd en de wereld om zich heen volkomen vergeten, zodat ze bij het vallen van de nacht in Oßmannstedt waren beland, waar ze hun onderhoud in de eerste en enige herberg bij een bord linzensoep met gerookt spek, veel brood en nog meer wijn voortzetten.

Naar aanleiding van het gewei van een damhert dat boven een van de vensters hing, kwam Goethe over het tussenkaaksbeen te spreken en wisselden ze het thema van politiek naar wetenschap. Met toestemming van de waard haalden ze de achtender van de muur. Goethe legde aan de hand van de dierenschedel uit waar het botje in kwestie met de onderkaak was vergroeid, en dat het bestaan ervan bij mensen tot nu toe alleen maar verworpen werd omdat het tussenkaaksbeen al voor de geboorte naadloos met de kaak was vergroeid. Dat nietige botje, sluitsteen van de menselijke geschiedenis, was zodoende niets minder dan het bewijs dat er ondanks de grote verscheidenheid aan levende aardbewoners overal één basisvorm leek te bestaan, één blauwdruk, waarnaar zowel mens als dier was geschapen.

Nu toonden ook de andere gasten in de gelagkamer belangstelling voor Goethes verhandeling, en om aan de nieuwsgierige blikken tegemoet te komen demonstreerde de geheimraad opnieuw wat hij Schiller al had laten zien, hoezeer de laatste hem dat ook probeerde te verhinderen – alsof hij voorzag op wat voor catastrofe de anatomische les zou uitlopen. Want de mensen uit Oßmannstedt, die Goethe eerst aandachtig aanhoorden, leken het er uiteindelijk volstrekt niet mee eens te zijn dat ze met de andere creaturen van Gods grote schepping over één kam werden geschoren. En toen ze hoorden dat Goethe zijn godslasterlijke kennis in de lijkentoren te Jena had opgedaan, zwol het protest pas goed aan. Niet eenmaal luisterde Goethe naar zijn vriend, die er bij hem op aandrong de voordracht op dit punt af te breken. Integendeel, om de critici te overstemmen begon hij luider te spreken. Toen hij ten slotte ge-

[11]

irriteerd het gehemelte van de enige aanwezige vrouw betastte om het bestaan van het tussenkaaksbeen bij een levend exemplaar aan te tonen en ze een kreet van schrik slaakte – zo goed en zo kwaad als dat ging met de hand van de geheimraad in haar mond – had een van de boeren resoluut de ongeopende wijnfles op Goethes schedel verbrijzeld; het was alleen aan de Ilm te danken dat de mannen uit Weimar Oßmannstedt heelhuids konden verlaten.

'Eén ding moet ik u nageven: met u verveelt men zich nooit,' zei Schiller toen ze diep in de nacht op de Esplanade afscheid van elkaar namen. Vanaf Oßmannstedt hadden ze de terugweg in hoog tempo afgelegd, zodat ze het zonder hun jassen toch nog warm hadden gekregen. Schiller nieste. 'Hoewel ik aan dit uitstapje nog wel een koude koorts zal overhouden.'
'Verveling is erger dan koude koorts.'
Schiller glimlachte. 'Zo is het. Je moet in het leven kiezen tussen verveling en ellende. Maar de volgende keer als u het omliggende platteland wilt bezoeken om het gepeupel uit te leggen dat een mens niet meer is dan een beest zonder vacht, vraag dan aan Knebel en niet aan mij om u te begeleiden. Of liever: te beschermen.'
'Zien we elkaar morgen?'
'Als God het wil,' antwoordde Schiller, die al aanstalten maakte om verder te lopen. 'Goedenacht! Of moet ik goedemorgen zeggen?'

2

Weimar

Op de ochtend van de 19e februari 1805 werd Goethe door schokken en schudden en luide kreten onzacht uit zijn slaap gewekt. Een paar uur eerder nog was hij voorover op bed gevallen, dronken van de wijn uit Oßmannstedt en uitgeput van de terugtocht, zonder zich uit te kleden. Zelfs zijn laarzen had hij nog aan.

'Lieve hemel, vrouw! Waar is de brand?'

'Nergens.'

'Zo! Vanwaar dan dat getier, razende furie?'

'De hertog vraagt naar u,' zei Christiane. 'Hij laat weten dat het dringend is.'

'Laat hem dan weten dat ik tegen de avond kom,' zei Goethe met schorre stem. Hij zette beide voeten op de grond, beide ellebogen op zijn knieën en nam zijn hoofd in beide handen. 'Lieve god, ik heb een hoofd als een olifant.'

'U moet u vermannen. Geheimraad Voigt was hier. Hij zegt dat de zaak geen uitstel duldt.'

'Voigt?' Goethe gromde. 'Heb ik niet eens tijd om toilet te maken?'

'Nee. Opstaan, oude man, als u tenminste niet wilt dat ik u het bed uit jaag met een handvol sneeuw van de vensterbank. Ik breng u een jasje dat niet naar wijn stinkt en een pruik die uw aandenken van afgelopen nacht bedekt. Ik wil overigens niet eens weten wat u hebt uitgespookt. Vermoedelijk weet u het zelf ook niet meer.'

'Wie God haat, straft Hij met zo'n vrouw,' mompelde Goethe, en hij betastte zijn achterhoofd. Op de plek waar de fles hem de vorige nacht had geraakt, had zich een onappetijtelijke korst van opgedroogd bloed en wijn gevormd. In de spiegel zag hij bovendien dat zijn linkeroog door de vuistslagen blauw was geworden en was opgezwollen. Zijn wangen zaten vol rode vlekken en een van de mondhoeken was ingescheurd. Terwijl Christiane zijn kleren haalde, waste hij haastig zijn gezicht. Onder het afdrogen vond hij nog een glasscherf in zijn nek, die hij in de waskom gooide. Toen zette hij zijn pruik recht op zijn hoofd, en goot intussen een grote beker lauwwarme koffie naar binnen. In de deur drukte ze hem een broodje in de hand en gaf ze hem een kus op zijn mond, en kauwend stapte hij het Frauenplan op. Het was ijskoud en windstil, de hemel had de kleur van vuile sneeuw.

Hij liep zo snel als het gladde plaveisel het toeliet en als iemand groette, knikte hij alleen. Een groep ganzen ging hem snaterend uit de weg en toen hij voorbij was bakkeleiden ze om een kruimel van zijn broodje, die op de grond was gevallen.

Een paar meter verderop voegde zich een jongeman bij Goethe. 'Mijnheer Von Goethe! Heer geheimraad, blijf toch een ogenblik staan!'

'Als ik morgen ook nog geheimraad wil zijn, moet ik dat vooral niet doen. Er is haast bij, weet u.'

'Wees dan zo vriendelijk mij toe te staan u een stukje te begeleiden.'

'Graag,' antwoordde Goethe met halfvolle mond. 'Maar als ik uitglij, aan u de ondankbare taak mijn val te breken.'

Toen ze samen de markt overstaken, nam Goethe de jongeman op. Hij had een ovaal, bijna kinderlijk gezicht en had zijn donkere haar over zijn voorhoofd gekamd, en hoewel hij een lange jas droeg en een sjaal om zijn hals en hoofd had gewikkeld, zag Goethe aan zijn bleke gezicht dat hij lang in de kou had staan wachten en alleen maar blij mocht zijn met een stevige wandeling.

'Weledelgeboren mijnheer Von Goethe, ik kom in zekere zin op de knieën van mijn hart naar u toe,' begon de jongeman. 'Tot voor kort was ik luitenant in het Pruisische leger en nam ik, evenals u, deel aan de veldtocht bij de Rijn, maar ik heb thans het leger de rug toegekeerd om mij geheel en al aan mijn dichterlijke roeping te wijden.'

'Dan zijn we dus óf collega's, óf concurrenten.'

Pas nu merkte zijn metgezel de blauwe plek op die rond Goethes oog gedijde. 'Hé, wel verdraaid, Heer geheimraad! Wat is er met u gebeurd? Waarom is uw gezicht zo misvormd?'

'Een criticus van mijn werk. Wat kan ik voor u doen?'

'Ik kom op aanbeveling van Wieland, bij wie ik momenteel logeer en die dacht dat u, Goethe, omdat u zowel de grootste levende, en door mij zeer bewonderde, dichter van Duitsland bent als de directeur van het plaatselijke residentietheater, de juiste persoon bent om een komedie van mijn hand aan voor te leggen, die tot op heden weliswaar onbekend is, maar zonder twijfel u en het welwillende publiek van Weimar op voortreffelijke wijze tot lering en vermaak vermag te dienen.'

Goethe bleef even staan en knipoogde naar zijn gesprekspartner. 'Jonge vriend, als uw hele blijspel uit dit soort meervoudig samengestelde zinnen binnen samengestelde zinnen bestaat, dan zal het zelfs het meest welwillende publiek eerder verwarren en vermoeien dan leren en vermaken.'

De ander beantwoordde zijn glimlach echter niet. 'Wieland zei dat het theater dringend behoefte heeft aan komedies.'

'Inderdaad. Hoe troostelozer de tijden, des te groter de behoefte aan verstrooiing,' zei Goethe, en hij propte het wat al te grote restant van het broodje in zijn mond. 'De Duitfe blijfpelfbrijfers mogem baarom hum hoob ob Mapoleom vestigem.'

'Dan moet u mijn stuk opvoeren, Excellentie.'

'Voordat ik uw stuk móét opvoeren, moet ik het in de allereerste plaats lezen.'

'Dan leest u het eerst. Lees het, heer geheimraad, en mocht u vragen hebben of suggesties, dan zullen we erover spreken. Maar geef het alstublieft niet uit handen. Ik hoop op de welwillendheid van Uwe Excellentie.'

Met trillende vingers knoopte hij zijn mantel los en haalde het daaronder verborgen geschrift voor de dag. Het was een leren mapje dat een afschrift van het blijspel op goedkoop papier bevatte, provisorisch gebonden met een linnen draad. Goethe aarzelde even, maar omdat de jongen hem opeens met zo'n gevoelige uitdrukking op zijn gezicht aankeek, een druppel aan de punt van zijn rode neus, had hij de moed niet het aangeboden stuk te weigeren.

Al pratend waren ze bij het residentiële slot beland en Goethes metgezel nam met talloze plichtplegingen afscheid. Het manuscript paste in geen van Goethes zakken, zodat hij het in de hand moest houden. Het ergerde hem nu al dat hij het had aangepakt, want door met een boek in de hand te arriveren wekte hij de indruk dat hij zich onderweg niet had gehaast, maar in de gelegenheid was geweest om te lezen. Op de binnenplaats van het slot versnelde hij zijn pas, voor het geval iemand zijn aankomst door het raam zou gadeslaan. En inderdaad kwam geheimraad Voigt met gezwinde spoed de trap af toen Goethe in de ingang de sneeuw van zijn schoenen stampte.

De minister, een leeftijdgenoot, brak zijn begroeting halverwege af toen hij Goethes geschonden gezicht ontwaarde. 'Lieve god, Goethe! U ziet bont en blauw, als een harlekijn! Bent u tijdens het stampen van druiven onder de voet gelopen?' Hij haalde zijn neus op. 'Daar ruikt u tenminste wel naar.'

Goethe overhandigde zijn jas en hoed aan een lakei en volgde Voigt naar de bovenverdieping. Over de aanleiding voor deze bijeenkomst van het geheime consilium kon zelfs Voigt geen uitsluitsel geven. In de wit met gouden audiëntiezaal werden ze opgewacht door hertog Carl August van Saksen-Weimar-Eisenach, een luipaardvel tegen de kou om zijn schouders, met drie gasten die rond een tafel met thee en gebak zaten. Toen alle bedienden de ruimte hadden verlaten en ze de zware deuren achter zich hadden gesloten, legde Goethe de leren map op een bijtafeltje, en Carl August stelde de aanwezigen voor. In de haard brandde een vuur, en Goethe hoopte intens dat de rook de geur van de opgedroogde bourgogne in zijn kraag zou maskeren. Hij had beter ook een schoon overhemd kunnen aantrekken.

De eerste van de drie gasten was een *captain* van het Engelse leger, sir William Stanley genaamd. Sir William droeg burgerkleding: een donker rokkostuum met een hoge opstaande kraag, een witte zijden das en een olijfgroene linnen broek met daaronder hoge laarzen. Zijn punthoed lag naast hem op een kussen van de sofa, evenals zijn wandelstok met een ivoren knop in de vorm van een leeuwenkop. Hij had een smal gezicht en dunne lippen. Hij was ofwel gezegend met een misprijzende gezichtsuitdrukking, of gaf alleen blijk van ongenoegen over de hier geschonken thee, die hij in het onaangeroerde porseleinen kopje voor zich koud had laten worden. Hij had zojuist nog in het laatste nummer van *Londen en Parijs* gebladerd, dat voor hem openlag bij een kopie van een Engelse spotprent van Napoleons kroning tot keizer, met daarop een onmiskenbaar dwergachtige Corsicaan in een veel te grote toga die een slechtgehumeurde paus naar het altaar volgde, en aan zijn linkerhand de overdreven vadsige keizerin Josephine en de duivel zelf als misdienaar.

De tweede aanwezige, graaf Louis Vavel de Versay, de voormalige gezantschapsraad van de Nederlandse ambassade in Parijs, had gemakkelijk kunnen doorgaan voor een jongere broer van Carl August, want hij had ook diens ronde gezicht met de markante vooruitstekende kin en dezelfde vriendelijke oogopslag. In tegenstelling tot de in democratische stijl geklede Stanley leek De Versays garderobe nog te stammen uit de tijd dat Jozef II tot koning werd gekroond: een blauwe jas met gouden galons en een staartpruik die zijn haar, op de donkerblonde bakkebaarden na, volledig bedekte.

Maar van meet af aan waren Voigt en Goethe gefascineerd door de aanblik van de derde gast, de vrouw die de chaise longue met de Hollander deelde, want haar gezicht werd bedekt door een ondoorzichtige groene sluier, waar alleen haar bruine krullen onder uitkwamen. Ze droeg een zwarte japon die onder de boezem was samengebonden met een strik en had een grote sjaal over haar schouders. Toen Carl August haar wilde voorstellen, bleef hij onverhoopt steken en kwam ze hem te hulp: 'Sophie Botta,' zei ze terwijl ze de twee geheimraden de rug van haar hand aanbood voor een handkus. Haar gracieuze bewegingen lieten er geen twijfel over bestaan dat er achter de sluier nog meer schoonheid schuilging.

'Wij zijn hier bijeengekomen,' begon Carl August toen iedereen was gaan zitten, 'omdat we er met elkaar van overtuigd zijn dat de parvenu Napoleon Bonaparte er na zijn dwaze, onrechtmatige kroning tot keizer der Fransen naar streeft zijn zogenaamde *empire* verder uit te breiden en Europa met oorlogen te teisteren, en omdat wij geloven dat hem een halt kan en moet worden toegeroepen. Als Engelsen, Hollanders en Duitsers spreken we ook voor de Spanjaarden, Zweden en Russen, en niet te vergeten voor de aanhangers van een Frankrijk dat zijn heil zoekt in het vreedzame samenleven met andere volkeren en niet in de onderwerping daarvan.' Op dat moment wees hij naar de gesluierde mevrouw Botta. 'Ik ben van mening dat het vooral in het belang van de Duitsers zou zijn Bonaparte tegen te houden. Want dat hij de Franse grens naar de Rijn heeft verlegd en Holland heeft bezet, en Mainz in een waar bolwerk heeft veranderd, laat zien in welke richting hij verder denkt uit te breiden. De Duitse staten zijn verwikkeld in een onderlinge strijd en alleen uit op eigen voordeel, en ze zijn niet in staat een gemeenschappelijk leger op de been te brengen, zodat elk afzonderlijk vorstendom een gemakkelijke prooi voor Bonaparte is. Nog daargelaten dat enkele Duitse vorsten, die van Beieren voorop, zo weinig eergevoel en vaderlandsliefde bezitten dat ze gemene zaak maken met de despoot in de hoop als beloning voor hun verraad een paar kruimels van de tafel te kunnen meepikken. De Franse troepen stonden al eens aan de Fulda, vlak voor Eisenach, en het idee ze daar opnieuw te zien staat me weinig aan.'

'En ook niet onbelangrijk: in eigen land is de positie van de Corsicaan erg wankel,' vulde Stanley aan. 'En oorlogen zijn zoals bekend een uitstekende methode om de tekortkomingen van de binnenlandse politiek te verdoezelen en het volk achter zich te krijgen.'

'Wankel?' vroeg Voigt. 'Staat het volk dan niet aan Napoleons kant? Heel Frankrijk heeft hem toegejuicht toen de kroon op zijn hoofd werd gezet.'

'Heel Frankrijk heeft ook Louis XVI toegejuicht toen de kroon op zijn hoofd werd gezet. En ze juichten net zo hard toen de valbijl op hetzelfde hoofd neerkwam. Van alle volken is, met excuus aan mevrouw, het Franse waarschijnlijk het wispelturigst met zijn gunst en ongunst. Maar Bonapartes oorlogen hebben de fransozen veel geld gekost en het land in een economische malaise gestort, en het deporteren en vermoorden van de onschuldige hertog van Enghien, die hij er ten onrechte van had beschuldigd een aanslag op zijn leven te hebben beraamd, heeft zijn vijanden in Frankrijk alleen maar in aantal doen toenemen. Bovendien beginnen de fransozen zich geleidelijk te realiseren dat het niet de bedoeling van hun revolutie was de koningskroon af te schaffen om er een keizerskroon voor terug te krijgen. De sansculotten hadden de gehate aristocratie graag met de guillotine uitgeroeid, maar Napoleon zorgt steeds voor nieuwe aanwas door keer op keer zijn aanhangers in de adelstand te verheffen.

'Daarom wensen wij Bonaparte uit de weg te ruimen,' verklaarde de Hollander nu, 'op wat voor manier dan ook, en te vervangen door een heerser die geliefder is onder de fransozen. Want als wij Bonaparte vernietigen maar niet zorgen voor een geschikte opvolger, gaat de kroon gewoon over op zijn broer of stiefzoon, of een ander lid van de nieuwbakken keizerlijke familie.'

'Geliefder dan Napoleon?' vroeg Voigt. 'En welke heerser zou dat moeten zijn?'

Omdat niemand van het gezelschap antwoordde, nam Carl August het woord. 'Louis XVII.'

'De broer van de onthoofde koning? De comte de Provence?'

'Nee.'

'De comte d'Artois?'

'Nee, geen van zijn broers. Wij bedoelen daadwerkelijk Zijne Majesteit Louis XVII, de dauphin van Viennois, Louis-Charles, hertog van Normandië, zoon van Louis XVI en Marie Antoinette, en legitiem opvolger op de Franse troon.'

Voigt keek naar Goethe en Goethe naar Voigt, maar blijkbaar meenden de anderen het, zodat Goethe uiteindelijk het woord nam. 'Tien jaar geleden stierf de dauphin in gevangenschap. Van zijn familie heeft alleen zijn zus Marie-Thérèse-Charlotte de revolutie overleefd.'

Toen Sophie Botta antwoordde, sprak ze met een verrukkelijk accent. 'U vergist zich, mijnheer Von Goethe, of liever: u bent misleid, zoals ook de rest van de wereld is misleid – en zijn cipier wel het meest. Het klopt dat Louis-Charles ziek was toen hij in Parijs in de Temple werd vastgehouden, maar dat hij aan zijn ziekte overleed, klopt niet. Niet hij was het die stierf, maar een andere jongen, een ziek weeskind dat even groot en even oud was. Louis-Charles werd in vermomming uit de Temple ontvoerd. En toen de zogenaamde dauphin op het kerkhof Sainte Marguerite werd begraven, was de echte allang in veiligheid. Zijn vlucht uit Frankrijk voerde hem met wisselende begeleiders via Frankrijk en Italië uiteindelijk naar Amerika.'

'Met alle respect, mevrouw Botta, zelfs voor een van mijn boeken had ik niet zo'n wild roversverhaal kunnen bedenken. Vergeef me dat ik, met permissie, geen woord van dit Bourbonse sprookje geloof.'

'Allen die de dauphin hebben gekend en de terreur hebben overleefd, zullen kunnen getuigen dat hij werkelijk de zoon van Louis Seize is: de kamerdienaren en kameniers van Versailles, de ministers, maar in de eerste plaats zijn zuster, de Madame Royale.'

'En wie zou die persoonsverwisseling dan wel hebben uitgevoerd? U hebt zelf gezegd dat de royalisten onder de jakobijnen nagenoeg volledig zijn uitgeroeid.'

'Het was geen royalist maar een republikein, de vicomte de Barras. Met de jongen wilde hij Louis' broer, de comte de Provence, onder druk zetten, die, mocht het tot een restauratie komen, de volgende koning zou worden. Dat de dauphin tijdens de vlucht ontsnapte, paste natuurlijk niet in zijn plannen.'

Carl August legde zijn hand op Goethes been. 'Mijn aanwezigheid en de aanwezigheid van de vertegenwoordigers van drie staten bewijzen dat madame Botta's verhaal waar is: de dauphin leeft, of liever, Louis XVII leeft. Wij willen dat hij de Franse troon bestijgt, de jakobijnen en de bonapartisten met elkaar verzoent en een eind maakt aan het bloedvergieten in Europa. Nog afgezien van het feit dat het treurige hoofdstuk van de Franse revolutie daarmee definitief wordt afgesloten en Frankrijk, de besmettingshaard, ophoudt gezonde staten met zijn onzalige revolutie-epidemie te infecteren.'

'Louis is nu achttien en oud genoeg voor de troon,' vulde Sophie Botta aan. 'Als hij met de juiste combinatie van bescheidenheid en vastberadenheid optreedt, zal het volk hem met open armen ontvangen. Louis Dix-Sept zal weer voor het volk regeren en niet, zoals Bonaparte, voor zichzelf.'

'En waar bevindt de dauphin zich nu?'

'Tja,' zei de gesluierde dame alleen.

Goethe knikte. 'Ik vermoed al dat achter dit "tja" de reden schuilgaat van onze aanwezigheid hier. Wel, waar is de dauphin?'

'Hij is van Boston naar Hamburg gevaren,' zei ze. 'Daar zou hij door Pruisische officieren worden opgevangen. In plaats daarvan werd hij door de Franse politie staande gehouden en afgevoerd. Herinnert u zich dat de vicomte de Barras verantwoordelijk was voor de ontvoering van Louis uit de Temple? Wel, toen hij en Bonaparte nog niet met elkaar hadden gebroken, heeft hij hem het geheim van de persoonsverwisseling toevertrouwd. Sindsdien is Bonaparte net zo naarstig op zoek naar de troonopvolger als Herodes destijds naar het kindeke Jezus. En wij kunnen onszelf verwijten dat we zijn minister van Politie hebben onderschat: Fouché heeft Louis opgespoord, en zijn mannen hebben hem nu in hun macht.'

'Ik raak zo langzamerhand het spoor bijster.'

Ondanks haar sluier kon Goethe zien dat madame glimlachte. 'Hou vol, mijnheer Von Goethe, het einde van mijn betoog is in zicht. Zoals u begrijpt, heeft Bonaparte er alle belang bij dat geen mens ooit iets over Louis' bestaan te weten komt. Als de jongeman die in Hamburg van het schip is gegaan een oplichter zou blijken te zijn – en deze verdenking ligt natuurlijk voor de hand – dan zal Bonaparte hem als oplichter gevangenzetten of hem gewoon het land uit jagen. Maar mocht het inderdaad Louis Dix-Sept zijn…

dan bestaat er geen twijfel over dat deze onmens hem net zo snel en gewetenloos uit de weg zal ruimen als onlangs de beklagenswaardige duc d'Enghien.'

Carl August schoof een paar theekopjes aan de kant om plaats te maken voor een kleine kaart van Europa, die tot dat moment onder tafel had gelegen. 'Fouché heeft inmiddels bevolen het vroegere kindermeisje van Louis-Charles op te pakken, een zekere madame De Rambaud. Zodra ze haar hebben, zullen zij en Louis elkaar weerzien halverwege Parijs en Hamburg, en wel in Mainz, de eerste stad op Frans grondgebied.'

'Waarom brengen ze hem niet direct naar Parijs?'

'Om redenen van geheimhouding, nemen wij aan. In Parijs is het risico te groot dat de dauphin ook door andere mensen wordt herkend. Daarom blijft hij in Mainz. Nog deze week zal De Rambaud arriveren; natuurlijk staat ze onder strenge bewaking. Ze zal daar arriveren, de dauphin identificeren, en dan wordt Louis ter plaatse in het geheim terechtgesteld. Zo staan de zaken.'

Goethe keek op de kaart, die nog stamde uit de tijd dat het Heilige Roomse Rijk door de Saar en niet door de Rijn werd begrensd. 'En wat kunnen we aan deze onaangename situatie doen?'

Sir William kuchte. Graaf De Versay deed nog een schepje suiker in zijn thee, die toch al te zoet was.

'Van kindsbeen af kent u goed de weg in het bezette Mainz,' zei de hertog, 'en wat nog beter is, u kent het uit de tijd dat wij de stad belegerden. Stel een ploeg samen van een paar goede mannen, vertrek onmiddellijk naar Mainz en bevrijd de dauphin voordat madame De Rambaud hem kan identificeren en voordat de keizer hem ook maar een haar krenkt.'

'Ik?'

'Ik zou niemand weten aan wie ik deze gewichtige opdracht liever zou toevertrouwen.'

'U maakt een grapje, Doorluchtige Hoogheid. Ik ben niet de man in wiens handen u het lot van Frankrijk en Europa zou moeten leggen. Waarom bekommeren de ooms van de dauphin, de comte de Provence en de comte d'Artois, zich niet om hun neef?'

Sophie Botta snoof. 'Omdat het egoïstische lafaards zijn, die zelf hopen ooit koning te worden en dus helemaal niet willen dat de dauphin hun plaats op de troon inneemt.'

'En hoe zit het met de geëmigreerde Fransen? Heel Duitsland wemelt toch van gevluchte aanhangers van de Bourbons, die niets liever willen dan hun blauwe bloed vergieten voor de jonge koning.'

'Volkomen juist. Maar ieder van hen die voor deze missie in aanmerking komt, wordt scherp in de gaten gehouden. Hun gedrevenheid zou Louis alleen maar in gevaar brengen. Fouché heeft een fijnmazig netwerk van spionnen onder de emigranten en hun Duitse gastheren opgebouwd.' Ze raakte met haar vinger de donkergroene zijde voor haar gezicht aan. 'Alleen daarom draag ik deze vermaledijde sluier, die me het leven zuur maakt: omdat ik zelfs in deze gastvrije vertrekken, ver van Parijs, het risico loop dat mijn echte identiteit wordt ontdekt – hoe onbelangrijk die ook moge zijn. Ik herinner u opnieuw aan de duc d'Enghien: Napoleons tentakels reiken nu tot ver over de Franse grens. Lieve god, heer geheimraad, als dat niet zo zou zijn, zat ik allang in een koets naar Mainz.'

Goethe antwoordde niet en omdat de andere aanwezigen eveneens zwegen, was het opeens stil in de audiëntiezaal. Het vuur in de haard knetterde, en in de maag van de Hollandse diplomaat borrelde de thee. Voigt deed zijn mond open, maar zei geen woord. Vermoedelijk was de minister dankbaar dat hij niet mee hoefde op deze hachelijke reis, iets wat hij niet op het spel wilde zetten met een opmerking erover. In plaats daarvan bestudeerde hij het schilderij dat achter sir William aan de muur hing, alsof hij een tot dan toe onbekend detail in de jachtscène had ontdekt.

Ten slotte kwam Carl August overeind. 'Sta mij toe met de geheimraad van gedachten te wisselen in de *chambre separée.*'

Goethe knikte de gasten ten afscheid toe en volgde de hertog naar het naastgelegen vertrek.

'Mijn hoofd tolt,' zei Goethe. 'Een tweede fles wijn had niet meer schade kunnen aanrichten dan dit ongelooflijke verhaal.'

'Gisteren gedronken?'

'Onder andere. Als ik had geweten dat ik vandaag Napoleon zou moeten omverwerpen, was ik gisteren beslist vroeger naar bed gegaan.' Goethe ging bij het raam staan en keek naar de Kegelbrug over de Ilm. In het ijs op de rivier was een belachelijk klein wak opengebleven, nauwelijks drie pas in het vierkant, waarin nu alle zwanen van Weimar leken te zijn verzameld, die door onafgebroken trappelen en peddelen probeerden te voorkomen dat het ijs ook hun laatste stukje water zou bedekken. Goethe had vandaag graag nog wat willen schaatsen.

'Je aarzelt. Waarom? Bewonder je Napoleon?'

'Welnu, een man die door alle mensen wordt gehaat, moet wel iets bijzonders zijn. Wat Shakespeare voor de poëzie betekent en Mozart voor de muziek, dat betekent hij ook voor zijn heel wat minder appetijtelijke handwerk. Maar dat ik hem bewonder, wil nog niet zeggen dat ik ervoor terugschrik om het tegen hem op te nemen. Je kunt ook je vijanden bewonderen.'

'Dan, mijn vriend, vraag ik je uit de grond van mijn hart: bevecht deze vijand. Ga naar Mainz en red de ware koning van Frankrijk.'

'Hoor eens, Carl, dat is geen kinderspel. Je kunt me evengoed vragen in de muil van de hel af te dalen en een verloren ziel te redden. En dan Mainz! Uitgerekend Mainz!'

'We hebben elkaar altijd nog in Mainz leren kennen, kameraad.'

Goethe wendde zich van het raam af. 'Wie is die Française? Sophie Botta is niet haar echte naam.'

'Nee. Ik ken haar ware identiteit en wil daar alleen over zeggen: ze heeft reden genoeg om een sluier te dragen en Fouchés mannen te vrezen. Maar die dame is uiterst geloofwaardig en ze is opmerkelijk dapper. En ze heeft het gezicht van een engel. Meer mag ik zelfs jou niet vertellen, want ik heb een eed afgelegd.'

'En hoe komt het eigenlijk dat je je bij dit gedenkwaardige bondgenootschap hebt aangesloten?'

'Van alle staten van het Duitse Rijk zal Napoleon mijn hertogdom als de rijkste buit beschouwen. We zijn weliswaar klein, maar bezetten een sleutelpositie in het midden van Duitsland, en het leger van Saksen-Weimar tegen het Franse laten aantreden is als een rat die tegen een leeuw vecht. Ik heb me erop laten voorstaan gastheer te zijn van vele koningsgezinde Fransen en mijn afkeer van de Corsicaan nooit onder stoelen of banken gestoken. Ik heb aan alle veldtochten tegen Frankrijk deelgenomen. Misschien stel ik in de ogen van de keizer weinig voor, maar des te vastbeslotener zal hij zijn om me te vernietigen. Als Napoleon tegen Duitsland zou optrekken – en als wij werkeloos toekijken doet hij dat beslist – dan moet ik niet alleen voor mijn hertogdom, maar ook voor mijn lijf en leden vrezen.' Carl August pakte zijn vriend bij de armen en met oprechte vertwijfeling in zijn stem zei hij: 'Als ik ooit je hulp nodig heb gehad, dan is het nu. Help me, en je zult voortaan alles van me krijgen wat je van me verlangt.'

Op weg naar huis stelde Goethe een lijst op met dingen die hij van de hertog zou verlangen: geleidelijke vermindering van het vroongeld en de belastingen voor de boeren van het vorstendom, de benoeming van Hegel tot filosofieprofessor aan de universiteit van Jena, en ten slotte het heenzenden van de door de hertog zo bewonderde Karoline Jagermann van het residentietheater, want de voortdurende intriges en machtsspelletjes van de actrice werkten hem op de zenuwen. Deze dienst van herculische proporties aan Carl August had zijn prijs, en met beloften alleen nam hij geen genoegen. Toen Goethe weer op het Frauenplan was gearriveerd, kwam de gedachte bij hem op dat in het midden van het plein eigenlijk nog genoeg plaats was voor een bronzen beeld... en meteen verwierp hij het idee weer.

Terwijl hij op de gang zijn laarzen uittrok, kwam Christiane hem tegemoet en ze vroeg of hij liever wilde ontbijten of de middagmaaltijd wilde gebruiken. Ze somde de beschikbare gerechten op, maar toen hij van zijn laarzen opkeek viel ze stil.

'Is het soms oorlog?' vroeg ze.

Goethe schudde lachend zijn hoofd. 'Nee, maar toch moet ik gaan. De hertog stuurt me naar... Hessen.'

'Wat hebt u in Hessen te zoeken?'

'Diplomatieke verplichtingen. Maar ik beloof dat ik niet langer dan een week weg zal zijn en ik neem een fles van de beste rijnwijn voor je mee.' Goethe deed zijn pruik af. Door de warmte was de korst zacht geworden; twee bloedvlekken kleurden het witte haar van de pruik helderrood. 'Breek een paar eieren in de pan, met spek. Ik heb meer honger dan zwager Kronos. Waar is mijn zoon?'
'August is in de tuin, hij maakt een sneeuwpop.'
'Stuur hem naar Schiller. Hij moet meteen komen, ook al raakt hij zijn inspiratie kwijt!'
'Inspiratie voor een sneeuwpop?'
'Niet August, sufferd! Ik heb het over Schiller.'
In zijn werkkamer zette Goethe zijn leren rugzak, die hij voor het laatst bij een wandeling door het Thüringer Woud had gebruikt, op de tafel in het midden van de kamer en deed er kleren voor de reis naar Mainz in; ze waren eenvoudig genoeg om niet op te vallen en warm genoeg voor de vrieskou die in Duitsland heerste. Toen verzamelde hij wat hij noodzakelijk vond: een waterzak uit Sicilië en een hartsvanger met een hoornen heft die de hertog hem in Zwitserland had geschonken. Een touw dat hij had meegenomen naar de Harz, maar dat hij noch daar, noch ergens anders had gebruikt. Een messing olielamp uit de mijnen in Ilmenau. En ook nog een kompas, dat hem de weg had gewezen naar Champagne en terug. Hij wachtte tot Christiane hem een zwarte ijzeren pan met zijn dampende ontbijt had gebracht, en begon toen zijn beste wapens uit te zoeken. Hij koos een eenvoudige dolk en twee pistolen. Tussendoor nam hij steeds een hap van zijn omelet. August was terug en legde in de tuin de laatste hand aan zijn sneeuwpop. In de toren van de Sint-Petrus-en-Pauluskerk sloeg de klok twaalf uur.
Even later werd er op de deur geklopt en Schiller kwam binnen; ook hij was getekend door de groene en blauwe bewijzen van het gevecht van de vorige dag. 'Wat is er aan de hand? Heeft Knebel geen tijd? Of geen zin?' Schiller trof Goethe gebogen over zijn kruithoorn en een zakje met loden kogels aan. 'Verdraaid, Goethe! U zint toch niet op bloedige wraak op de brave burgers van Oßmannstedt?'

'Verre van dat. Met dit pistool wapen ik me tegen een tegenstander die geduchter is dan een handjevol boeren. Welbeschouwd is het veruit de sterkste tegenstander die op dit moment onder alle stervelingen te vinden is.'

Toen Schiller begreep dat het Goethe ernst was, verdween de glimlach van zijn gezicht. 'Over wie hebt u het?'

'Over de keizer der Fransen.'

'Wilt u Napoleon in eigen persoon het hoofd bieden?'

Terwijl Goethe verdere benodigdheden op tafel uitstalde om te bepalen wat er nog aan zijn beperkte reisbagage moest worden toegevoegd, vertelde hij zijn vriend wat hem door Carl August en de anderen was medegedeeld. Schiller trok een stoel naar zich toe en luisterde aandachtig.

Toen Goethe klaar was, vroeg Schiller: 'Wat ik nu heb gehoord, is dat de waarheid?'

'Ja.'

'Dus ik ben gekomen om afscheid te nemen?'

'Nee. Om met mij mee te gaan.'

De mannen keken elkaar zwijgend in de ogen, totdat Schiller vroeg: 'U bedoelt?'

'Ik wil u vragen mij naar Mainz te vergezellen, omdat ik u ken als een flinke en verstandige strijder en omdat ik me voor deze opdracht geen moediger metgezel zou kunnen wensen.'

'Hm.'

'Hoezo "hm"? U bent toch dapper?'

'Ik ben dapper genoeg om blootsvoets door de hel te lopen, maar waarom ík? En nu we het er toch over hebben, waarom u? Waarom kiezen Carl August en die gesluierde beeldschone vrouw uitgerekend u uit? Wat is het eigenlijk dat zich achter die sluier verbergt? En zijn er voor een missie met dergelijke wereldschokkende consequenties geen jongere en capabeler mannen te vinden? In het hertogelijk leger van Saksen-Weimar bijvoorbeeld? Mainz is een vesting.'

'Ongetwijfeld. Maar dit wordt geen belegering, dit is een operatie. En die vergt grote inzet en sluwheid; daarvoor zijn geen soldaten maar denkers nodig, en bij voorkeur ervaren denkers,' zei Goethe. 'Twijfelt u misschien aan het verhaal over de dauphin?'

'Nee. Van de geschiedenis heb ik geleerd dat gebeurtenissen waar bleken te zijn die nog veel onwaarschijnlijker leken. En ik had, eerlijk gezegd, al zoiets vermoed. Ik vind het alleen bedenkelijk, nee, gewoon niet raadzaam om het op te nemen tegen de demon van de staatspolitiek. Ik dacht dat wij tweeën hadden besloten ons van het heden af te keren en ons alleen nog te wijden aan het eeuwige, namelijk waarheid en schoonheid.'

'Maar ik kan niet werkeloos toezien hoe Napoleon ons rijk in brand steekt. Hij heeft ons Duitsers alle gebieden links van de Rijn afgenomen, Keulen in Cologne veranderd, Koblenz in Coblence en Mainz in Mayence. En hij zal Duitsland verder verslinden.'

Schiller glimlachte. 'De wereldburger Goethe opeens zo heilig Rooms, zo Duits-nationaal? Dat zijn nogal ongewone geluiden uit uw mond.'

'Wel, u kent me beter dan dat. Het maakt me in principe niet uit of Mayence Hessisch is of van de Palts of Pruisisch of zelfs Frans, Mainz blijft Mainz, maar net zoals de hertog vrees ik voor ons kleine Weimar, dat moet blijven wat het is.'

Schiller draaide zijn stoel om, zodat hij zijn armen over elkaar op de rugleuning kon leggen. 'Laat me even advocaat van de duivel spelen: als Napoleon komt, zou hij ons achtergebleven land misschien wat vooruitgang brengen.'

'Een cadeau, verpakt met een lint van bloed en tranen. Zijn moordlust ken ik: een man, die zich niet bekommert om de levens van miljoenen; die over zichzelf zegt dat het voor het heil van de mensheid beter zou zijn geweest als hij nooit had bestaan. Als ik voor zijn vooruitstrevende code civil moet betalen met de levens van onze kinderen, dan hoef ik hem niet.'

'En om te verhinderen dat de despoot de oorlog binnen onze grenzen doet ontbranden, wilt u hem door een andere despoot vervangen. Een stap terug naar de vorige eeuw, naar het ancien régime.'

'Dat hoeft niet!' riep Goethe. Hij liep naar de globe die bij het raam stond en draaide hem zo snel rond dat de dagen en nachten binnen enkele seconden voorbijvlogen. 'Want tenslotte redden wij Louis-Charles het leven, en daarna escorteren we hem: bedenk toch eens hoeveel invloed we op hem zouden hebben! Hij is nog jong en kneedbaar. We kunnen hem helpen van de fouten van zijn vader en van Napoleon te leren. We kunnen het kind vormen zoals wij willen. We kunnen hem alle idealen bijbrengen die wij zelf als juist beschouwen. Bij Carl August is het me gelukt van een losbandige spring-in-'t-veld een verlichte, gewetensvolle heerser te maken, en hij heeft een onbeduidend, klein hertogdom tot grote bloei gebracht. Het is nauwelijks voor te stellen wat we samen, als opvoeders en vertrouwelingen van de koning van de mooiste monarchie ter wereld, kunnen bereiken!'

Schiller keek weg van Goethe; zijn blik dwaalde doelloos door de ruimte, en bleef uiteindelijk rusten op de draaiende aardbol. Hij knipperde met zijn ogen. 'Waarom draait u de globe rond, als ik vragen mag?'

'Dat weet ik zelf niet.' Goethe legde zijn hand op de noordpool en zette de wereldbol stil. 'Eén ding nog, dan hou ik mijn mond: je moet doen wat je kunt om een mens van de ondergang te redden, en een onschuldig en gemaltraiteerd weeskind al helemaal. Louis is een waardig mens, en hij mag niet in mensonwaardige gevangenschap wegkwijnen en al helemaal niet worden onthoofd; de brutale tirannie die het waagde hem in de boeien te slaan, trekt zijn dolk al om hem te vermoorden. Zijn hals zou een kolfje naar de hand van de scherprechter zijn. Zelfs als het ons niet lukt hem op de troon te zetten, wil ik het genoegen smaken hem van het schavot te redden en hem het lot van zijn ouders te besparen. De eeuw waarin hij leeft kunnen we misschien niet veranderen, maar we kunnen verzet bieden en gunstige voorwaarden scheppen voor de toekomst.

Schiller knikte met zijn hele bovenlichaam, en toch nauwelijks merkbaar. Hij zweeg een tijdje, terwijl Goethe hem met zijn hand op de noordpool gadesloeg. Toen stond Schiller, luidruchtig inademend, op van zijn stoel en keek zijn gesprekspartner glimlachend aan. 'Welnu! Aan mij zal het niet liggen. Laten we onze eeuw de handschoen toewerpen. Hand in hand met u is succes verzekerd.'

Met glinsterende ogen liep Goethe op Schiller toe, en de twee vrienden grepen elkaars onderarmen stevig vast.

'Hand in hand!' herhaalde Schiller. 'Het idee Napoleon op de knieën te krijgen staat me wel aan. Het is een nobel doel, en er valt veel te winnen!'

'Ik ben zielsgelukkig, mijn dierbare vriend. Nu ben ik voor de hel en de duivel niet meer bang.'

De twee lieten elkaar los. 'Ik kom op het moment toch niet verder met mijn werk,' zei Schiller, 'en een reisje naar de Rijn komt me dus wel gelegen. Bovendien is gisteravond afdoende aangetoond dat u zonder mijn assistentie niets kunt beginnen.'

'Wat bent u aan het schrijven?'

'Iets met piraten en muiterij en kannibalen, en een liefde op volle zee. Maar het wil niet erg lukken. Ik denk er al over de piraten overboord te gooien en me aan een vervolg te wagen van mijn *Rovers*, dat zoveel succes had.'

Goethe bromde iets.

'Hoor ik u iets brommen?'

Goethe bromde opnieuw.

Schiller hief zijn handen op en knikte. 'Wel, u bromt terecht. Ik zal niets van dien aard doen. Ik laat *De rovers* rusten in vrede, en in plaats daarvan zal mijn volgende werk gaan over onze heldendaden in dienst van de vrede. Lolo zal me uitfoeteren als ik haar vertel dat ik naar Frankrijk moet, ze zal me alleen onder protest laten gaan. Maar ik ben lang genoeg een stoffige burger geweest, met een slaapmuts op het hoofd en een pijp in de mond bij de warme kachel; nu zeg ik mijn leunstoel en Weimar, die fabriek die het beste uit de ziel destilleert, vaarwel! Ik wil het stof van de weg weer proeven, het privéleven kan me gestolen worden! Dus vooruit, handen uit de mouwen! Wanneer gaan we?'

'Vannacht nog. Maar we komen nog een derde reisgenoot tekort. Een man die als geen ander de weg weet in Mainz en in het Rijnland, die Frankrijk en de Franse taal zo goed kent dat hij voor een fransoos kan doorgaan, die bovendien over Franse vrijgeleiden beschikt, en die gelukkig juist in onze stad verblijft.' Goethe pakte zijn mijnlamp van tafel en stak een van de kaarsen aan. 'Maar we moeten wel in de onderwereld afdalen als we hem willen vinden.' Schiller fronste zijn wenkbrauwen. 'In de onderwereld? Wie is het? Mefistofeles?'

Goethe lachte. 'Nee. Alexander von Humboldt.'

'O.'

'Teleurgesteld?'

'Ik heb altijd meer opgehad met Wilhelm, de oudste van de gebroeders Humboldt. Veel mensen zijn onder de indruk van Alexander, die zijn broer alleen overvleugelt omdat hij een grote mond heeft en weet hoe hij zich kan laten gelden.'

'Ik heb grote waardering voor Alexander. Ik heb veel aan hem te danken: als hij er niet was geweest zou mijn natuurhistorische werk nooit uit zijn winterslaap zijn gehaald. Als hij me niet had aangemoedigd, had ik mijn studie van de osteologie niet weer opgepakt en had ik het tussenkaaksbeen nooit ontdekt.'

Schiller streek met twee vingers langs de scheur in zijn bovenlip. 'Na gisternacht zou ik haast zeggen: had je het maar nooit ontdekt. Is Humboldt zelf niet een halve Fransman? Woont hij niet veel liever in Parijs dan in zijn geboorteplaats Berlijn?'

'Hij houdt van de fransozen, maar hij haat Napoleon! Beter konden we het niet treffen. We mogen van geluk spreken dat hij momenteel onderzoek doet in Weimar. U hebt mijn woord dat hij ons goede diensten zal bewijzen.'

Schiller wuifde zijn woorden weg. 'De laatste keer dat u mij uw woord gaf, ben ik door het ijs gezakt.'

Ze liepen door de Zeepstraat en de tuinen van het park, en daalden via enkele trappen de helling af naar de Ilm. Op de plek waar de rotswand het dichtst bij de rivier kwam, was een toegang uitgehakt die door een houten deur met zwart ijzerbeslag was afgesloten. Daarboven bevond zich een stenen boog, waaraan ijspegels hingen. Ze openden de deur en volgden de schacht die in zuidelijke richting in het kalksteen was uitgehakt. Hoe dieper ze kwamen, des te warmer werd het. Een smalle, met stenen platen bedekte goot was links in de bodem uitgehouwen.

Na een korte wandeling bereikten ze een kunstmatige grot, waar in het schijnsel van een paar lantaarns Alexander von Humboldt aan het werk was, een hamer in de ene en een grove borstel in de andere hand. Op de zandbodem lagen naast zijn voeten een notitieboekje en brokken steen in allerlei soorten en maten. Op een paar stenen was een vlechtwerk van prehistorische planten te zien, andere stenen bleken bij nadere beschouwing botten en tanden van dieren te zijn. Humboldt had zijn jas en vest uitgetrokken, en zijn hemd en halsdoek waren bruin van het tufsteen. Zijn gezicht was eveneens vuil, en in zijn warrige haardos zat kalk die van het plafond naar beneden was gedwarreld, maar ook dat deed niets af aan zijn oogverblindende verschijning. Zijn silhouet, zijn heldere oogopslag, zijn glanzende, in de tropen gebronsde huid, die naast de twee schrijvers, die bleek waren als bibliothecarissen, des te beter uitkwam... zo stelde Goethe zich de jonge Faust voor, en als Humboldt acteur was geweest en geen wetenschapper, had Schiller hem ongetwijfeld de rol van Karl Moor toebedeeld.

Toen Humboldt de twee grote geesten uit Weimar voor zich in de grot zag staan, was hij met stomheid geslagen. Hij veegde zijn bestofte hand een paar keer aan een broekspijp af voor hij hem naar hen uitstak. Om de man uit Pruisen niet meteen met hun opzienbarende plan te overvallen, informeerde Goethe eerst naar zijn onderzoek. Maar Humboldt begon daarop de gevonden fossielen en de huidige stand van de geologie zo uitputtend te beschrijven, dat Goethe hem na een tijdje wel moest onderbreken. Met zijn handen in zijn zij luisterde Humboldt op zijn beurt naar wat Goethe in verband met de dauphin te vertellen had. Goethe sprak echter alleen over de redding van Louis XVII, niet over het voornemen hem op de troon te zetten, en ook noemde hij geen enkele naam, behalve die van de hertog. Tijdens Goethes relaas nam Schiller Humboldt vanuit zijn ooghoeken op.

Goethe besloot met het verzoek aan Humboldt zich bij hen aan te sluiten, waarop deze antwoordde: 'Ik heb me tot nog toe altijd verre van de politiek gehouden, want het is een van de weinige wetenschappen die me nooit heeft geïnteresseerd, en ik geloof dat de politiek me altijd uitsluitend schade heeft berokkend en nooit iets heeft opgeleverd. Desalniettemin, als de twee onafscheidelijke vrienden uit Weimar mij om hulp vragen, zou ik een dwaas zijn als ik hen niet terzijde zou staan. Aan u, mijne heren, weigeren een wens te voldoen, is hetzelfde als weigeren een wens te voldoen aan halfgoden. U kunt op me rekenen, ik ga graag met u mee, waarheen dan ook, al is het direct naar het Louvre.'

Verheugd reikte Goethe hem de hand, waarop Humboldt de zijne opnieuw aan zijn broekspijp afveegde en hem schudde.

'En uw stenen?' vroeg Schiller tijdens de handdruk.

'Mijn fossielen kunnen gerust nog een weekje wachten, ze hebben tenslotte al zo'n honderdduizend jaar op me gewacht.'

Goethe wees erop dat hun project geheimgehouden moest worden en dat er haast bij was, en Humboldt verzekerde dat hij binnen het uur klaar voor vertrek zou zijn, want hij was het gewend snel en met weinig bagage te reizen. Terwijl hij zijn vondsten ordende, verlieten de twee anderen de grot. Buiten was het intussen net zo donker geworden als binnen, en het was alleen aan Goethes lamp te danken dat ze veilig hun weg terug naar de stad vonden. Op het Frauenplan scheidden hun wegen.

In de keuken van Goethes huis hadden Christiane en geheimraad Voigt grotendeels zwijgend op de thuiskomst van de dichter gewacht. Christiane had Voigt thee gebracht, en met hun kopjes gingen de beide geheimraden naar de Urbino-kamer boven. Daar haalde Voigt uit een leren portefeuille Duitse en Franse wissels en munten ter waarde van tweeduizend rijksdaalders, waaraan mevrouw Botta's Franse emigranten en de regeringen van Saksen-Weimar-Eisenach en Engeland elk een derde deel hadden bijgedragen; bovendien voldoende vrijgeleiden uit de kanselarij van de hertog om in het rijk vrije doortocht te garanderen; verder een kaart van Rheinhessen en een van Mainz, en ten slotte een handgemaakte kopie van een plattegrond van het Duitse Huis in Mainz, zetel van de Franse prefectuur en zodoende ook van het tribunaal dat over Louis-Charles de Bourbon zou oordelen. Voigt wees naar een portret van de hertog dat in de kamer hing, en bracht opnieuw diens wens over dat het een geslaagde missie zou worden, en het dringende verzoek aan Goethe zich niet in levensgevaar te begeven tussen de krankzinnigen in Mainz. Alle verdere vragen zou sir William beantwoorden, die hem met zijn mannen tot aan Eisenach zou begeleiden.

Toen Voigt weg was, verdiepte Goethe zich weer in zijn uitrusting. Christiane kwam boven, haar handen diep weggestoken in haar schort, en toen ze de bankbiljetten zag, brak ze in tranen uit, want dit geld en Voigts beleefde zwijgen van daarnet zeiden haar genoeg om te begrijpen dat haar Wolfgang weer begon aan een reis die misschien wel zijn laatste zou zijn. Hij nam haar in zijn armen en hield haar stevig vast, en hij droogde haar tranen met de mouw van zijn jas. Hij beloofde dat hij goed op zichzelf zou letten en niet in Frankrijk of een ander ver land, maar alleen thuis in zijn leunstoel te zullen sterven. Na een tedere kus ging Christiane zijn proviand voor de reis klaarmaken. Goethe deed zijn rugzak dicht, bond er een dikke deken bovenop en borg zijn pistolen op in de foedralen. Er was nog tijd genoeg om het hete bad te nemen dat zijn bediende Carl voor hem maakte, en Goethe vermoedde dat het weldadige effect ervan wel een paar dagen vol ontberingen zou aanhouden.

Humboldt stond al met zijn rugzak aan zijn voeten voor de deur van Goethes huis te wachten toen deze klokslag acht uur het huis uit kwam. Het was gaan sneeuwen en het Frauenplan strekte zich donker en verlaten voor hen uit. Niet veel later voegde Schiller zich bij hen, met een lange knoestige stok in zijn hand. Ook hij droeg een rugzak, waaraan hij een kruisboog had vastgebonden. 'Bent u verbaasd over dat merkwaardige apparaat op mijn rug?' vroeg Schiller. 'Wel, ik ben een meester op de kruisboog. Dit geruisloze wapen verdient altijd de voorkeur boven een pistool, met z'n ellendige herrie. Ik neem het op tegen iedere schutter!' Schiller had snel gelopen en ademde zo veel koude avondlucht in dat hij hevig moest hoesten. Goethe informeerde of de wankele gezondheid van zijn vriend het eigenlijk wel toeliet dat hij de inspannende taak die voor hen lag op zich zou nemen, waarop deze, nadat hij met een zakdoek zijn mondhoeken had afgeveegd, lachend antwoordde: 'Ik hoef me deze vraag niet te laten welgevallen van een man die tien jaar ouder is dan ik.'

Humboldt wees hun op een vermomde gedaante, die hun groepje door de Brouwerijsteeg naderde. Goethe zag dat het niet de Brit was, en vermoedde al een bonapartist; toen herkende hij de schrijvende Pruisische luitenant die hem die middag had aangesproken. De man zag er zo verkleumd uit dat het leek of hij zijn handen sindsdien geen enkele maal aan een kachel had kunnen warmen. Hij wenste de twee anderen goedenavond, zonder ze – vanwege hun dikke sjaals – te herkennen, en vroeg Goethe of hij zijn blijspel inmiddels had gelezen.

'Geen woord,' antwoordde deze, en hij herinnerde zich toen pas dat hij het afschrift in de audiëntiezaal van het slot had laten liggen. 'Want van alle dagen die u had kunnen uitzoeken, treft u me op een dag waarop ik het drukker heb dan ooit. Het spijt me, maar ik moet u voorlopig laten wachten. Goedenacht.'

'Wanneer leest u het?'

'Zodra ik er tijd voor heb, maar dat zal nog wel even duren. Goedenacht.'

De luitenant wierp een blik op de bepakking van de drie mannen. 'U gaat op reis? Waarnaartoe?'

'Met permissie, jonge vriend, dat mag ik u jammer genoeg niet vertellen. Goedenacht.'

Maar de jongeman liet zich niet afschepen. Hij staarde lang naar Goethes rugzak en toen hij weer opkeek, zagen zijn wangen rood en klonk zijn stem bars. 'Wieland zegt dat ik het grote hiaat in de dramatische literatuur zal dichten, een hiaat dat u en mijnheer Von Schiller zelfs niet hebben kunnen dichten. Ooit zal ik u overtreffen, met of zonder uw hulp.'

Goethe wisselde een geamuseerde blik met Schiller. 'Zo, zegt Wieland dat? Wel, hopelijk zal ik me daarvan door lezing van uw stuk kunnen overtuigen.'

'Nee. Zo lang wacht ik niet. Ik heb uw oordeel niet nodig. Geef me mijn werk terug.'

'Eh…' zei Goethe, en hij schraapte zijn keel. 'Het spijt me, maar ik heb het niet bij me. Het ligt momenteel in het kasteel.'

'Wel verdraaid! Ik heb u toch uitdrukkelijk gevraagd het niet uit handen te geven!'

'U kunt gerust zijn. Het is daar zo veilig als een ster aan de hemel, en zal daar beslist niet zoekraken.'

De luitenant keek Goethe met een duistere blik aan. 'Goed, u minacht mij. U minacht mij omdat u mij niet kent, en daarom haat ik u. Goed dan, vaarwel. Ik hoop dat de wielas het onder uw achterwerk begeeft en dat u nooit van uw reis zult terugkeren!'

Met die woorden maakte hij rechtsomkeert, nog voor Goethe op zijn verhitte betoog kon reageren. De drie mannen keken hoe hij woedend het Frauenplan overstak en in de sneeuwjacht verdween. Humboldt keek de nachtelijke bezoeker het langst na.

'De jeugd is niet op zijn mondje gevallen,' merkte Schiller op.

'Inderdaad. Zojuist nog vereerd, nu reeds verguisd.' Goethe schudde zijn hoofd. 'Zoals de jeugd toch altijd van het ene in het andere uiterste vervalt!'

'Inderdaad, een honingzoet ventje. Wie was die vlegel?'

'Een luitenant uit Pruisen die rijmelaar wordt. En een minuut geleden nog een vurige aanbidder van mijn kunst.' Toen Schiller onderdrukt lachte, voegde Goethe eraan toe: 'Spot er niet mee. Iedereen moet een held uitkiezen die hij op zijn beklimming van de Olympus kan navolgen. Wieland stuurt toch altijd de wonderlijkste mensen op me af. Laten we hopen dat ook uit deze absurde most nog een goede wijn voortkomt.'

Eindelijk kwamen dan de vier koninklijke Engelse dragonders om de hoek, gevolgd door een tweespan, een berline met een zwarte kap en brandende lantaarns links en rechts van de bok. Ze hielpen de zwijgzame koetsier met het opladen van hun reisbagage en voegden zich toen bij sir William in de koets. Met een klap van zijn stok gaf de Brit het signaal tot vertrek, en terwijl de mannen zich met de kussens en dekens comfortabel en warm installeerden, snelde de koets met hun escorte over de Erfurter Chaussee de stad uit.

3

Frankfurt

Op de avond van de daaropvolgende dag bereikten de vrienden de laatste posthalte voor Eisenach, waar de paarden werden gewisseld. Vanaf de heuvel waar de herberg lag, konden ze de stad al zien liggen, en op de met dennen begroeide helling daarboven de massieve, besneeuwde Wartburg. Sir William werd opgewacht door een Britse officier in burger, die hun de boodschap overbracht dat Fouchés mannen madame De Rambaud in Parijs hadden opgespoord en dat ze nu via Luxemburg en Trier op weg waren naar Mainz. Daar zou het kindermeisje op z'n laatst over een week aankomen, en die zeven dagen moest Goethe goed benutten.

Sir William Stanley nam nu afscheid, want de afspraak was dat de dragonders zich op de Wartburg zouden inkwartieren. Daar, op veilige Duitse bodem, in de sterkste vesting van Duitsland, zouden de Engelsen op Goethe wachten en de dauphin in ontvangst nemen, om van daaruit onder escorte verder te reizen, hetzij naar Weimar, of naar Berlijn, of direct naar Mitau in Kurland, waar de comte de Provence op uitnodiging van tsaar Alexander resideerde in ballingschap. Dan pas zou men zich beraden over de verdere stappen die zouden moeten leiden tot de afzetting van Napoleon I en de troonopvolging door Louis XVII. De koets en de koetsier – een Russische bediende van madame Botta, Boris genaamd, met een ondeugend en tegelijk humeurig gezicht, een originele combinatie – stonden echter onbeperkt ter beschikking van Goethe en zijn begeleiders.

Stanley, die de hele rit erg zwijgzaam en kortaf was geweest, sprak nu uit wat hem dwarszat. 'Ik had al een vermoeden dat uw groep klein zou uitvallen, maar dat hij zó klein is, verrast me. Zou u mij kunnen vertellen, heer geheimraad, hoe u het voor elkaar wilt krijgen met hulp van twee burgers de koning van Frankrijk uit zijn gevangenschap in de vesting te bevrijden?'

'Nee, dat kan ik niet,' antwoordde Goethe. 'Want naast snelheid is in de eerste plaats geheimhouding geboden, en als u in handen van de vijand zou vallen, wat God verhoede, of zelfs tot de vijand zou behoren, dan is het beter dat u niets van mijn plannen weet.'

Sir William reageerde met een kort knikje op Goethes besluit. Toen nam hij een paar papieren uit zijn tas. 'Dit hebt u in het slot laten liggen. De hertog heeft me gevraagd het aan u te geven.' Het was het blijspel van de boze jonge dichter.

Terwijl Stanley en zijn soldaten naar de Wartburg reden, passeerde de zwarte koets Eisenach zonder te stoppen. De passagiers legden brood, worst en ham op de bank voor het avondmaal, en Goethe pakte een van de vier in stro verpakte flessen champagne uit een kist die de hertog had meegegeven. Hij tikte met zijn nagel tegen het groene glas. 'Carl August mag dan een hekel hebben aan de fransozen, hun wijn drinkt hij graag.'

'U hebt uw plan tegenover de Engelsman verzwegen, maar ons wilt u het toch zeker wel vertellen,' zei Humboldt, terwijl hij een hoek van het brood afsneed.

'Ik ben blij dat u het me nu pas vraagt, want ik ben pas op dit idee gekomen nadat we Erfurt waren gepasseerd. Luister goed. Weet u nog dat het de bedoeling is dat de dauphin door zijn voormalige kindermeisje wordt geïdentificeerd? Wel, zover zal het niet komen, want we houden die mevrouw Ramboud op de weg naar Mainz tegen en laten haar plaats innemen door onze dubbelgangster. Met haar in onze gelederen komen we door alle controles, tot in de donkerste kerker.'

'En hoe komen we die donkerste kerker dan weer uit?' vroeg Schiller.

'Dat zoeken we ter plaatse wel uit.'

'En wie mag die Rambaud-imitatie dan wel gaan doen?' vroeg Humboldt. 'Want ik sla beslist geen goed figuur in een jurk.'

'We nemen natuurlijk een echte vrouw.'

'Oorlog is niets voor vrouwen,' wierp Schiller tegen.

'Voor deze vrouw wel.' Goethe leunde achterover op de bank en legde zijn handen achter zijn hoofd. 'Ik ken een vrouw in Frankfurt op wie ik altijd een beroep kan doen.'

'Uw moeder?'

'Nee, verdraaid. Niet díé vrouw.'

'Heremijntijd,' zei Schiller, toen het hem begon te dagen wie Goethe bedoelde, 'dat arme wicht is toch nog zowat een kind! Frankrijk is geen oord voor bloemen zoals zij.'

'Bespaar me die domineestaal, mijn vriend. In liefde en oorlog is alles geoorloofd!' zei Goethe, en hij trok de kurk uit de fles, zodat de mousserende wijn, die flink door elkaar was geschud, op de grond belandde. Hij wilde niets meer kwijt over Mainz en begon daarom plompverloren te discussiëren over geologie, en beweerde dat al het gesteente was ontstaan uit afzettingen van zeeën uit de oertijd. Die uitdaging kon Humboldt onmogelijk negeren en hij betoogde strijdlustig: de continenten waren niet uit afzettingen ontstaan, maar ze waren door vulkanen voortgebracht en hij, Humboldt, had in Amerika bewijzen verzameld die onmiskenbaar aantoonden dat graniet van vulkanische oorsprong is. Goethe bracht daartegen in dat niets ter wereld wat goed en bestendig is plotseling was ontstaan, zoals bij een vulkaanuitbarsting, maar eerder geleidelijk. Alleen de evolutie was eeuwig, elke révolutie was daarentegen vergankelijk, en het meest sprekende en meest recente voorbeeld daarvan was de 'vulkanische' Franse revolutie, die een republiek had voortgebracht die maar een paar jaar stand had gehouden. Toen het gesprek over sedimenten en basalt Schiller begon te vervelen, loste hij koetsier Boris af, zodat deze in de koets kon eten en slapen. Ondanks de aanhoudende sneeuwval en de ijskoude lucht die hij inademde was Schiller blij dat hij was ontsnapt aan dit debat tussen de neptunist en de plutonist, en hij genoot van de vrije natuur, het gevoel van de strakke leren leidsels om zijn handen, het briesen van de paarden, de aanblik van hun dampende ruggen en het besneeuwde landschap aan de voet van de Thüringer bergen, waar diepe stilte heerste alsof ze een geheim bewaarden.

Via Haune, Fulda, Kinzig en Main ging het door domeinen van landgraven, vorsten, bisschoppen en aartsbisschoppen zuidwaarts. Het weer werd eindelijk wat vriendelijker; de sneeuwval ging over in motregen en waar de sneeuw niet was bevroren, smolt hij en verdween in het moeras. De benen van de paarden en de onderkant van de koets waren al snel met een bruine laag bedekt, alsof ze door een rivier van chocola hadden gewaad. De paarden werden ook op de zware, onbetrouwbare wegen niet ontzien en ze werden bij elke posthalte ververst, wat met geld uit Voigts oorlogskas werd betaald. In Hersfeld uitte Schiller voor het eerst de verdenking dat iemand het gezelschap volgde, maar het bleef bij een vermoeden dat hijzelf noch de Russische koetsier kon bevestigen: ook als ze op een heuvel een korte pauze inlasten, was er op de weg achter hen mijlen in de omtrek geen reiziger te bekennen. Na twee onrustige dagen reden ze op vrijdagmiddag door de Allerheiligenpoort Frankfurt binnen. Goethe liet Boris stilhouden bij de Kroningskerk, waar deze de paarden weer moest verversen. Ze hadden besloten de koets bij de Rijn te verlaten en te voet verder te reizen om op Frans grondgebied beweeglijker te zijn en om minder op te vallen. Daarom bestond er een kans dat ze een of meer nachten in de openlucht zouden moeten doorbrengen, en moest hun uitrusting worden aangevuld. Humboldt had een lijst met benodigdheden gemaakt en gaf deze aan Boris. Schiller vroeg voor zichzelf een zakje tabak. Terwijl de Rus inkopen deed, liepen de drie mannen verder; elke stap deed hen pijn, gekneusd als ze waren door de dagen in de koets. Goethe bloeide zichtbaar op toen ze over de Römer liepen, en in tegenstelling tot zijn compagnons stoorde het lawaai en gedrang van de handelaren, marktlui, emigranten en Joden in de smalle straten hem niet. Nog altijd achterdochtig keek

Schiller steeds om, maar als iemand hen werkelijk volgde, zou het onmogelijk zijn hem in het gewoel van de stad te ontdekken.

Ten slotte bleef Goethe in de Zandsteeg voor een gebouw van drie verdiepingen staan en sloeg met de klopper op de smalle voordeur. Humboldt keek langs de getraliede ramen omhoog naar de top van de gevel, waarop een kleurig wapen met een adelaar, een leeuw en een slang was aangebracht; boven de poort prijkte de naam van het handelshuis: ANTONIO BRENTANO IMPORT EN EXPORT.

'Precies, we bezoeken de Brentano's,' verklaarde Schiller. 'Want met net zoveel vuur als de heer Von Goethe in zijn jonge jaren verliefd was op Maximiliane Brentano – God hebbe haar ziel – dweept nu haar jonge dochter met hém.'

'Geloof het maar niet,' zei Goethe, en hij wendde zich tot Schiller: 'Wees zo vriendelijk uw eigengereide tong in toom te houden als we boven zijn, vriend. Want tenslotte gaat het hier om de toekomst van Europa, niet om oude vlammen.'

Een dienstmeisje opende de deur en groette de ongeschoren mannen met gefronst voorhoofd. Maar toen Goethe zijn naam noemde, vroeg ze hun direct binnen te treden in een hal waar het naar olie, kaas en vis rook. Nadat ze hun jassen en hoeden hadden afgegeven, werden ze naar de eerste verdieping gebracht. Daar, in de salon van het huis, zat in een leunstoel een bejaarde vrouw in een witte jurk met een bontkraag, een elegante muts op haar hoofd en een boek van Herder op schoot. Toen de mannen de kamer binnen kwamen verscheen er een glimlach op haar gezicht, en tegelijk op dat van Goethe.

'Als dat ons troetelkind niet is,' zei ze.

Schiller lachte besmuikt. Goethe porde hem met zijn elleboog in zijn zij en drukte toen een kus op de hand van de dame. 'Mevrouw Von La Roche, ik hoop oprecht dat we u niet ontrieven met ons onverwachte bezoek. Sta mij toe mijn begeleiders voor te stellen: Alexander von Humboldt en Friedrich Schiller.'

'Vón Schiller, nu we het er toch over hebben,' zei de laatste.

Terwijl Schiller haar hand kuste, bekeek mevrouw Von La Roche de dichter. 'Kijk eens aan. De beruchte Schiller, de onstuimige jonge auteur. Uw *Kabale* heeft de burgers van Frankfurt destijds danig van hun stuk gebracht.'

'Als ik ooit onstuimig was, is de storm lang geleden gaan liggen, geachte mevrouw,' zei Schiller.

'En als hij ooit jong was, is dat minstens zo lang geleden,' voegde Goethe eraan toe.

Mevrouw Von La Roche vroeg de mannen plaats te nemen. 'Wat brengt je naar mijn *Grillenhütte*, Johann? Je bent vast niet van Weimar helemaal hiernaartoe gereisd om mijn kostbare tapijt met je modderlaarzen te ruïneren. Kom je je moeder bezoeken?'

'Als daar tijd voor is. In de eerste plaats ben ik hier omdat ik een verzoek heb aan uw kleindochter, die ik tot dusver alleen uit haar brieven ken.'

'Zo, heb je dat? Nu, jullie zullen het helaas nog een moment moeten doen met het gezelschap van haar grootmoedertje, want Bettine is naar de kerk.'

Nadat er een halfuur was verstreken, waarin Goethe over Wieland en mevrouw Von La Roche op haar beurt over Goethes moeder vertelde, klonken er snelle voetstappen op de trap. De deur vloog open en in de deuropening stond een kleine, fragiele verschijning: Bettine Brentano, haar jas nog aan, met vurige ogen, gloeiende wangen en kleine krulletjes rond haar gezicht. Ze nam haar muts van haar ravenzwarte haar.

'Rustig aan, kind,' zei haar grootmoeder, maar Bettine luisterde niet en rende op Goethe af, die net uit zijn stoel opstond. Heel even stonden de twee tegenover elkaar, toen stak Goethe haar de hand toe. Bettine aarzelde, pakte hem toen met beide handen vast en staarde de dichter met haar bruine ogen aan.

'Mademoiselle Brentano,' zei Goethe.

'Goethe,' zei ze, en ze haalde diep adem. 'Eindelijk ontmoeten we elkaar dan.'

Nu kwam ook Bettines begeleider de salon binnen, een stevige man met het gezicht van een Romeins marmeren beeld, nauwelijks ouder dan Bettine: een welgevormde mond, kleine ogen met een scherpe, vastbesloten blik, alles omzoomd door blond haar en

[*43*]

omgeven door een aura van lichte melancholie. Al met al was hij minstens zò knap als Humboldt, zo niet knapper, omdat hij jonger was en nog niet door de jaren en lange reizen getekend; niet zozeer Faust, meer Euphorion, niet zozeer Karl, meer Ferdinand. Hij keek naar Bettine en Goethe tijdens hun handdruk, tot zij hem, Achim von Arnim, collega en boezemvriend van haar broer Clemens, aan het gezelschap voorstelde. Nadat alle aanwezigen elkaar hadden begroet, viel de aanvankelijke stijfheid van Arnim af en liet hij merken hoe enthousiast hij was zijn idolen zomaar in levenden lijve te ontmoeten, want hoewel hij al in 1801 in Göttingen met Goethe had kennisgemaakt, zag hij Schiller en Humboldt voor het eerst. Een tijdlang praatte iedereen chaotisch door elkaar, terwijl Bettine als een jonge hond tussen de gasten heen en weer liep en vroeg wat ze wensten, en ook haar grootmoeder haar niet kon kalmeren en haar zelfs niet zover kreeg te gaan zitten. Uiteindelijk schraapte Goethe zijn keel en wees erop hoeveel haast er met zijn verzoek was, en hij stelde Bettine, Arnim en mevrouw Von La Roche op de hoogte van hun Mainzer onderneming. Intussen vertelde hij onomwonden welke rol Bettine was toegedacht, maar hij deed, net als tegenover Humboldt, niet uit de doeken hoe het plan er na de bevrijding van de dauphin uitzag. Schiller was de enige die niet ging zitten; hij bleef bij het raam staan en keek naar beneden, naar de drukte in de Zandsteeg.

Lang voordat Goethe klaar was, was Humboldt, die het verhaal voor de tweede keer hoorde, in zijn leunstoel ingeslapen, vermoeid van de zware reis met de koets en van de inwoners van Frankfurt. Alleen een vinger van zijn linkerhand, die op zijn buik lag, bewoog van tijd tot tijd, alsof hij aan zijn jas krabde. Nadat Bettine de slapende man zorgzaam met een deken uit de kamer ernaast had toegedekt, zei ze zacht: 'Ik zal met het grootste plezier met je meegaan en de Rijn oversteken. Met ú meegaan.'

Goethe, die naast haar op de chaise longue zat, pakte kort haar hand. 'Je moet niet te snel toezeggen, Bettine. We nemen het op tegen de nieuwe Fransen, die zich als wereldheersers opwerpen. Het kan levensgevaarlijk worden.'

'Wie niet waagt… Louis-Charles is niet verantwoordelijk voor de zonden van zijn ouders en daarom heeft hij het niet verdiend door die schurk van een Bonaparte te worden terechtgesteld. Als jullie ten strijde trekken, ga ik mee.'

Goethe keek naar mevrouw Von La Roche, maar die haalde haar schouders op. 'Het kind is meerderjarig. Ik bewonder haar moed en laat de beslissing geheel aan haar over. Als ze naar Mainz wil, moet ze vooral gaan.'

'En wij, mevrouw Von La Roche, zullen uw kleindochter met hand en tand verdedigen, zodat ze naar Frankfurt terugkeert zonder dat haar ook maar een haar is gekrenkt,' verzekerde Schiller.

'Dat is dan opgelost,' zei Goethe. 'Pak je spullen, Bettine, we willen onze reis zo snel mogelijk voortzetten.'

Nu liet Achim von Arnim van zich horen. 'Mijne heren, het kost me moeite u, mijn idolen, tegen te spreken, maar ik moet Bettine verbieden met u mee te gaan. Ik heb haar broer mijn woord gegeven dat ik op haar let en haar voor stommiteiten zal behoeden. En wat u van plan bent is, als ik zo vrij mag zijn, een stommiteit.'

'Achim!' zei Bettine boos. 'Spelbreker!'

'Het is geen lolletje, Bettine, maar iets voor geharde kerels! Ze willen naar Fránkrijk, en daarvoor is het nu een moeilijke tijd! De fransozen stampen je met hun vijzel fijn voor je er erg in hebt.'

'Dus u wilt niet tegen de fransozen vechten?' vroeg Goethe.

'Ik haat de fransozen, net als iedere rechtgeaarde Duitser. Hoe kun je die struikrovers níet haten, nadat ze ons half Duitsland hebben afgenomen? En wij Duitsers zien, als Odysseus in zijn huis, werkeloos toe en laten ons koeienpoten naar ons hoofd slingeren door de vreemde vrijers die aan onze tafel feestvieren! Maar wat gaat mij hun koning aan? Laat de Fransen de deur maar platlopen bij madame Guillotine. Hoe meer van hen elkaar afmaken, des te minder er straks over zijn.'

Bettine stond op en kwam naar Arnim toe. 'Je moet me toestemming geven om te gaan. Ik wil me niet laten verwijten dat een onschuldig mens gestorven is omdat ik niets heb gedaan.'

'Het kan niet en dat weet je. Ik heb Clemens mijn woord gegeven.

Hij scheurt me aan stukken als hij hoort dat ik je die leeuwenkuil in heb laten gaan.'

'Maar Clemens is in Heidelberg en hij zal er nooit iets over aan de weet komen,' zei Bettine, nu ineens met een lief stemmetje, en tot ieders verbazing ging ze bij Arnim op schoot zitten. 'Overigens kun je helemaal niet verhinderen dat ik ga. Wil je me soms in mijn kamer opsluiten en de sleutel verstoppen, brompot? Als je me wilt bemoederen, ga dan met ons mee, bemoeder me dan maar in Frankrijk.'

Bettine trok een smekend gezicht, als een kind, en kietelde Arnim achter zijn oor. Deze vond de situatie nu meer dan pijnlijk. Haar vrijpostigheid deed hem blozen en het was te zien hoe de hitte letterlijk uit zijn kraag opsteeg.

'Goed, hier krijg ik spijt van, maar ik geef me gewonnen. Ik ga met je mee.'

Bettine juichte en zoende Arnim op zijn wang. 'En ik beloof je, mijn liefste, dat ik braaf terugkeer naar de huiselijke haard zodra de kleine dauphin zijn kerker uit is.'

'Ik feliciteer u met uw besluit, mijnheer Von Arnim,' zei Schiller, 'en ik ben blij dat u met ons meereist.'

'Maar als Bettine iets overkomt, dan zij God ons genadig. Met de Fransen is het kwaad kersen eten, maar bij Clemens vallen ze in het niet.'

Met deze korzelige woorden werd het gesprek beëindigd, en terwijl Bettine en Arnim hun spullen bij elkaar zochten en Humboldt in gezelschap van de bejaarde mevrouw Von La Roche verder sliep, wilde Goethe in elk geval een kort bezoek afleggen aan zijn moeder Catharina Elisabeth, en Schiller voegde zich bij hem.

Tot de Witte Adelaarssteeg sprak Goethe geen woord. 'Kunt u uw geheimzinnige stilzwijgen verbreken?' vroeg Schiller. 'Voelt u zich niet goed?'

'Nee hoor. Ik vind het alleen jammer dat we baron Von Arnim op de koop toe moesten nemen om Bettine te krijgen.'

'Als mens bevalt hij u niet?'

'Hm.'

'Of als schrijver?'

'Ik vind hem in beide opzichten nogal kleurloos. Nee, het is vast een beste, brave man die onze sympathie verdient. Per slot van rekening heeft hij zijn bundel volksliederen aan mij opgedragen.'

'Precies. Een man aan wie je je dochter graag toevertrouwt.'

'Ik ben alleen bang dat onze groep zo langzamerhand te groot wordt.'

'Dat valt toch wel mee? Vijf is een goed getal. Een vuist telt vijf vingers. Het getal vijf is de menselijke ziel eigen. Zoals de mens een mengeling is van goed en kwaad, is de vijf het eerste getal dat even en oneven bevat.'

'Luistert u wel eens naar uzelf? U klinkt als een benevelde sterrenwichelaar.'

'Mij lijkt het eerder dat u jaloers bent op de keurige ridder uit Berlijn.'

'U vergist zich. Vergeet niet dat ik bijna driemaal zo oud ben als Bettine. Hoe komt u eigenlijk op zo'n vreemde gedachte?'

'Wel, lieve hemel! Die vrouw is mooi! Misschien wel net zo mooi als uw hooggeachte moeder. En u vindt het zelfs goed dat ze u tutoyeert en met uw voornaam aanspreekt. En dat al bij de eerste ontmoeting! Voor zover ik weet valt dit privilege, afgezien van de hertog, alleen mensen ten deel die ouder zijn dan u. En dat zijn er bitter weinig!'

'Deze hatelijke opmerking zal ik maar als niet gezegd beschouwen.'

'Mij hebt u in de tien jaar van onze vriendschap bijvoorbeeld nooit aangeboden u te tutoyeren.'

Goethe schoot in de lach, bleef op straat staan en keek Schiller in de ogen. 'Wil je dat echt, Friedrich?'

'We worden gevolgd.'

'Wat?'

'Blijf me in de ogen kijken. We worden gevolgd,' zei Schiller, en aan zijn toon hoorde Goethe direct dat hij het meende. 'Achter ons: de jongeman in de gele broek die de etalage van de kruidenier nu zo geïnteresseerd bekijkt? Hij volgt ons al sinds het Gouden Hoofd, en toen u bleef staan, stond hij ook meteen stil. Ik zweer u, hij volgt ons.'

Goethe keek kort naar hun achtervolger, en het was duidelijk dat de man geen belangstelling voor de achter het raam uitgestalde specerijen had.

'Laten we verder lopen,' zei Schiller, 'maar niet naar de Paarden-markt.'

Ze sloegen zwijgend de Hertengracht in, die in de richting van de Main liep. De straatjes werden nu nog nauwer en donkerder, want de gevels waren hier niet recht, maar bogen met elke hogere ver-dieping verder naar voren doordat elke etage breder was dan de daaronder liggende, en de straat vormde een echte kloof. In een slechts met houten spijlen afgeschermde gang op de tweede ver-dieping zat een jongen die aardewerken borden op het plaveisel gooide, waarop ze onder bijval van de buurkinderen met veel la-waai in stukken braken.

'En deze knaap volgt ons al sinds Eisenach, zegt u?' vroeg Goethe toen ze de scherven voorbij waren.

'Dat weet ik niet. Maar hij hing daarnet rond bij het huis van de Brentano's en keek steeds in een boekje waarin, voor zover ik dat van boven kon zien, een gegraveerd portret stond.'

'Verdraaid! Met ons signalement?'

'Geen idee.'

'Het is duidelijk dat die madame Botta niet heeft overdreven met haar voorzichtigheid. Wat doen we nu?'

'We gaan uit elkaar. Dan moet die bonapartist, als hij alleen is, besluiten wie van ons hij zal volgen. De ander volgt hem dan op zijn beurt, en houdt hem op een goed moment staande. Bent u gewapend?'

Goethe sloeg zijn jas even opzij en wees naar een dolk. Schiller droeg zijn sabel aan zijn riem. De vuurwapens hadden ze achter-gelaten in de koets.

'Pas goed op,' zei Goethe, 'misschien is die man ten einde raad.'

Aan het eind van de Hertengracht gingen ze uit elkaar. Schiller ging rechtsaf naar het wittevrouwenklooster, Goethe naar links, de

Muntstraat in. De man met de gele broek volgde zonder aarzelen de laatste, en niet eenmaal draaide hij zich om naar Schiller, die hij nu in de rug had. Gedrieën liepen de achtervolgde, de achtervolger en de achtervolger van de achtervolger door de drukke straten van de stad. Goethe volgde een willekeurige koers – over de Korenmarkt, langs de onvoltooide Blotevoetenkerk, weer over de Römer – net zo lang tot onomstotelijk vaststond dat de jongen het op de schrijver had gemunt.

Ten slotte bereikten ze de afgelegen Zaalsteeg, waar ze de enige passanten waren. Daar bleef Goethes achtervolger opeens staan. Hij greep met zijn rechterhand onder zijn jas. Schiller reageerde terstond: over het natte plaveisel rende hij op de man af en met zijn schouder vooruit stootte hij hem omver voordat deze zijn wapen kon trekken. De twee belandden in de modder, maar Schiller stond weer snel overeind, trok zijn sabel en zette die op de keel van de man.

'Kop dicht, canaille,' siste Schiller. 'Eén kik, en je drinkt je bloed.'

De man was zo bleek geworden als de kalk op de muur van het huis achter hem en met trillende handen steunde hij in de modder. Zonder zijn sabel weg te halen sloeg Schiller de jas van de man open. Het vest daaronder was geel, evenals zijn broek, zijn jas donkerblauw met messing knopen. De man had inderdaad een pistool bij zich, alhoewel het achter zijn broeksband stak. Het was een eenvoudig model met een korte loop, bijna alsof het voor een vrouw was gemaakt. Schiller trok het wapen eruit.

Goethe was met zijn dolk in zijn hand naar de twee toe gerend. 'Ik geloof dat de schelm juist wilde aanleggen,' zei Schiller.

'Wie stuurt je?' vroeg Goethe. Hun achtervolger leek de vraag niet te begrijpen. '*Qui t'envoie?*'

De man knikte nu, voor zover dat met het lemmet op zijn hals mogelijk was. 'Ik heb uw vraag wel verstaan, mijnheer Von Goethe, maar ik heb hem niet... begrepen.'

'Hij wil weten in wiens opdracht je werkt, galgenaas!' snauwde Schiller.

'Opdracht...? Niemand heeft me opdracht gegeven. Ik kom uit

eigen beweging, mijnheer Von Goethe, ik wilde...' Toen hij naar zijn binnenzak greep, gebaarde Schiller hem dit langzaam te doen, en langzaam haalde hij een boekje tevoorschijn: *Het lijden van de jonge Werther*. 'Ik wilde u alleen om een handtekening vragen.'

'O god,' zei Goethe met zijn hand voor zijn ogen, en Schiller voegde er geërgerd aan toe: 'Dat kan niet waar zijn.' Hij haalde het lemmet weg.

'Ik aanbid u, mijnheer Von Goethe,' stamelde de man. 'Uw Werther is mijn beste vriend geworden.'

'Jongeman, we zijn hier zeer verlegen mee,' zei Goethe terwijl hij zijn achtervolger weer op de been hielp. 'Neemt u ons deze brute overval alstublieft niet kwalijk. We hielden u voor een vijand.'

'Friedrich Nicolai?'

'Zoiets.'

'Zou ik toch een handtekening van u kunnen krijgen?'

'Natuurlijk.'

Goethe kreeg het boek, een pennenveer en de inkt aangereikt die de man voor de zekerheid had meegebracht, en zette zijn handtekening dwars over zijn portret op de eerste bladzijde. De wertheriaan was dronken van vreugde.

'Als u ons niet wilde aanvallen, vanwaar dan dat pistool?' vroeg Schiller, die het nog altijd vasthield.

De jongen glimlachte verdrietig. 'Mijnheer Von Goethe zal het wel vermoeden: om mezelf een kogel door het hoofd te jagen als ik dit ellendige bestaan niet langer kan verdragen.'

'Foei!' riep Goethe.

'Maar uw Werther heeft het voorbeeld toch gegeven, toen hij door liefdesverdriet was overmand.'

'U moet troost putten uit zijn lijden, sakkerment, niet hem navolgen! Ik heb dat boek niet geschreven met de bedoeling dat het laatste beetje inzicht wat bij deze of gene zwakbegaafde geest gloort ook nog dooft. Wat hebt u voor dat zakpistooltje betaald?'

'Ik... wat? Zes daalders.'

Goethe tastte in zijn portemonnee. 'Hier hebt u uw boek terug, en hier zijn zes daalders voor uw wapen.'

'Maar...'

'Niets te maren. Bedrink u als u liefdesverdriet hebt of ga voor mijn part naar de hoeren, maar schiet alstublieft niet uw hersens uit uw kop. En koop in godsnaam nieuwe kleren, geel en blauw zijn allang uit de mode.'

Nu pas stak Schiller zijn sabel weer in de schede en met hun zo-juist verworven wapen verlieten ze de wertheriaan, die pas weer in beweging kwam toen de inkt in zijn boekje en de modder op zijn broek waren opgedroogd.

Na een wel zeer kort bezoek aan zijn moeder keerde Goethe terug naar huize Brentano, terwijl Schiller naar het Domplein ging om Boris en de koets af te halen. Alexander von Humboldt was al een tijdje wakker en had zich herhaaldelijk verontschuldigd voor het feit dat hij in slaap was gevallen. Zowel Bettine als Arnim had dege-lijke kleren voor de reis aangetrokken, en terwijl het beetje bagage dat ze hadden op straat werd gezet, vroeg Sophie von La Roche de geheimraad of ze hem onder vier ogen in haar boudoir kon spre-ken. Daar wees ze hem erop dat ze Bettine onder normale omstan-digheden niet zou hebben laten gaan, maar ook zij wilde dat de jonge koning werd gered, of liever, dat het koningschap werd her-steld en die afschuwelijke Bonaparte ten val zou worden gebracht. De afgelopen paar jaar was Frankfurt twee keer door de Fransen onder de voet gelopen en bezet, ze herinnerde het zich nog leven-dig, en een derde maal zou ze niet overleven.

'Er is mij veel aan gelegen dat Bettine heelhuids terugkomt,' be-sloot ze, 'maar ook haar hart moet ongeschonden blijven. Niet alle familieleden zijn er blij mee dat Bettine en baron Von Arnim zo goed als verloofd zijn, maar ik wel, en tijdens jullie avontuur in Mainz moet dat ook zo blijven, als je tenminste niet wilt dat ik je de oren was.'

Goethe wilde protesteren, maar ze gebaarde hem te zwijgen.

'Geen woorden, Hans, in woorden ben je me de baas,' zei ze. 'Ik ken mijn kleindochter goed; ze aanbidt je en ze is een wispelturige kleine heks wat haar gevoelens betreft. En ik weet hoe je destijds bent gevallen voor Maxis' ogen en hoe neerslachtig je was toen ze met Peter trouwde. Dus zweer op je moeder, wier naam ze draagt: speel niet met haar gevoelens!'

Terwijl de koets met de vijf passagiers zich door de smalle straatjes een weg baande uit de stad, overhandigde Goethe zijn hartsvanger en het pistool van de ongelukkige wertheriaan aan Bettine, zodat ze niet met lege handen zou staan als het gevaarlijk werd. Arnim had zijn sabel bij zich, maar bekende dat zijn beste wapen nog altijd de blote vuist was. Tot ieders vermaak vertelde Goethe onder welke omstandigheden ze in het bezit van het pistool waren gekomen, en toen ze de stad door de Taunuspoort verlieten zette Bettine zo vrolijk het 'Afscheidslied van de landloper' in, dat het leek alsof hun reisdoel een huisje op het platteland was en niet een van Napoleons donkerste kerkers.

4

Hunsrück

De tocht voerde door heuvels die zich tot aan de Rijn uitstrekten, en omdat de grond drassig was geworden door de dooi, vorderden ze maar langzaam. 's Nachts reden ze tussen de heuvels van de Rheingau en de stadjes beneden aan de rivier en een keer, toen de wind de wolken had verdreven, konden ze aan de overkant van de Rijn de lichten van de Franse vesting Mainz zien. Hoewel Boris de zweep boven de hoofden van de paarden liet knallen en de arme dieren in zijn moedertaal bij alle heiligen van zijn vaderland verwenste, bereikten ze hun doel pas toen in het oosten de ochtend gloorde. Een halve mijl ten noorden van Assmannshausen, op een steil, onbewoond stukje land aan het water tegenover de vervallen burcht Rheinstein, stapten de passagiers uit de koets. De Rus wreef de flanken van de briesende paarden met een deken droog, terwijl de vijf reisgenoten hun rugzakken, dekens en wapens op hun rug hesen. De rijp knarste onder hun zolen.

'Mijn botten zijn puree,' klaagde Bettine, 'ik zou ervoor tekenen om mijn leven lang niet meer in een koets te hoeven stappen. Nu gaat het verder met de benenwagen!'

'U zult nog wel naar een koets terugverlangen als de benenwagen het begint te begeven,' zei Humboldt.

Goethe en Schiller stonden op een wat hogere plek en keken over de rivier. De jonge Arnim kwam bij hen staan. Afgezien van een paar bleke sterren en wolkenslierten, vaalgeel in de schemering, was de hemel helder en voor hen lag de zwarte Rijn in zijn bedding te slapen.

'Groet met mij de oude Vader Rijn,' zei Schiller.

Goethe slaakte een zucht, die in de koude ochtendlucht als een wolkje uit zijn mond kwam en oploste. 'Heerlijk. Zo'n grote rivier doet altijd weldadig aan. Ik ben blij hem terug te zien.'

'Maar hoe spijtig hem onder deze omstandigheden terug te zien,' zei Arnim. 'Eertijds Germaniës levensader, nu nog slechts Germaniës grenswacht.'

'En als het zo doorgaat, springt de Galliër binnenkort definitief over de geduldige stroom,' voegde Schiller eraan toe.

'Zo ver zullen we het niet laten komen.' Arnim trok zijn sabel. 'Nimmer zullen vreemden heersen over onze Duitse stam!'

Goethe gaf Arnim een schouderklopje. 'Ferm gesproken, jonge vriend. Laten we dus een boot zoeken en naar vijandelijk gebied oversteken, voordat Phoebus ons met zijn zonnewagen inhaalt.'

'Nu? Het is al bijna licht. Wat als er aan de overkant of in de ruïne soldaten zitten?'

'Laten we hopen dat ze nog slapen. We kunnen het ons in geen geval veroorloven een hele dag te verliezen.'

Schiller wees naar de oever. 'Daar legt een visser zijn bootje aan.'

Inderdaad trok stroomafwaarts een oude man met de hulp van twee kinderen een licht bootje met de vangst van de vroege ochtend aan land. Schiller daalde de helling af om de visser te vragen of hij hen voor een paar daalder naar de verboden oever wilde overzetten.

Intussen bedankte Goethe Boris voor de bewezen diensten en instrueerde hem op de rechter Rijnoever in Kostheim, dat tegenover Mainz in het vorstendom Nassau lag, op hen te wachten. Vanaf de bok wenste de koetsier Goethe veel geluk. Hij vroeg hem zo veel mogelijk fransozen naar de andere wereld te helpen en reed vervolgens weg.

Toen ze zich aan de waterkant bij Schiller voegden, was deze het al met de grijze visser eens geworden. De man droeg een muts en kauwde op een uitgedoofde pijp. Zijn twee kleinkinderen, een lief meisje en een jongetje, legden twee planken op de boorden en zorgden zo voor zitplaatsen. Met grote ogen keken ze naar de vreemdelingen. De visser had nauwelijks een knikje voor zijn onverhoopte passagiers over, laat staan dat hij met hen wilde praten, alsof elk woord met de passanten hem narigheid zou brengen.

Schiller ging als eerste aan boord. 'Neem afscheid van de Duitse bodem. Moge de geest van het vaderland ons begeleiden als dit wankele schuitje ons naar de linkeroever draagt; daarheen waar de Duitse trouw ten onder gaat.'

Zodra allen in de boot hadden plaatsgenomen en de bagage was opgeborgen, duwde de oude visser af en voer behendig de rivier over. De zon stond al bijna boven de horizon, de toppen van de bomen en de bergen lichtten al op en alleen in het westen, boven de oude kasteelruïne, was de hemel nog blauwgrijs. Tussen de wolkenflarden trokken een paar vogels naar het oosten. Voor in de boot zat Goethe als enige met zijn rug naar de Franse oever, de ogen gesloten. Een windje bracht de golven tot klinken als de snaren van een windharp en onbewust voegde Goethes adem zich naar het ritme van de roeiriemen.

Tegenover Goethe, op de eerste plank, zat Humboldt met zijn rechterhand onder zijn kin. Hij staarde naar het wateroppervlak alsof hij er met zijn blik doorheen kon breken en de bodem kon zien, en daar misschien de schat van de Nibelungen zou ontdekken. Het jongetje, dat tussen Goethe en hem in zat, deed hem na; met zijn arm en zijn hoofd tegen de rand van het bootje geleund keek hij naar zijn slaperige spiegelbeeld op de golven. Op de kant had hij een takje afgebroken, dat hij zo nu en dan in het ijskoude water stak.

Schiller was de enige in de boot die stond; hij leunde op zijn knoestige stok. Zelfs zijn rugzak had hij niet afgelegd. Met het hoofd in de nek speurde hij naar Franse wachtposten bij de vervallen burcht. Maar aan de overkant bleef het leeg en algauw dwaalde zijn blik omhoog naar de maansikkel boven de rotsen, twee zilveren horens aan een gouden hemel, en bleef daar hangen.

[55]

Naast elkaar op de tweede bank zaten Bettine en Arnim. Bettine had haar handen in haar schoot gelegd. Toen Arnim zag dat ze huiverde, legde hij zijn hand op de hare, en onbeholpen sloeg hij zijn arm om haar schouders – dankbaar dat de mannen net een andere kant op keken.

De visser achter in het bootje hield zijn blik strak op de oever gericht en op dezelfde manier als hij zijn roeispaan nu eens aan de linkerkant, dan weer aan de rechterkant in het water plantte, verplaatste hij zijn gedoofde pijp van de ene naar de andere mondhoek. Naast hem keek zijn kleindochter, die de tweede roeiriem vasthield, naar de merkwaardige lading van die ochtend, de in gedachten verzonken mannen en de vrouw. Het glijden van het bootje, het plonzen van de riemen, de rimpeling van een zuchtje wind over het water, de donzige nevels langs de kant, de zwevende vogels, het twinkelen en de laatste fonkeling van de sterren... het deed allemaal spookachtig aan in de algehele stilte, en tijdens de overtocht sprak niemand een woord.

Toen Humboldt op de andere oever sprong en de boot aan land trok, ging boven het Rijndal eindelijk de zon op. Al snel bloeiden de kleuren op en de lucht werd warmer, de magie van de ochtendschemering was vervlogen. Schiller wilde de veerman uit hun oorlogskas betalen, maar liet per ongeluk een van de munten in de rivier vallen. Onmiddellijk raakte de grijze veerman buiten zinnen. 'In hemelsnaam, wat doen jullie daar!' riep de oude man. 'Jullie brengen rampspoed over mij en jezelf! De rivier verdraagt dit metaal niet! Haal het er direct weer uit!'

Schiller stroopte zijn mouw op en viste de gouden munt uit het troebele water van de Rijn, maar de visser wilde hem niet aannemen. 'Jullie moeten hem op het land begraven, ver van hier, anders zal de vloek van de rivier jullie achtervolgen.'

Hoofdschuddend overhandigde Schiller de grijsaard een andere munt. De oude man verloor geen tijd, duwde zonder te groeten af en voer met zijn kleinkinderen terug naar de Duitse oever. Het jongetje was in slaap gevallen, maar het meisje keek het reisgezelschap tot het laatst na.

Ze hesen hun ransels op hun rug en volgden Humboldt op een steil kronkelpad naar boven. Algauw stond het zweet hun op het voorhoofd. De ruïne van Rheinstein die ze passeerden was verlaten, maar desondanks wapperde de tricolore uitdagend op de kantelen. Met een diepe zucht bekeek Arnim de verweerde muren van de middeleeuwse burcht, die herinnerden aan grootse, lang vervlogen tijden.

Nadat ze op de top van de rots waren gearriveerd en alle vijf op adem waren gekomen, wierpen ze een laatste blik op de Rijn, die onder hen aan de voet van de berg de morgenzon weerkaatste.

'Wilt u de munt niet begraven?' vroeg Arnim aan Schiller.

'Een goede daalder begraven? Geen denken aan. U hecht toch geen geloof aan het fabeltje van die grijsaard?'

'Ik wil maar zeggen dat we bij onze onderneming alle geluk van de wereld nodig hebben, en dat we ons geen ongeluk op de hals moeten halen.' Toen Schiller bleef glimlachen, liet hij er koppig op volgen: 'Er schuilt veel waarheid in verhalen van oude mensen.'

Voor het gezelschap lagen nu de uitlopers van de Hunsrück. Ze hadden een lange mars voor de boeg, want de volgende dag al wilden ze het Soonwald achter zich laten en de straatweg van Trier naar Mainz bereiken.

'*Bienvenu en France,*' zei Goethe, 'in het kanton Stromberg, arrondissement Simmern, departement Rhin-et-Moselle. Hoe vreemd is het vaderland geworden.'

'Zwart hangt de hemel over dit land,' zei Schiller.

Bettine schudde peinzend haar hoofd. 'De Hunsrück Frans. Wie had dat ooit kunnen denken.'

Goethe klapte in zijn handen. '*Ça, ça,* daarom niet getreurd; laten we ons uit de voeten maken voordat we een paar douaniers tegen het lijf lopen.'

Humboldt, die het gebied kende van een reis die hij in zijn jonge jaren met zijn collega-onderzoeker Georg Forster langs de Duitse Neder-Rijn had gemaakt, werd tot leider gekozen. Hij haalde zijn kompas tevoorschijn en Goethe gaf hem de kaarten van de hertog. Over paadjes en wildwissels en langs beken trokken ze naar het zuidwesten, voortdurend op hun hoede voor Franse patrouilles, maar of het nu kwam door Humboldts kundige leiding of de toch al ontvolkte landstreek, de hele ochtend kwamen ze geen sterveling van welke nationaliteit ook tegen. De hemel bleef onbewolkt, een aangenaam contrast met de natte sneeuw van de afgelopen dagen in Duitsland, wat de stelling leek te bewijzen dat de zon alleen de landen links van de Rijn toelachte. Algauw had Humboldt een groot kapmes tevoorschijn gehaald om kleine takken en weerbarstige struiken op hun pad weg te hakken.

Ze spraken nauwelijks, wat te wijten was aan het feit dat ze op de smalle paadjes uitsluitend achter elkaar konden lopen. Goethe ondernam een paar pogingen om met Humboldt over de merkwaardige levenswandel van deze Georg Foster te praten – een gemeenschappelijke vriend die samen met andere Duitse jakobijnen na de Franse revolutie en de invasie van de Franse troepen in 1793 in Mainz de Republiek had uitgeroepen – maar Humboldt lette zo aandachtig op de weg dat hij niet kon antwoorden. Toen Goethe verstrooid onder een lage tak door liep en zijn hoofd stootte, zodat zijn hoofdwond weer openging, deed ook hij er verder het zwijgen toe. Achim von Arnim liep voor Bettine Brentano uit, voorkwam dat de jonge vrouw takken in haar gezicht kreeg en hielp haar over beekjes en omgevallen bomen heen. Toen hij ook nog aanbood haar rugzak te dragen, haalde ze hem resoluut in en bewees hem vervolgens speels dezelfde galante diensten die hij haar zojuist had bewezen. Hoewel ze een stevige jurk droeg, vertoonde de zoom al snel scheuren vanwege het kreupelhout en zat hij onder de modder. Achteraan liep Schiller, die steeds stilstond en in het verlaten bos om zich heen keek. Toen Arnim hem daarover aansprak, zei Schiller dat hij al sinds Eisenach het gevoel had dat ze werden gevolgd, maar dat hij intussen Goethes mening deelde dat zijn hersenen hem parten speelden. Ongewild bracht hij met zijn vermoeden Arnim in opperste staat van paraatheid. Nu keek de jonge schrijver nog vaker dan Schiller over zijn schouder, klaar om Bettine, als de nood aan de man kwam, met zijn leven te verdedigen.

In het dal tussen Stromberg en Daxweiler moesten ze voor het eerst een weg oversteken. Humboldt zette zijn rugzak, verreweg de zwaarste, op de grond en haalde er een messing verrekijker uit. Daarmee speurde hij het dal in alle richtingen af. De weg was verlaten. Snel verlieten de vijf de schaduw van de bomen en staken ze een braakliggend veld over. Op de weg bleef Schiller ineens staan. 'Hé, kijk die hoed op die paal eens,' zei hij.

De anderen bleven ook staan. Een paar passen verder stond een Franse vrijheidsboom naast de weg: een geschilde populierenstam, zeker vijftien el hoog, die als een meiboom in de grond was geslagen, met een rode jakobijnenmuts erop. Op ooghoogte was een bordje aangebracht met het opschrift: PASSANTS, CETTE TERRE EST LIBRE.

'Reizigers, dit land is vrij,' sprak Bettine.

'Verder,' zei Goethe, maar de anderen konden hun ogen er niet van afhouden. De vrijheidsboom bezat een raadselachtige aantrekkingskracht.

De stam had betere tijden gekend. Hij stond scheef in de grond, en kevers en wormen hadden zich aan het hout te goed gedaan. De lak op het bord was afgeschilferd, en aan de achterkant hing een spinnenweb met talloze vliegen en een dode spin. Onder de top van de paal was een driekleurige wimpel bevestigd, die nu lusteloos in de wind bungelde. De uiteinden lagen aan flarden, het rood en het blauw waren verbleekt en het koninklijke wit was veranderd in een vlekkerig bruin, zodat de tricolore er met zijn nieuwe kleuren uitzag als de vlag van een nog onontdekte staat. Helemaal bovenaan bevond zich de jakobijnenmuts met een kokarde. Het vilt, dat ooit rood was geweest, was zo verweerd door weer en wind dat de muts als een natte lap van de top hing, en van onderaf was te zien dat er heel wat gaten in zaten.

'Wat kan ons dat hoedje schelen? Een kap zonder kop op een boom zonder wortels,' zei Goethe. 'Kom, laten we gaan.'

'Weet u waaraan die hoed me doet denken?' zei Bettine. 'Aan de slaapmuts van Deutsche Michel.'

Arnim snoof. 'Dat lijkt me niet. Deutsche Michel onthoofdt zijn koning niet en hij onderwerpt geen andere naties.'

Schiller peuterde een lakschilfer van het bord. 'De moderne tijd maakt echt reuzenstappen. Wat lijkt de Franse revolutie al lang geleden, en desondanks is het pas – hoeveel eigenlijk? – vijftien jaar. Vijftien luttele jaren voor de metamorfose van een koninkrijk in een democratie, een ochlocratie, een tirannie, een consulaat en een keizerrijk. Ben ik een halte vergeten?'

'Kinderen, kunnen we ons alsjeblieft losrukken van de mast met de hoed en het gesprek in de veilige struiken voortzetten?' vroeg Goethe.

'Was het maar bij democratie gebleven,' zei Humboldt.

Schiller knikte. 'God, wat had ik in die tijd hoge verwachtingen van Frankrijk, voordat die ellendige beulsknechten alles kapot hebben gemaakt, en bloeddorstige waanzin verkozen boven hun weldadige verlichting. Het waren dus toch geen vrije mensen die de koning had onderdrukt, maar gewoon wilde beesten, die hij wijselijk aan de ketting had gelegd. De tranen springen je in de ogen als je bedenkt wat voor een unieke kans ze hebben verspeeld.' Hij sloeg zo hard met zijn vuist tegen de stam dat de kokarde en de Frygische muts trilden.

'Kom hier, we moeten van de weg af,' hield Goethe aan, maar nog steeds wilde niemand naar hem luisteren.

'Wij Duitsers hadden de revolutie anders aangepakt,' zei Arnim.

'Wij Duitsers zouden helemaal nooit aan de revolutie zijn begonnen,' corrigeerde Humboldt hem.

'En waarschijnlijk is dat maar goed ook,' zei Schiller.

'*Dixi*, we zijn erbij,' zei Goethe, want achter een kromming van het dal dook een Franse patrouille op.

'Ah,' zei Arnim, en Schiller: 'Eh.'

'Ih! Oh! Uh! Verbaas je maar het hele alfabet! Onze missie is naar de maan omdat jullie zo nodig onder het rode kapje over moderne geschiedenis moesten kletsen. Mijn laatste woorden zullen zijn: ik heb het jullie nog zo gezegd.'

Het waren drie nationale gardisten, zo te zien met twee gevangenen, van wie de handen met ijzeren boeien en de voeten met kettingen waren vastgebonden. De Fransen droegen geweren met bajonetten. 'In naam van de keizer! Stoppen en staan blijven!' riep een van hen in het Frans, en ze naderden hen in looppas.

De reisgenoten keken om zich heen. Om het bos te bereiken moesten ze een helling af en een beek over. En de weg die ze gekomen waren, voerde over het vrije veld. Bij elke vluchtroute konden ze op geweervuur rekenen.

'Hadden we die munt maar begraven,' zei Arnim.

'Vechten?' vroeg Schiller, zijn hand al aan de kruisboog.

Gelijktijdig zei Humboldt 'nee' en Goethe 'geen denken aan', en Humboldt verduidelijkte: 'Mijn vrijgeleiden.'

Het groepje Fransen had hen nu bereikt. Een van de gardisten hield zijn wapen vanaf zijn heup op het gezelschap gericht, de ander beval de twee gevangenen te knielen. De uniformen van de soldaten zagen er beroerd uit: de gestreepte broeken zaten onder het stof, hun gordels zaten los en waren deels in de knoop geraakt, en er ontbraken knopen aan hun jasjes en vesten. Hun steken stonden scheef op het hoofd en hun gezichten vertoonden baardstoppels. Ze hadden sjaals omgedaan die absoluut niet bij hun uniformen pasten. Een van hen had rode uitslag op zijn kin.

Humboldt begroette de oudste soldaat van het trio in vlekkeloos Frans en overhandigde hem de vrijgeleiden. Terwijl de sergeant de passen controleerde, speldde Humboldt hem een volledig verzonnen verhaal op de mouw over natuurhistorisch onderzoek naar het voorkomen van basalt links van de Rijn dat hij met zijn team – waarbij hij naar zijn metgezellen wees – wilde verrichten. Tegelijk prees hij keer op keer de progressieve Franse regering, vriendin van de wetenschap, die hem de vrijgeleiden had verleend.

Toen Humboldt zijn voordracht had beëindigd, liet de andere gardist zijn musket zakken. 'Als de roggebroodeter zo van Frankrijk houdt, waarom heeft hij dan zijn hoed nog op in de schaduw van de vrijheidsboom?'

De sergeant keek naar Humboldt. 'Precies. Breng de Republiek een eresaluut. Allemaal.'

[61]

'Vanzelfsprekend.' Humboldt nam zijn hoed af en fluisterde tegen zijn begeleiders: 'Ze willen dat we onze hoed afnemen voor de jakobijnenmuts.'

Pas toen alle anderen hun hoofd hadden ontbloot, volgde Arnim hun voorbeeld. Ze legden hun hoofd in hun nek en keken omhoog naar de rode vilten muts.

'En nu moet u de Marseillaise zingen,' zei de musketier lachend.

'Pardon?'

'U hebt de man gehoord,' zei de sergeant. 'Gedraag u als gast in ons land en zing het volkslied van de Republiek.'

'Dat doe ik niet,' siste Arnim, 'en bovendien, het is óns land.'

'Stil!' siste Goethe.

'Hoezo? Die Fransen verstaan ons toch niet.'

'Daar zou ik niet zo zeker van zijn.'

Bettine beëindigde de woordenwisseling door met welluidende stem de Marseillaise in te zetten, haar blik op de vrijheidsboom gericht. De mannen vielen een regel later in, hoewel Arnim alleen zijn mond bewoog. Dat viel een soldaat op, die Arnim vervolgens een por met zijn geweerkolf gaf, waarna ook hij uit volle borst meezong. Een paar weinig tekstvaste zangers vormden een bron van hilariteit voor de Fransen.

Lachend onderbrak de sergeant hen na het eerste couplet. 'Genoeg, genoeg, voldoende gezongen; afgezien van die mademoiselle bromt u als beren. En het is *"Contre nous de la tyrannie"*, niet *"Entre nous"*. U kunt uw hoeden weer opzetten, burgers.'

'Kunnen we nu verder?' vroeg Humboldt, en hij strekte zijn hand uit naar de vrijgeleiden, maar de sergeant vouwde de documenten op en stak ze in de binnenzak van zijn uniform.

'Nee. U begeleidt ons naar de gendarmerie van het kanton in Stromberg, dat is niet ver; daar zullen we nog eens controleren of alles in orde is met uw basaltonderzoek.'

Humboldt verbleekte. Goethes handen omklemden krampachtig zijn hoed, die hij nog altijd vasthield. Arnim legde zijn hand op de knop van zijn sabel.

De twistzieke gardist liep grijnzend op Bettine af en pakte haar hand. 'En ik mag naast dit leuke zwartharige *Fräulein* lopen. Mijn kameraden zullen mooi staan te kijken als ik met mijn nieuwe vriendin Stromberg binnenmarcheer.'

Bettine weerde zijn hand niet af, maar Arnim kwam meteen onbesuisd tussenbeide en hij duwde de Fransman ruw van haar weg. Direct werden er twee musketten op hem gericht.

'Doe dat maar niet, burger,' waarschuwde de sergeant, 'als u niet wilt dat we u geboeid naar het dorp brengen.'

Toen alle hoop op redding was vervlogen, stapte Schiller plotseling op de sergeant af met een brief in zijn hand, en hij zei: 'Op grond van de rechten die mij krachtens deze oorkonde als *citoyen français* door de Parijse Assemblée Nationale zijn verleend, gelast ik u de wapens neer te leggen en ons terstond te laten gaan.'

Hoewel hij zijn onverwachte eis in gebrekkig Frans uitsprak, boezemde deze toch respect in. De sergeant las het document door dat Schiller – of liever *monsieur Gille, publiciste* allemand – inderdaad als ereburger van de Franse revolutie bestempelde. Maar nog imposanter dan de titel waren de namen van de ondergetekenden: stuk voor stuk helden van de revolutie, stuk voor stuk allang onthoofd. De oorkonde liet zich lezen als hun testament.

Daarna ging het snel: de sergeant gaf Schillers verklaring van ereburgerschap en de vrijgeleiden terug, hij gelastte zijn soldaten hun wapens te laten zakken, vroeg de burgers om vergeving voor hun onbehouwen gedrag – in deze onrustige tijden drongen nu eenmaal ongure types de Hunsrück binnen – en keek even naar de twee arrestanten. Hij bracht zijn hand naar zijn steek en wenste hun een voorspoedige reis en veel succes met het basalt. Vervolgens begaven de Fransen zich met hun gevangenen op weg naar Stromberg. Ongelovig keken de reisgenoten hen na.

Arnims hoofd was nog altijd hoogrood, hij was buiten zichzelf van woede over de willekeur en de onbeschoftheid van de Fransen. Bettine praatte zacht op hem in en bedankte hem voor zijn moedige, zij het ietwat lichtzinnige actie.

Intussen bekeek Goethe Schillers oorkonde en gaf hem daarna door aan de anderen. 'Nou breekt mijn klomp; zelfs Danton heeft

ondertekend, God hebbe zijn ziel. Onze redders zijn uit het doden-
rijk afkomstig!'
'Waarom hebt u niet verteld dat u ereburger van de revolutie
bent?' vroeg Humboldt.
'Aan dit geschrift kleeft het bloed van de guillotine. Ik wilde het na
de dood van Louis XVI eigenlijk verscheuren.'
'Goed dat u het indertijd heel heeft gelaten. De nieuwe Fransen
hebben inmiddels weliswaar een keizerrijk, maar de revolutionairen van het eerste uur zijn heilig voor ze.'
Nu verlieten de vijf dan eindelijk de jakobijnse boom en de weg,
staken de beek over en verdwenen in het tegenoverliggende bos.
Onderweg neuriede Arnim onwillekeurig de Marseillaise. Toen hij
zich dat realiseerde, lachte hij en zei: 'Het laat je niet los, dat revolutionaire Te Deum!'
'Is het echt *"Contre nous de la tyrannie"*?' vroeg Schiller. 'Betekent
dat niet... "Tegen ons de tirannie"? Dat is toch nonsens.'
'Hoe dan ook, een leuk liedje.'
'Leuk is alleen de melodie,' zei Bettine. 'In de tekst is er sprake van
buitenlands gespuis dat hun vrouwen en kinderen wil onthoof-
den, en van het onreine bloed van dat gespuis dat over hun velden moet vloeien. Daarmee worden voornamelijk wij, de Duitsers, bedoeld.'
Zoals gewoonlijk ging Humboldt voorop, het kompas in de ene en
zijn kapmes in de andere hand. Goethe was in gedachten verzonken en mompelde, meer tegen zichzelf dan tegen Humboldt: 'Eer
bewijzen aan een lege hoed... dat was toch echt een idioot bevel.'
'En waarom niet, aan een lege hoed?' vroeg Humboldt. 'We buigen
toch ook voor menige holle schedel?'

De nacht beloofde helder en koud te worden en daarom was het
vijftal dankbaar dat Humboldt ongeveer een mijl voor het Eller-
bachdal naast de weg een verlaten glasblazerij ontdekte, die uit een
groot terrein en verscheidene kleine fabrieksgebouwtjes met ovens
bestond. Alle gebouwen waren afgebrand en ingestort. Hol gaapten zwarte vensergaten en het bos had allang heroverd wat door

mensenhand was gebouwd: klimop bedekte de muren en in de schaduw van de grote bomen braken scheuten door de barsten in de grond. Alleen een huisje verderop leek onbeschadigd. Toen Humboldt de overwoekerde deur openbrak, zagen ze een kale ruimte, waar in het midden een grote glasoven met een ijzeren rookvang stond. De bodem was bedekt met stof en vuil, scherven en vogelveren. De ruiten waren uit de kozijnen gehaald, maar de muren en het dak waren nog intact.

'Zelfs in het kleinste hutje is nog wel plaats,' zei Schiller.

Terwijl sommigen het ergste vuil aan de kant veegden en dekens en huiden voor de open vensters hingen en op de grond legden, gingen anderen op zoek naar brandhout. In het nachtelijk duister werd Bettine bevangen door angst voor rovers, tenslotte hadden Schinderhannes en Zwarte Peter deze bossen onveilig gemaakt, maar afgezien van een ree die door de bosjes sprong, was het winterse woud leeg. Nadat Arnim een verlaten vogelnest uit de schoorsteen had verwijderd, maakten ze vuur in de oude glasoven en ineens werd het behaaglijk in de glasblazershut. De reizigers masseerden hun gekneusde voeten en deelden hun proviand met elkaar: brood en Göttinger worst. Er werd een kan op het vuur gezet, om thee te maken. Goethe liet een flesje met brandewijn rondgaan. Ten slotte haalde Schiller een geborduurde leren tabakszak tevoorschijn en een pijp. Na een tijdje vroegen de anderen of hij zijn stinkende Frankfurter apenhaar niet voor de deur kon oproken. Af en toe hoorden ze hem buiten hoesten.

Toen Schiller de hut weer binnenkwam, was Humboldt alweer ingedommeld. De anderen wilden zijn voorbeeld volgen en Goethe vroeg Arnim een liedje uit zijn voortreffelijke verzameling volksliederen ten beste te geven om de avond te besluiten. Hoewel Arnim ingenomen was met het compliment, geneerde hij zich een poosje, maar uiteindelijk zong hij met heldere stem 'Heb je je zacht te ruste gelegd', en na dit wiegeliedje gingen ze slapen – Arnim en Goethe bij de oven, Bettine tussen hen in, Humboldt bij het raam en Schiller als een waakhond dicht bij de deur.

De volgende ochtend werd Schiller wakker van het gerammel van de pot waarmee Goethe boven het opgerakelde vuur in de weer was. Arnim en Bettine sliepen nog, Arnim met een frons op zijn voorhoofd, Bettine met haar rug naar hem toe. Humboldt was vertrokken. Goethe vertelde dat hij de hut voor dag en dauw had verlaten om, met zijn toestemming, naar de weg te gaan. Hij wilde meer aan de weet komen over madame De Rambaud en haar escorte. 'Het is een echte pionier, een woudloper, een indiaan,' zei Goethe enthousiast. 'Laat niemand er nog eens over klagen dat we hem hebben meegenomen.'

Voordat Humboldt terug was wilden de anderen niets ondernemen, en daarom besteedden ze hun tijd nuttig, ten eerste door uitgebreid te ontbijten, en ten tweede door zich met hun wapens vertrouwd te maken. Terwijl Schiller met zijn kruisboog een paar pijlen op een dode boom afschoot, liet Goethe aan Arnim en Bettine zien hoe ze hun pistolen moesten laden en afvuren. Bettine kon uitstekend overweg met de hartsvanger, die een lemmet van acht duim lang had en die ze algauw trefzeker tussen Schillers pijlen in de boomschors wierp. Terwijl de anderen oefenden in laden en richten – zonder echter te schieten, om kogels en kruit te sparen en hun aanwezigheid niet te verraden – ijsbeerde Goethe met de handen op de rug tussen de bouwvallen. Later ging hij op een paar gebarsten stenen zitten, als op een chaise longue, en zag de oefeningen van zijn reisgenoten aan.

Pas in de schemering keerde Humboldt terug over het verwilderde pad dat ooit de weg van de glasfabriek naar het dal was.

'Beter laat dan nooit,' verwelkomde Schiller hem ongeduldig.

'Ik kom niet met lege handen.'

Humboldt was tot de straatweg gelopen en had in het eerste gehucht naar de koets uit Parijs geïnformeerd. Niemand kon zich herinneren een Franse koets te hebben gezien, dus was Humboldt verder naar het westen gelopen, tot het dorp Sobernheim. Toen ook daar niemand hem iets kon vertellen over het gezochte transport, had hij vlak bij de posthalte gewacht. Daar arriveerde laat op de middag een calèche, en Humboldt wist meteen dat het kindermeisje van de koning zich daarin bevond. De dame en haar begeleiders namen hun intrek in de herberg. Humboldt had één koetsier en vier bereden gardisten geteld, en dit aantal kostte Goethe hoofdbrekens. 'Vijf soldaten. Ik moet bekennen dat ik rekening had gehouden met twee, hooguit drie man. Deze kwestie schijnt uiterst belangrijk voor Napoleon te zijn, als hij er maar liefst vijf soldaten voor ter beschikking stelt.'

De leden van het gezelschap, die op een omgevallen boomstam en op de grond hadden plaatsgenomen, zwegen bedremmeld. Ten slotte sprak Schiller: 'Wat nu, zei Zeus.'

Goethe zuchtte. 'Het zou me spijten als we deze moeilijke reis voor niets hadden gemaakt en de dauphin in de steek moeten laten, maar gezien de omstandigheden kan ik een aanval door ons niet verantwoorden.'

Er klonk protest, maar Goethe zei: 'Denk na, vrienden: vijf soldaten van het beste leger ter wereld, tegen evenzoveel burgers, onder wie een vrouw en een oude man.'

'Je bent geen oude man!' riep Bettine.

'Ik had het over Schiller.'

Schiller, die intussen zijn pijp had aangestoken, glimlachte mild. 'Zelfs nu niet om een grapje verlegen, heer geheimraad? We spreken elkaar nog wel als uw grijze hoofd vaal ziet van angst.'

'Ik ga in elk geval niet met lege handen terug naar Duitsland,' zei Bettine. 'Het verrassingselement werkt in ons voordeel. Ik zeg dat het gaat lukken. Wij bevrijden Louis-Charles.'

'Ook ik wil zijn leven redden, Bettine, maar niet ten koste van het leven van een van ons,' antwoordde Goethe.

'Ik deel de mening van de heer Von Goethe,' zei Humboldt.

Bettine keek om zich heen en liet haar blik op Arnim rusten. 'Wat zeg jij ervan, m'n beste? Wil jij ook onverrichter zake naar huis teruggaan en weer een arme ziel aan die duivel van een Napoleon prijsgeven? Of wil je een held zijn die lacht om gevaar, om anderen te redden?'

'Ik vecht,' zei Arnim manmoedig. 'Ik laat me niet door de courage van een vrouw beschamen.'

'Dat is de Achim die ik ken, en van wie ik hou.'

'Dus staat het twee tegen twee,' zei Goethe, en terwijl hij zich naar Schiller draaide: 'Beste vriend, het lijkt erop dat u in deze kwestie de doorslag zult geven. Wat zegt u: aanval of aftocht?'

Schiller keek een blauwe tabakswolk na. 'Aanval. Moed, zeg ik, moed! God staat de moedigen bij. Ik voel dat we...'

'Worden gevolgd?'

'Nee, verdikkeme. Ik voel dat we gaan winnen.'

Goethe knikte. 'Drie tegen twee, daarmee is het besloten. Morgen zullen we de Fransen het hoofd bieden. Ik ben blij dat u me deze beslissing uit handen hebt genomen. Intussen heb ik een plan voor de overval bedacht en het zou me deugd doen als dat uw gewaardeerde instemming zou wegdragen.' Hij kwam overeind en veegde met zijn laars de dode bladeren op de bosgrond terzijde. Met een stok kraste hij twee evenwijdige lijnen in de grond. 'Dit is de straatweg naar Mainz. We zullen ze achter Sobernheim aanvallen, in een stuk bos.' Toen raapte hij een paar dennenappels en een stukje leisteen op en legde die naast elkaar op de ondermaatse weg. 'De leisteen is de koets, en de dennenappels zijn de gardisten. Eentje bovenop, twee voor en twee achter de koets, neem ik aan?' Humboldt knikte. Daarna plaatste Goethe vijf eikels, die hij die ochtend had verzameld, in zijn miniatuur: twee achter de stoet, twee op de ingekraste lijn en eentje opzij in de bladeren, die het bos naast de straatweg voorstelden. 'Dat zijn wij: de heer Von Arnim en de heer Von Humboldt achteraan, hier Bettine en ik, en daar in de bosjes de heer Schiller.'

'En deze steen?' vroeg Arnim, en hij wees op een steen achter de eikel die hem moest voorstellen.

'Een gewone steen, die speelt in ons verhaal geen rol.'

'Mag ik de Bettine-eikel omruilen? Hij is vies en heeft een lelijke vorm,' zei Bettine.

'Uiteraard.'

'Dan zou ik liever door een pijl worden aangeduid,' zei Schiller, en hij stak een pijl van zijn kruisboog in de bladeren, nadat hij de eikel had weggehaald.

Arnim zette zijn eikel rechtop, zodat het hoedje boven zat. 'Mag ik de steen weghalen? Ik vind hem onprettig, zo pal in mijn rug.'
'Ga je gang. Als we dan klaar zijn met de decoraties, zou ik graag mijn plan toelichten.'
Goethe en Bettine moesten zich aan de kant van de weg opstellen en doen alsof ze door bandieten waren overvallen. Als alles volgens plan verliep, zou een van de voorste ruiters afstijgen, of allebei, om poolshoogte te nemen. Daar zou het duo hen met verborgen wapens opwachten. Achter de koets zouden Humboldt en Arnim dan uit de struiken tevoorschijn springen om de achterste begeleiders in bedwang te houden. Schiller moest vanaf een boom of een hooggelegen plek de overval gadeslaan en de koetsier in de gaten houden, en eventueel een soldaat die zich verzette of naar zijn wapen greep op een gerichte pijl trakteren.
'Ik hoop dat er geen bloed zal vloeien,' zei Goethe, 'maar mocht het zover komen...'
'... dan uitsluitend Frans bloed,' maakte Arnim zijn zin af.
'Pats! De marter is gevloerd, en de kip is voor ons!' riep Schiller vrolijk toen hij de pijl van zijn kruisboog weer uit de grond trok. 'Het idee is gewaagd en juist daarom, denk ik, bevalt het me.'
Daarna trokken de vijf zich terug in hun onderkomen, maar aan slapen viel voorlopig niet te denken. Alleen Humboldt viel in slaap zodra hij zich had toegedekt, dus zouden ze in elk geval de volgende dag tijdig worden gewekt.

Voor zonsopgang hadden ze links en rechts van de weg hun posities ingenomen, op een plek waar de weg naar Sobernheim door een stuk bos liep dat dicht genoeg was om de Duitsers te verbergen, maar niet zo dicht dat de Fransen wantrouwig zouden worden. Arnim en Humboldt waren de bosjes links en rechts van de weg in gegaan. De laatste had een zweep bij zich, die hij hun Russische koetsier had afgetroggeld. Niet veel later begon het tot hun verdriet te regenen en de twee mannen gingen onder een paar bomen staan om zichzelf en het buskruit van hun pistolen droog te houden.

[69]

Schiller had stelling genomen op een rots en had zich daar achter een vlierbosje verborgen. Vanaf die hoge positie zou hij de reizigers al zien voordat ze ten tonele verschenen. Van daaraf zouden zijn pijlen iedereen kunnen bereiken die zich op de weg waagde. Goethe was aan de kant van de weg gaan liggen. Om zijn rol van slachtoffer van een roofoverval goed te spelen had hij zijn hoed afgezet zodat de lelijke wond op zijn hoofd zichtbaar was, precies alsof hij zojuist was neergeslagen. Bettine knielde naast hem, klaar om in geveinsde tranen uit te barsten zodra Schiller het sein gaf. Hun pistolen hadden ze in de plooien van hun kleren verborgen. Omdat het koud was op de grond en de regen ook hen niet spaarde, bood Bettine Goethe aan zijn hoofd op haar schoot te leggen. Maar een rustige plek was het niet, want omdat de aanval ophanden was, kon Bettine niet stil blijven zitten.

'Wat goed dat ik je tijdens dit avontuur ontmoet,' zei ze na een tijdje. 'Onze brieven en de vriendschap van je moeder betekenden veel voor me, maar mijnheer Von Goethe in levenden lijve! Het bloed klopte in mijn slapen toen je bij grootmoeder thuis in de kamer stond met je nobele vrienden. En wat goed dat Achim is meegegaan. Hij houdt van je en vereert je, net als ik, hoewel hij het je nooit in je gezicht zou durven zeggen.'

'Hou je van hem?'

'Is het mogelijk niet van hem te houden? Hij is een knappe verschijning, en heeft een moedig karakter en een groot hart. Zijn gelaat alleen al! De anderen hebben alleen gezichten.' Bettine zocht de weg in beide richtingen af. 'Wat is mijn rol eigenlijk bij deze maskerade? Je vrouw of je dochtertje?'

'Ik ben niet zo ijdel dat ik zou willen dat je mijn vrouw bent.'

'Waarom niet? Je ziet er toch koninklijk uit.'

'Je drijft de spot met me, Bettine.'

'Allerminst. Je hebt het gelaat van een olympische Jupiter.' Ze veegde wat regendruppels van zijn voorhoofd.

'Het enige olympische aan mij is mijn leeftijd.'

'Alleen door zijn leeftijd is de wijn voortreffelijk.'

In plaats van te antwoorden trok Goethe zijn wenkbrauwen op en keek Bettine vanuit haar schoot in de ogen, zodat hij haar ondersteboven waarnam.

'Dan zal ik je kind zijn,' zei ze tevreden. 'Een kind van God en een kind van Goethe. Net zoals jouw Wilhelm Meister zijn pupil Mignon had, wil ik ook jouw Mignon zijn.'

'Nee maar! Heb je mijn *Wilhelm Meister* gelezen? Het hele boek?'

'Clemens heeft het aan me gegeven. Elke letter staat in mijn hart gegrift.'

Goethe glimlachte. 'Als je eens wist wat voor een schat je bent! En het is zo'n pil; je moet wel een groot hart hebben.'

Hun gesprek werd onderbroken door een fluitje van Schiller. 'Nu wordt het menens,' zei Goethe, en hij sloot zijn ogen.

De Fransen kwamen naderbij. Het struikgewas waarin Humboldt en Arnim hun posities innamen, kraakte. Even later kwam de koets de bocht om hobbelen, met twee nationale gardisten voor en twee achter het voertuig, zoals Goethe had voorspeld.

Bettine barstte onmiddellijk zo hartverscheurend in snikken uit vanwege haar neergeslagen vader, dat de hardste steen ervan zou zijn gesmolten. 'Vaderlief,' riep ze, 'je mag me niet verlaten! Blijf bij je kind!'

De koetsier bracht zijn paarden tot stilstand, en meteen stegen de voorste ruiters, alle twee jonge mannen, af en snelden Bettine te hulp.

'Rovers!' gilde deze, en ze wees naar Goethes bebloede hoofd. 'Ze hebben me mijn vader afgenomen!'

De ene Fransman hield met zijn musket in de aanslag het bos in het oog, terwijl de ander, een slanke, bruingebrande vent, zijn wapen op zijn rug zwaaide, naast het zogenaamde slachtoffer neerknielde en galant zijn steek afnam. 'Wat mankeert uw vader, juffrouw?' vroeg hij in gebrekkig Duits.

'*Rien*,' zei Goethe, terwijl hij zijn ogen opsloeg en zijn pistool zo richtte dat de loop vlak voor de ogen van de soldaat eindigde. 'Handen omhoog.'

Nu ging alles heel snel: Bettine haalde haar pistool uit de plooien van haar jurk en mikte op de tweede man, die twijfelde of hij zijn

musket zou laten zakken of op Bettine moest richten, die nu eveneens 'Handen omhoog' riep. De gardist op de bok greep direct
naar zijn pistool, dat in een foedraal naast hem lag, maar toen hij
het eruit haalde, boorde een pijl van een kruisboog zich in het
hout van de koets. In de struiken klonk het geluid van een natril-
lende pees. Schiller had geschoten zonder zijn dekking op te geven,
en na dit waarschuwingsschot liet de koetsier zijn pistool met rust
en hief zijn handen boven zijn hoofd. De koetspaarden voelden de
onrust nu en begonnen te trappelen, en de wielen van de koets
knersten in het zand. Humboldt en Arnim sprongen schreeuwend
uit de struiken achter de koets. Toen de soldaat dicht bij Arnim
zijn geweer naar zijn schouder bracht, drukte Arnim af, maar het
kruit van zijn pistool ontbrandde niet, en het schot bleef uit.
Arnim vloekte en spande de haan opnieuw. De Fransman richtte
op Arnim en schoot, maar terwijl het buskruit nog brandde,
zwiepte Humboldts zweep door de lucht, wond zich om de loop
van de musket en rukte hem op het laatste moment opzij, zodat de
kogel in het niets verdween. Het paard bokte, en dit moment benutte Humboldt om het geweer met zijn zweep uit de handen van
de Fransman te trekken. Het viel op de grond, waar Arnim het
direct oppakte om de bajonet tenminste als wapen te kunnen
gebruiken. Vanachter de gordijntjes voor de ramen van de koets
klonk even de kreet van een vrouw, verder bleef het stil.
'Gelieve uw wapens neer te leggen,' zei Goethe, die inmiddels was
opgestaan, luid en duidelijk in het Frans. 'Stijg van uw paarden af
en leg uw handen achter het hoofd. Een paar van onze mannen
hebben zich in het bos verborgen en hebben u onafgebroken in
het vizier, dus weest u zo goed zich niets in het hoofd te halen. Als
u doet wat ik zeg, laten we u, *parole d'honneur*, snel weer vrij. Zo
niet, dan doden we u.'
De Fransen keken elkaar aan maar spraken geen woord en met
stilzwijgende toestemming legden ze hun geweren af, en de sabels
ernaast. Humboldt bracht zijn twee gevangenen naar voren. De
vier ruiters werden met pistolen onder schot gehouden en op de
weg bij elkaar gedreven. De teugels van de paarden werden aan de

koets vastgemaakt, de koetsier bleef op de bok. Arnim nam de musketten, de patroongordels en de sabels, alsmede de pistolen van de koetsier in beslag en had spoedig een respectabele verzameling aangelegd. Zodra de vijf gardisten waren ontwapend, klom Schiller van zijn rotspunt af, voegde zich bij zijn kameraden en ontspande de pees van zijn kruisboog. Bettine gaf de galante Fransman zijn steek terug, want het was harder gaan regenen.

'Vriendelijk dank,' zei Goethe tegen de soldaten. Hij overhandigde Bettine zijn pistool en liep naar de calèche met de geblindeerde ramen. 'Madame De Rambaud? Wees niet bang, er zal u niets overkomen. Stapt u alstublieft uit de koets.' Binnen klonk rumoer, maar er gebeurde niets. 'Madame De Rambaud?' zei Goethe nog eens. Toen opende hij de deur.

Onverhoeds werd de deur wagenwijd opengegooid, en een zesde soldaat sprong met zijn pistool in de aanslag uit de koets. Hij pakte Goethe van achteren beet, met zijn linkerarm om zijn borst en zijn hand stevig om zijn schouder, en drukte de loop van het pistool tegen zijn slaap. Onmiddellijk richtten alle metgezellen hun wapens op de soldaten – een staccato van gespannen trekkers klonk door de lucht – maar niemand drukte af: Goethes leven bevond zich in handen van de Fransman, voor wie zijn lichaam een perfect schild vormde.

'Laat uw wapens vallen, of ik schiet hem neer,' zei de man. Hij was ouder dan de andere nationale gardisten en droeg het uniform van een luitenant. Triomf fonkelde in zijn ogen. 'Wapens neergooien, zeg ik!'

Goethe keek zijn kameraden aan: Arnim en Humboldt, hun vingers trillend aan de trekker; Bettine, die niet minder dan twee pistolen vasthield, haar haar in natte slierten op haar voorhoofd geplakt; en Schiller, die lijkbleek was, alsof de kogel op hemzelf was gericht.

'U schiet niet,' zei Goethe tegen de luitenant.

'Ach nee? En waarom niet?'

'Omdat ik schrijver ben en uw keizer, die grote waardering heeft voor mijn boeken, u de moord nooit zou vergeven.'

'Welke boeken?'

'Bijvoorbeeld *Les Souffrances du jeune Werther*. Hij heeft het ze-venmaal gelezen.'

'Waarachtig. Is de *Werther* van u?'

'Van mij persoonlijk.'

'Als de *Werther* van u is, is dat een reden temeer om u neer te schieten.'

'Beviel het u soms niet?'

'Ik heb ervan gehouden, *maître*. Maar het einde stond me niet aan. Als het aan mij lag, had Werther zich niet doodgeschoten. Als Wer-ther Frans was geweest – *ciel!* – dan had hij verder gevochten om Lotte, of ze nu een ander toebehoorde of niet. Dan zou hij het juist een uitdaging hebben gevonden om voor een getrouwde vrouw te vechten.'

'Wel, daar gaan onze naties klaarblijkelijk verschillend mee om.'

'Genoeg gebabbeld. Leg eindelijk uw pistolen neer.'

'Waarom wij? U hebt maar één gevangene, wij vijf.'

'Goed, laten we afspreken dat onze wegen zich hierna scheiden.' Toen Goethe niet reageerde, voegde de luitenant eraan toe: 'Ik geef u mijn erewoord als officier dat u kunt vertrekken zodra u uw wapens hebt neergelegd.'

Daarop legde Bettine haar pistolen neer, en de mannen volgden haar voorbeeld. De luitenant knikte zijn mensen toe, waarna ze zich weer bewapenden. Maar Goethe liet hij niet gaan.

'En nu in de boeien met ze,' zei hij. 'In Mayence zijn voor deze schurken vast nog wel een paar kerkers vrij.'

'Moge de duivel u halen!' tierde Goethe. 'U hebt ons uw woord gegeven!'

De luitenant grijnsde. 'Wel, daarmee gaan onze naties klaarblijke-lijk verschillend om.'

Plotseling viel er in de dichtstbijzijnde struik een schot. Bloed spoot uit het voorhoofd van de luitenant. Zijn hoofd was met zo veel kracht naar achteren geslagen dat het het raam van de koets had verbrijzeld. Tussen Goethe en de koets zakte zijn lichaam op de grond, zijn pistool tot het laatst in zijn hand geklemd, en de scherven regenden op hem neer. Een soldaat vuurde overhaast een kogel het bos in, naar de plek waar hij de schutter vermoedde, wat laconiek werd beantwoord met een schot dat zijn lichaam vlak onder het borstbeen doorboorde. De koetsier en een van zijn kameraden zochten met een sprong dekking achter de koets. Arnim ontfutselde een Fransman die ook wilde schieten zijn musket en liet de man met een slag van zijn geweerkolf tegen diens kin in het stof bijten. 'Capituleer, fransozen, of sterf!' bulderde een stem uit de bosjes. Een derde kogel versplinterde de glazen lantaarn op de koets. Daarop kwamen de twee Fransen vanachter de koets tevoorschijn. Gewillig stonden ze hun wapens voor de tweede keer af. De gewonde soldaat was naast zijn gevelde collega op de grond gezakt met de handen tegen zijn doorboorde borst. Bloed sijpelde tussen zijn vingers door.

Zowel de Duitsers als de Fransen keken gebiologeerd naar het gedeelte van het bos waarvandaan de kogels waren gekomen. Nu kwam de geheimzinnige schutter zelf tussen de bomen vandaan. Het was niemand minder dan de Pruisische luitenant met het kindergezicht, die ze voor het laatst op het Frauenplan hadden gezien. In elke hand hield hij een pistool met een kolf waarin twee jagende honden waren gegraveerd. De lange loop van een van de pistolen rookte nog na in de koude regen.

'Moge dit de eerste adem van de Duitse vrijheid zijn,' zei hij met enige voldoening.

'U?' zei Goethe.

'Bij de schoorsteen van Pluto!' siste Schiller. 'Ik wist wel dat we gevolgd werden!'

'Heer geheimraad, geachte dame, mijne heren, ik hoop dat ik niet ongelegen kom.'

'Alle duivels, wat doet u hier?'

'Ik heb nog een beoordeling van mijn blijspel van u te goed, weet u nog wel? Bind die kerels vast, voor ze beginnen tegen te stribbelen.'

De anderen waren te verrast om het bevel te weigeren. Ze bonden de vijf soldaten met touwen vast. Schiller, die legerarts was geweest en wijselijk een kleine leren tas met de noodzakelijkste medische hulpmiddelen en wat tincturen had meegenomen, bekeek het letsel van de gewonde Fransman. Arnim en Bettine openden de deur aan de onbeschadigde kant van de koets. Agathe-Rosalie de Rambaud, een vrouwspersoon van rond de veertig, was ten gevolge van alle opwinding flauwgevallen en op de bank in elkaar gezakt. De twee droegen haar naar buiten, de frisse lucht in, waar de regen haar meteen deed bijkomen. Om beurten spraken ze haar kalmerend toe. Even later kreeg haar ronde gezicht weer kleur, en haar handen hielden op met trillen. Met veel plichtplegingen en een slok brandewijn konden ze haar ervan overtuigen dat ze geen kwaad in de zin hadden.

Inmiddels merkte Goethe dat er bloeddruppels van de luitenant aan zijn slaap kleefden. De schutter die het dodelijke schot had gelost overhandigde hem glimlachend een zakdoek.

'U had míj wel kunnen raken,' merkte Goethe op.

'Is dat mijn dank? Laat ik u verzekeren, als ik u had kunnen raken, zou ik niet hebben geschoten.'

'In dat geval dank ik u, jongeman. En dank ook voor uw zakdoek. Ik zal hem bij gelegenheid wassen en teruggeven.'

Nadat Schiller het hoogstnodige voor de Fransman had gedaan, kwam hij bij de twee staan en reikte de Pruis de hand. 'Alle donders! Wat een schot! Wat een heldendaad, mijnheer…'

'… Von Kleist. Uw nederige dienaar uit Frankfurt, Heinrich von Kleist, Uwe Excellentie.'

'Frankfurt?' vroeg Goethe.

'Aan de Oder.'

'Aan de wat?'

'Frankfurt aan de Oder.'

'Aha.'

'En te allen tijde bereid mijzelf en deze twee donderstenen' – hij trok zijn pistolen – 'geheel en al voor uw zaak in te zetten.'

'Weet u wel wat onze zaak inhoudt?'

'Het vreemde gebroed dat zich als een zwerm insecten in het lijf van Germanië heeft genesteld, met het zwaard der wrake volledig uitroeien.'

Heinrich von Kleist keek naar de luitenant, die in de schaduw van de koets in de modder, scherven en zijn eigen bloed onmachtig op zijn rug lag, het eerste slachtoffer van deze wraak. De anderen volgden Kleists blik, en pas nu zagen ze dat de luitenant nog niet dood was: het bloed stroomde nog, en hij ademde nog steeds. Meteen hurkte Schiller naast de onfortuinlijke man neer. Boven zijn rechteroog was hij door zijn hoofd geschoten, de hersenen puilden naar buiten. Zijn longen brachten een akelig rochelend geluid voort, nu eens zwak, dan weer luid.

Schiller kwam overeind. 'Voor hem is er geen hoop meer,' zei hij zacht tegen de anderen. 'Zijn lot zal spoedig bezegeld zijn. Deze stuiptrekking nog, dan is het voorbij.'

'Wat kunnen we doen?'

'Hem als goed christen uit zijn lijden verlossen.'

'Zonde van het lood,' zei Kleist.

'Een steek door het hart,' stelde Schiller voor.

'Een feestmaal voor de wormen.' Kleist trok zijn sabel. 'Mag ik afmaken wat ik begonnen ben?'

Goethe knikte. Kleist ging naast het bewegingloze lichaam staan. Het gezicht van de luitenant leek al op dat van een dode. Hij bewoog geen vinger meer, maar in zijn ogen stond te lezen dat hij het einde verwachtte.

Kleist hief zijn sabel en sprak in het Frans: 'Keer terug naar de hel waar je vandaan kwam.'

'Stop!' riep Goethe. 'Dat is geen goede grafrede bij de dood van een christenmens, of hij nu een fransoos is of niet. En in elk geval hield hij van mijn werk.'

Kleist liet zijn sabel zakken. Toen zei hij, wederom in de moedertaal van de stervende: 'Rust zacht. Moge de Almachtige zich over je ziel ontfermen en je eeuwige vrede schenken. Als ik hiermee zondig, moge God mij vergeven.' Met deze woorden stootte hij de punt van zijn sabel in het lichaam van de Fransman. Het was meteen gebeurd.

Eindelijk stelde Kleist zich ook aan de anderen voor, die hem hartelijk begroetten. Intussen zette Goethe hen aan tot spoed; ze moesten van de weg af voordat er andere reizigers of Franse patrouilles zouden opduiken. Ze gelastten hun gevangenen in de koets te stappen en tilden de dode luitenant op de plank achterop. Arnim en Bettine klommen op de bok, de kinderjuffrouw van de koning zat tussen hen in. De anderen stegen in het zadel en reden de oude weg op naar de glasfabriek in het bos. Arnim vervloekte de regen, die het kruit van zijn pistool onbruikbaar had gemaakt, wat hem bijna noodlottig was geworden. Ook onder zijn metgezellen was de stemming bedrukt, omdat ze ternauwernood waren ontsnapt aan een ramp en hun overval een mens het leven had gekost. Schiller vroeg zacht of hun missie niet nu al als mislukt diende te worden beschouwd; nu al, want ze hadden een mens moeten doden om een ander mens te redden.

Maar vooral Humboldt werd onderweg door wroeging gekweld. Hij verweet zichzelf dat hun oorspronkelijke plan was mislukt omdat hij bij het poststation in Sobernheim niet zes, maar slechts vijf mannen had geteld. Goethe vond dat niet terecht; per slot van rekening had hij tot dusver meer dan wie ook voor hun onderneming gedaan, en daarom moest hij zich niet zo door zijn geweten laten plagen. Humboldt bedankte Kleist uitvoerig, want door zijn toedoen waren ze aan Franse gevangenschap ontsnapt, en Kleist aanvaardde de dankbetuiging van zijn Pruisische landgenoot met groot genoegen. Niet zonder trots vertelde hij hoe hij erin was geslaagd de reizigers van Weimar via Frankfurt tot hier aan toe te achtervolgen – ten eerste omdat hij het gevoel had dat hij zijn geschil met mijnheer Von Goethe zo snel mogelijk moest bijleggen, en ten tweede puur uit nieuwsgierigheid – en dat hij het spoor van zijn prooi tweemaal, *primo* in Frankfurt en *secundo* aan de Rijn, was kwijtgeraakt en het alleen dankzij zijn instinct had teruggevonden. En daarna was het ook zijn instinct geweest dat hem had ingegeven zich zolang te verbergen, tot er zich een gelegenheid zou voordoen om de helpende hand te bieden. Schillers gevoel dat ze werden gevolgd had hem inderdaad niet bedrogen.

Teruggekomen bij hun provisorische onderkomen, brachten ze de soldaten onder in de hut. In de koets hadden ze hen geboeid met ijzeren handboeien en touwen, en daarmee werden de Fransen nu aan de rookkap van de glasoven vastgebonden.

In de tussentijd bedekten Bettine en Goethe het lijk van de officier met stenen van de ingestorte muren. Goethe maakte de zakken van de dode leeg en vond een paar munten en een brief.

Toen de dode begraven was, werd overlegd wat er met de overlevenden moest gebeuren. Kleist stelde voor dat ze hun luitenant in de dood moesten volgen. 'Zíj kwamen naar Duitsland zonder dat we hun iets hebben gedaan, om óns te onderdrukken. Daarmee hebben ze hun aanspraken op recht en genade verspeeld. Laat ons de hele moordenaarsbende met dolken doodkietelen!'

Ook Arnim wilde de Fransen terechtstellen – oog om oog, tand om tand – want tenslotte hadden ze op hen geschoten. Maar de anderen waren daar fel tegen. 'Ik heb mijn woord gegeven dat ik ze snel weer vrij zou laten,' zei Goethe.

'De fransoos heeft ook zijn woord gegeven, en hij heeft het meteen op laaghartige wijze gebroken,' merkte Kleist op.

'Wel, daar gaan onze naties klaarblijkelijk verschillend mee om. Maar ik hou me doorgaans aan mijn woord,' zei Goethe. 'Overigens, mijnheer Von Kleist, dank ik u zeer voor de bewezen diensten, maar nu is het moment gekomen om afscheid te nemen. Zoek een paard uit dat u vlug en zeker terug naar Duitsland zal brengen. Ik meld me zodra ik uw stuk heb gelezen, wat ik nu met des te meer belangstelling zal doen.'

Het duurde even voor de inhoud van zijn woorden tot Kleist doordrong, en ook de anderen waren verrast en ontsteld. 'U verstoot mij?' stamelde hij. 'U verstoot mij? Zo... zo gaan mensen niet met elkaar om. Ik red u het leven, en u verstoot mij? Kleist heeft zijn werk gedaan, Kleist kan wel gaan?'

'Welnee. Het is alleen zo dat deze groep niet te groot mag worden, om de afzonderlijke leden niet in gevaar te brengen.'

'Bevindt er zich een grotere vijand van de fransoos in deze groep dan ik? Een grotere vriend van de Duitsers? Is hier iemand die zo veel wapens heeft als ik en ze even goed weet te hanteren, om het vaderland van onderdrukkers te bevrijden? Hou me ten goede, u kunt niet zonder mij, geachte heer geheimraad.'

'Ik wil uw leven niet op mijn geweten hebben.'

'Mijn leven? Wat voor waarde heeft mijn leven als ik het niet voor Duitsland zou geven? Godallemachtig, het enige antwoord dat ik hierop heb, zijn mijn tranen.'

Inderdaad welden hete tranen in zijn ogen op en verstikten zijn stem. Goethe wist niet wat hij moest zeggen, hoezeer de omstanders hem ook aanstaarden.

Kleist sprak opnieuw: 'Het behaagt God als mensen voor hun vrijheid sterven, maar slavernij is hem een gruwel.'

'Mag ik u even spreken, mijn vriend?' vroeg Schiller resoluut, en hij trok Goethe met zich mee tot ze in de schaduw van het afgebrande hoofdgebouw stonden.

'Lieve hemel, had ik het hem nog voorzichtiger kunnen vertellen?' vroeg Goethe geprikkeld. 'Ik heb echt niet gewild dat hij ging huilen. Het is toch een volwassen man, dus waarom huilt hij? Ik heb sinds de dagen van keizer Frans zaliger niet meer gehuild.'

'Laten we hem in de groep opnemen,' zei Schiller.

'Geen denken aan. Wat is hij? Een jongetje dat zijn snoepje krijgt als hij er maar lang genoeg om zeurt?'

'Hij is een dappere strijder.'

'Al is er niemand in de wereld die beter met een geweer kan omgaan dan hij, ziet u al voor zich hoe deze zwaarmoedige losbol met rokende pistolen door Mainz galoppeert? Dat is nog erger dan Kleist, dat is... Kleister. Hij zou ons allemaal in gevaar brengen.'

'Wij zijn oude mannen. Met de jaren zijn we bedachtzamer geworden. Maar sommige waagstukken vergen nu eenmaal de voortvarendheid van de jeugd.' Schiller glimlachte mild. 'Veel zelfvertrouwen en een flinke portie lef, mijn god! Hij herinnert me aan mezelf, vroeger in Stuttgart.'

'Kijk eens aan. U was ooit een zelfzuchtige, losbandige, bloeddorstige Teutoon?'

'Zwijg, sofist die u bent. In de heer Von Kleist smeult de geest van Arminius nog.'

'Arminius? Wat heeft Arminius ermee te maken? We strijden niet tegen Rome. Verdraaid, we strijden niet eens tegen Frankrijk! We strijden voor Frankrijk, welbeschouwd! Wij willen de koning weer op de troon!'

'Maar dat hebt u de anderen niet verteld. Die zien alleen dat we iets tegen de gehate Napoleon ondernemen, en dat is voor hen meer dan genoeg.'

Goethe zuchtte. Hij plukte een verdord blaadje van de klimop die zich om het gescheurde metselwerk slingerde en verkruimelde het tussen zijn vingers.

'Laten we Kleist in onze gelederen opnemen,' zei Schiller nog eens. 'Ik garandeer u dat hij ons geen schade zal berokkenen. Denk eraan dat als we hem niet meenemen, hij ons toch wel zal volgen. Dan is het toch handiger hem aan onze kant te hebben dan in onze rug.'

'Maar wees gewaarschuwd,' zei Goethe toen ze naar de anderen terugliepen, 'ik voorspel dat die kwelgeest nog verdeeldheid in onze groep zal zaaien.'

Kleist, die zich zo zwak voelde dat hij tegen een boom was gaan zitten, en die door Bettine troostend werd toegesproken, was dolblij dat hij achteraf alsnog werd toegelaten. Hij bedankte de beide heren uitvoerig, vooral Schiller, aan wiens pleidooi hij de beslissing te danken had, en beloofde Goethe voortaan precies zijn instructies, en alleen die van hem, op te volgen.

Goethe en Schiller verhoorden nu de geboeide gardisten en vroegen hun naar alle details van hun opdracht, schreven hun namen, de adressen waar ze zich in Mainz moesten vervoegen en hun contactpersonen op, en leerden alles uit het hoofd. Onder hun documenten bevond zich een oorkonde uit Parijs, opgesteld op kostbaar papier, van een zegel voorzien en door Fouché ondertekend, een oorkonde die goud waard was omdat ze daarmee geen problemen meer zouden hebben bij controles door het leger, de nationale garde en de gendarmerie. De tekst eindigde met de zin: 'De houder van dit document handelt bij mandaat en bij volmacht van Zijne Keizerlijke Hoogheid Napoleon I en is enkel en alleen aan hem verantwoording schuldig.'

[81]

Toen moesten de Fransen de een na de ander hun uniformen uitdoen, de kleding uit hun rugzakken aantrekken en hun dekens om zich heen slaan. De vijf uniformen werden voor de hut bij elkaar gelegd.

'Wat is dat?' vroeg Arnim.

'Dat is het uniform van de vrijheid,' antwoordde Goethe. 'De kostuums voor onze intocht in Mainz. Wij zijn nu de nationale garde die mevrouw De Rambaud escorteert.'

'Dat nooit!' riep Arnim.

'Aan hun jassen kleeft het bloed van onze broeders en familie!' wierp Kleist tegen.

'Waar dan?' vroeg Goethe, en terwijl hij de jas van de gewonde gardist omhooghield: 'Hieraan kleeft alleen hun eigen bloed. Het is een mooi pak. Als we het hol van de leeuw in gaan, doen we er goed aan ons in leeuwenhuiden te hullen.'

'Leeuwen?' zei Kleist met een schamper lachje. 'Hyena's!'

Goethe pakte de huid van de opperhyena en begon zich om te kleden. Met tegenzin volgden de anderen zijn voorbeeld. Er volgde een korte schermutseling om de onbeschadigde uniformen, want niemand wilde het tenue met het bloederige kogelgat in de borst. Dat viel Kleist ten deel, tenslotte had hij het ook vernield, maar het jasje was te groot en zo wees het lot uiteindelijk de heel wat forsere Arnim aan. Het was geen pretje om de kleren aan te trekken – de buitenkant doorweekt van de regen en de binnenkant van Frans zweet – maar het resultaat was verbluffend: de witte broek met beenkappen, de blauwe jas met de rode revers, de leren koppels met de cavaleriesabel erboven en de tweekantige steek met rode veren... dat alles stond de reisgenoten bijzonder goed.

'Wat een effect!' zei Schiller. 'Kleren maken de man.'

Van pure verrukking klapte Bettine in haar handen bij het zien van de knappe gardisten en bij de een fatsoeneerde ze een vest, bij de ander trok ze een sabel recht. 'Wat zien jullie er goed uit in jullie uniformen! Ik zou bijna willen dat ik een soldatenmeisje was.'

Arnim foeterde over het gat in zijn jas. Met een lap probeerde hij het bloed eraf te wrijven, maar wat hij ook deed, het rode vocht wist van geen wijken.

'Tja, wie wint maakt vuile handen,' zei Kleist.

'Doe het als Napoleon zelf,' adviseerde Goethe. 'Toen hij nog korporaal was, trok hij zijn uniform gewoon binnenstebuiten aan als het vies was en hij geen ander bij de hand had.'

Uiteindelijk loste Arnim het op door de patronengordel zodanig over zijn schouder te leggen dat het bebloede gat in het kledingstuk werd afgedekt.

Daarna kregen de echte gardisten in de hut voldoende water en voedsel voor de komende dagen. Goethe beloofde hun dat madame De Rambaud, zodra ook zij haar taak had volbracht en was vrijgelaten, een patrouille naar de verlaten glasfabriek zou brengen, die de soldaten dan zou bevrijden. Binnen drie, hooguit vier dagen, mochten ze zich niet eerder op eigen kracht bevrijd hebben. Goethe liet zich hun namen geven en verdeelde die net als de uniformen onder zijn vrienden, en er werd even hard gekibbeld om de mooiste namen. Goethe zelf adopteerde de naam van de gedode luitenant, Bassompierre.

Tegen de middag konden ze vertrekken – Goethe, Humboldt en Kleist te paard, Arnim op de koets en Bettine, Schiller en madame De Rambaud erin – en door het dal van de Nahe reden ze naar het oosten. Schiller had uitdrukkelijk gevraagd of hij tijdens de reis het gesprek met het kindermeisje van de koning mocht voeren. Zodra hij en Bettine haar ervan hadden overtuigd dat ze van plan waren Louis-Charles, de jongen die zij had opgevoed en van wie ze had gehouden als van een eigen zoon, met haar hulp uit de vestingstad te bevrijden en met zijn zus en zijn ooms in Rusland te herenigen, liet zij haar achterdocht varen, en haar trouw aan de keizer verflauwde. Ze praatte zonder ophouden over de manier waarop Fouchés mannen haar hadden verrast en hadden gedwongen naar Mayence te reizen, en hoe blij ze desondanks was geweest om te horen dat Louis-Charles nog leefde – ze had de hoop nooit helemaal opgegeven – en hoe ongerust ze zich erover maakte wat de keizer met de onverwacht opgedoken troonpretendent zou doen, en hoe ze ten slotte het kindermeisje van de dauphin was geweest vanaf de dag van zijn geboorte in het jaar 1785 tot aan de brand in de Tuilerieën in augustus 1792. Schiller noteerde ijlings alle feiten in een boekje dat hij had meegenomen, en Bettine moest zo nu en dan iets vertalen als hij een woord niet kende. Schillers belangstelling ging in het bijzonder uit naar de kenmerken aan de hand waarvan het kindermeisje haar voormalige pupil wilde identificeren. Ze somde een aantal gebeurtenissen uit Louis' jeugd op die alleen hij kon weten, maar ze legde vooral de nadruk op vier permanente fysieke eigenschappen, die Schiller nauwgezet op een aparte bladzijde in zijn notitieboekje noteerde:

1. vooruitstekende tanden, 2. driehoekig litteken van inenting op de arm, 3. moedervlek op de dij in de vorm van een duif, 4. wit litteken op de kin (waar een konijntje in de tuinen van de Tuilerieën hem had gebeten).

5

Mainz

In juli 1792 komen de Duitse vorsten in Mainz bijeen. Ze besluiten door middel van een interventie in Frankrijk het leven van de
afgezette en gevangengenomen koning Louis XVI te redden en de
Franse revolutie neer te slaan. Oostenrijk en Pruisen beginnen vol
vertrouwen aan hun campagne tegen het wanordelijke en slecht
uitgeruste revolutionaire leger, maar de mars op Parijs wordt in
september abrupt tot staan gebracht: bij een uren durend artille-
riegevecht bij het dorp Valmy in de Champagne houden de Fransen voor het eerst stand tegen de buitenlandse troepen. Uiteindelijk trekken de Duitsers zich terug, en niet veel later gaan de
revolutionaire legers over tot de aanval. Onder aanvoering van de
generaals Dumouriez en Custine veroveren ze Savoye en de Ne-
derlanden en stoten door in Duits grondgebied tot ver voorbij de
Rijn, tot Frankfurt.

Intussen omsingelt generaal Custine ook de stad Mainz. Keurvorst
Erthal en de hoge adel en geestelijken zijn de stad reeds lang ont-
vlucht, en op 21 oktober geeft Mainz zich zonder slag of stoot over.
De revolutionaire bezetters worden feestelijk door de vrijdenkers
van de stad ingehaald, en al twee dagen later wordt in Mainz een
jakobijnenclub opgericht. Custine steunt de jakobijnse aspiraties
van de burgers. In Mainz en overal in het omliggende land links
van de Rijn worden vrijheidsbomen opgericht. In februari 1793

worden er voor het eerst verkiezingen gehouden, en een maand later houdt de eerste Rijn-Duitse Nationale Conventie zitting in het Duitse Huis te Mainz. Het nieuwe parlement roept onder aanvoering van filosofieprofessor Andreas Josef Hofmann en de universiteitsbibliothecaris Georg Foster het gebied tussen Landau en Bingen uit tot een vrijstaat waarbinnen de wetten van vrijheid, gelijkheid en broederschap gelden, en het breekt met de Duitse keizer en het Heilige Roomse Rijk.

Omdat de Mainzer Republiek zonder hulp van buiten niet kan overleven, besluiten de afgevaardigden een verzoek in te dienen voor aansluiting bij Frankrijk. Maar de Pruisische troepen zijn de Rijn al overgestoken en rukken op door de Palts, en enkele dagen nadat Georg Foster het verzoek van Mainz tot vereniging heeft voorgelezen op de Conventie in Parijs, heeft Pruisen de Palts heroverd en Mainz, 'het lichtend voorbeeld van de Duitse vrijheid', omsingeld en belegerd. De Mainzer Republiek omvat nu alleen nog de stad. Drie maanden lang trotseren de burgers en de Franse bezetters de houwitsers van de Pruisen, die de vestingstad met de grond gelijkmaken, maar in juli capituleert Mainz.

De Fransen mogen ongestoord vertrekken, maar de jakobijnen uit Mainz worden vervolgd, opgesloten, onteigend en vogelvrij verklaard of door het uitzinnige gepeupel midden op straat gelyncht. In Franse ballingschap zetten ze als de Société des Refugiés Mayençais hun strijd voor de Franse annexatie van de gebieden links van de Rijn voort. Generaal Custine wordt door het revolutionaire tribunaal in Parijs verantwoordelijk gesteld voor de val van Mainz en onder de guillotine onthoofd. Keurvorst Erthal daarentegen houdt een jaar na zijn vlucht met pracht en praal zijn intocht in de stad.

Maar algauw keert het tij van de geschiedenis opnieuw: in 1794 wordt de stad nog eens belegerd, dit keer door de Fransen, die de vesting Mainz willen heroveren, maar Oostenrijkse troepen ontzetten en bevrijden de stad. In 1796 wordt een volgende Franse belegering afgebroken. Uiteindelijk valt Mainz niet door wapengekletter maar door diplomatie in Franse handen: na een reeks overwinningen van de revolutionaire legers in Duitsland stemt keizer Frans II bij de vrede van Campo Formio in met de overdracht van de linker Rijnoever. Opnieuw marcheren Franse troepen Mainz binnen, en dit keer blijven ze.

Mainz, dat nu Mayence heet, wordt de hoofdstad van het nieuw gevormde bestuursdistrict Donnersberg. In 1802 komt de definitieve aansluiting bij Frankrijk tot stand. De inwoners van Mainz worden *citoyens*, krijgen burgerrechten, een Franse prefect en een nieuwe keizer, en de voormalige residentie van de keurvorsten wordt het nieuwe bastion en visitekaartje van Frankrijk, naast Antwerpen en Alexandrië een van de toegangspoorten tot Napoleons grote rijk.

Met de ondergaande zon in de rug bereikte het gezelschap op de middag van de daaropvolgende dag zijn bestemming. De kale bomen wierpen lange schaduwen op het plaveisel van de Pariser Allee. Op een verhoging tussen twee verdedigingswallen hielden ze de paarden in. In de diepte lag Mainz, als een podium van een amfitheater; de terrassen van de omliggende heuvels vormden de loges. De halfronde vesting lag aan de Rijn als een egel die zijn stekels, de talloze kleine en grote bolwerken, naar buiten had gericht; en op de andere oever lag Kastel, een weliswaar kleinere maar even geduchte egel, dat via een schipbrug met Mainz was verbonden zoals een kind met de navelstreng aan zijn moeder – het enige Franse bezit rechts van de Rijn, de voet tussen de deur naar het Duitse Rijk.

Boven de zee van daken verhieven zich de torens van de stad, waarvan sommige beschadigd en hol waren als stukgeslagen kruiken; ertussen echter stonden de steigers waarop aan de wederopbouw werd gewerkt, en te midden van dat alles stond de massieve rode dom. Recht voor hen lag de citadel, met op de kantelen het plompe grafmonument uit de Romeinse tijd. In de schemering waren de bedrijvige stedelingen te zien, die als mieren in hun nest door de straten van de stad bewogen. Maar elke tweede mier droeg het blauwe uniform van de Fransen, en op de borstwering van de vestingmuur wapperde de tricolore. Dit was geen Duitse stad meer, dit was een Frans garnizoen.

Goethe draaide zijn dunne snor tussen zijn vingers – hun tijdens de reis gegroeide baarden hadden ze afgeschoren, behalve het haar op hun bovenlip, om meer op Fransen te lijken.

'Mainz,' sprak Arnim op de bok, omdat niemand anders het zei.

'We zien het, lieverd,' zei Bettine.

Humboldt ging in zijn stijgbeugels staan. 'De wieg van de Duitse vrijheid.'

'Of eerder het graf van de Duitse vrijheid,' zei Kleist, terwijl hij naar de Franse soldaten in de verte keek. Hij spuwde op de grond. 'Ze zijn talrijker dan sprinkhanen op een veld volgroeid graan.'

Goethe keerde zijn paard en wendde zich tot de groep. 'Beste reisgenoten, dit is het moment waarop ieder van u bij zichzelf te rade mag gaan of hij werkelijk van plan is dit wespennest binnen te rijden. Goede god, er zijn heel wat eenvoudiger manieren om terug te gaan over de Rijn dan dwars door Mainz met de belangrijkste gevangene van de keizer.'

Madame De Rambaud, die haar hoofd uit het raam van de koets had gestoken, trok een gezicht alsof ze in een zure appel had gebeten, maar Goethe schudde even zijn hoofd om haar te kennen te geven dat zij als enige niets te vrezen had.

Schiller keek zijn vermomde kameraden glimlachend aan, maar alleen Kleist beantwoordde zijn glimlach. 'Hand in hand kunnen wij bergen verzetten,' zei hij. 'Kop op, vrienden!'

Kleist trok zijn zwaard uit de schede. 'Vergif en een dolk verdient dit addergebroed! Laten we de wegen wit kleuren met hun gebeente!'

Goethe hief zijn handen. 'Kinderen, alsjeblieft, trek toch niet steeds je wapens, straks bezeert iemand zich nog. En die bloeddorstige kreten kunnen achterwege blijven. Als we Mainz binnenrijden, willen we dat netjes doen, net als de nationale garde van Zijne Majesteit Napoleon die we voorstellen. Dus denk aan uw houding, mijne heren, en spreek alleen als u iets gevraagd wordt, als u tenminste het Frans machtig bent. Vanwege mijn grijze haar en mijn hoge voorhoofd zal ik de hoofdman spelen en met de wacht spreken. Als die volmacht van Fouché doet wat we ervan mogen verwachten, zouden we zonder problemen binnen de vesting moeten kunnen geraken. Wat denkt u ervan, mijnheer Von Kleist?'

'U bent de heer en ik de dienaar, Uwe Excellentie. Het is mijn lot om te gehoorzamen en niet te denken.'

'Hoor hem eens, braaf gesproken. Dus: *Allons, mes valeureux soldats!* Laten we de kostbare kastanje uit het vuur halen!' Vervolgens klakte Goethe met zijn tong en zijn paard wees de weg, de heuvel af naar Mainz.

In de schaduw van de bolwerken en de vestingwal bereikten ze de Gouwpoort. De commandant van de wacht groette Goethe, die op zijn beurt salueerde en van zijn paard steeg.

'Uw identiteitspapieren,' vroeg de commandant.

'U hoeft onze legitimatie niet te zien,' zei Goethe, en hij overhandigde de man Fouchés volmacht.

De man was zichtbaar onder de indruk van het document. Nadat hij het had doorgelezen, keek hij op en vroeg: 'Wie hebt u bij u, luitenant?'

'Een dame, wier naam ik u niet zal noemen, en haar kamenierster.' De commandant wierp een snelle blik op de gesloten gordijntjes achter de gebroken ruiten van de koets. 'Wanneer bent u uit Parijs vertrokken?'

'Op 19 februari.'

Goethes gesprekspartner reageerde als door een adder gebeten, alsof hij hem ernstig had beledigd. 'Wanneer?' vroeg hij nogmaals op strenge toon.

'19 februari. Waarom?'

De poortwachter keek van Goethe naar zijn mannen die dienstdeden bij de poort en weer terug. Op zijn gezicht stond te lezen dat hij op het punt stond alarm te slaan. Niemand wist wat hem te doen stond en menige hand sloot zich vaster om de teugels. De wachtposten kwamen bij hun commandant staan, de musket in de hand.

De doodse stilte werd doorbroken door Kleist, die ineens in lachen uitbarstte, zo luid dat het tegen de vestingmuren weergalmde. De anderen keken hem aan alsof ze dachten dat hij een zonnesteek had opgelopen.

'*Nom de Dieu!* Is onze luitenant niet een onverbeterlijke *bouffon*?' zei Kleist ten slotte in vlekkeloos Frans, nadat hij tussen zijn lachstuipen door een traantje had weggepinkt. 'Bedoelt de 30e pluviôse en zegt 19 februari. Die grappen brengen u op een dag nog op het schavot, *mon lieutenant.*'

Nu plooide de mond van de commandant zich in een glimlach, en samen met de reisgezellen lachte hij over die datum uit voorbije tijden. Goethe maakte een lichte buiging naar zijn publiek.

'En wanneer bent u van plan naar Parijs terug te gaan?'

'De… 10e… ventôse,' antwoordde Goethe niet zonder moeite.

'Dat zou jammer zijn. Waarom vertrekt u niet op primidi of duodi, dan kunt u de decadi nog met ons vieren.'

'Een voortreffelijk idee.'

De commandant knikte, vouwde Fouchés volmacht op en gaf deze terug aan Goethe. 'U kunt uw paarden en de koets in de stal aan de Grote Bleek onderbrengen. Welkom in Mayence! Leve de keizer!'

'*Vive l'empereur!*'

Nadat ze deze vuurproef hadden doorstaan, reden ze door de Gouwpoort, tussen de wijnbergen en de kazerne door omlaag naar de Beestenmarkt. De straatjes waren soms zo nauw en zo druk dat Arnim op de bok de grootste moeite had de koets ertussendoor te manoeuvreren.

'Primidi, duodi, decadi … die vervloekte republikeinse kalender!' foeterde Goethe. 'Bijna was het met ons gebeurd, alleen omdat ik, slome duikelaar, nog steeds royalistisch en gregoriaans denk. Een mens is nooit te oud om te leren. U komt grote dank toe, mijnheer Von Kleist, en weest u bij gelegenheid zo vriendelijk ons in de hogere algebra van die idiote revolutionaire tijdrekening in te wijden.'

De nationale gardisten die ze aan de oever van de Nahe hadden overvallen, hadden bevel gekregen zich in de voormalige residentie van de keurvorst in te kwartieren, maar de reizigers voerden hun paarden dieper de stad in, want daar lag niet ver van het Duitse Huis – zoveel had Goethe uit de documenten van geheimraad Voigt kunnen opmaken – de verlaten kloosterkerk van de karmelieten. De Fransen hadden de monniken met het oog op de secularisatie uit het bisdom verdreven, de inboedel geveild en de kerk tot opslagplaats omgebouwd. De kerk zou het geheime kampement van de gezellen zijn, totdat de dauphin was gered.

Het was avond geworden, en toen het gezelschap de verlaten karmelietenkerk met de donkere ramen had bereikt, was er niemand op straat. Een hoge muur met een houten deur scheidde de straat van het kerkhof. Arnim wilde het slot met een trap van zijn laars openbreken, maar Bettine hield hem tegen. Ze wilde het eerst met een handigheidje proberen. Terwijl Kleist haar met een lantaarn bijlichtte, peuterde ze met een mes en een haarspeld in het sleutelgat en vertelde dat ze zich als kind dikwijls op die manier uit haar cel had bevrijd wanneer de nonnen van de kloosterschool haar onder arrest hadden gesteld omdat ze kattenkwaad had uitgehaald. En inderdaad sprong het slot al snel open en was de weg naar de hof om de kerk vrij. Onder de dekmantel van de duisternis laadden ze hun bagage uit. Terwijl Humboldt met Kleist, die had gevraagd of hij mee mocht, de paarden en de koets naar de garnizoensstallen bracht, liepen de anderen de hof om de kerk op en sloten de houten deur naar de straat achter zich.

Voor hen verrees de hoge, ranke gevel van het godshuis, het gotische raam troonde in het midden als een ingemetselde grafsteen. Toen Goethe de kerkdeur openduwde, knarsten de scharnieren spookachtig. Behalve madame De Rambaud sloeg niemand een kruisje bij het betreden van de kerk, want daarbinnen bevond zich maar weinig dat aan een godshuis deed denken. Het gebouw deed dienst als houtopslag. Waar ooit de banken hadden gestaan en waar de bezoekers ooit door de altaren en het houtsnijwerk langs de muur werden begroet, stonden en lagen nu overal geschilde boomstammen, planken en balken. Ongeveer ter hoogte van de bogen naar de zijbeuken was een extra zoldering aangebracht, om de hoge ruimte in de kerk dubbel te kunnen benutten, die het gewelf aan het oog onttrok. Ook het uitzicht op het koor werd volledig geblokkeerd door houten schotten. De wanden waren slordig gewit, en hier en daar schemerden de wandschilderingen erdoorheen: de gekwelde gezichten van Heiland en heiligen, ondergedompeld in melk. De tegels waren bezaaid met spaanders en zaagsel. Spinnenwebben, stof en de geur van hout en hars waren alomtegenwoordig. De indringers kregen, toen ze de deur weer hadden gesloten en een paar waskaarsen hadden aangestoken, op de stellages en houten balken het gevoel eerder in het ruim van een gestrand schip te staan dan in een kerk. Deze schuilplaats mocht weliswaar goed verborgen zijn, gezellig was het er allerminst.

Ze pelden zich uit hun uniformen, en terwijl Armin in een verborgen hoekje in de rechterzijbeuk achter een grote pilaar met planken en dekens een provisorisch onderkomen voor de dames inrichtte, zocht Schiller een geschikte plek voor de nachtwacht, en vond die bij een venster in de linkerzijbeuk, waar de deur naar de straat en het hofje voor de kerk in de gaten konden worden gehouden. Humboldt en Kleist waren op tijd terug om met de anderen een sober avondmaal te gebruiken, en vertelden hoe welwillend ze bij de stallen waren bejegend.

Schiller betrok de eerste wacht, met de kruisboog aan zijn voeten en op schoot een notitieboekje, een griffel, de brieven van de nationale gardisten en een kaart van het Duitse Huis, waar de Franse prefectuur zich had gevestigd. Bij het licht van een kaars dacht hij erover na hoe ze Louis-Charles de Bourbon in handen konden krijgen. Zo nu en dan kriebelde het in zijn keel; hij deed zijn best het te onderdrukken om te voorkomen dat zijn gehoest door de kerk zou galmen en de anderen in hun slaap zou storen.

Halverwege de nacht loste Humboldt hem af. Er was nauwelijks een uur verstreken, toen deze vreemde geluiden hoorde, die echter niet van buiten, maar van de slaapplaats van de mannen kwamen. Toen Humboldt op onderzoek uitging, trof hij Kleist aan, die rillend op zijn rug lag met zweetdruppels op zijn gefronste voorhoofd, zijn deken omgewoeld. Hij had zijn kaken zo krachtig op elkaar geklemd dat je zijn tanden hoorde knarsen, en af en toe draaide hij zich zo heftig om dat de simpele ijzeren armband die hij om zijn linkerpols droeg tegen de vloer sloeg. Hoewel de jonge Pruis sliep als een os, leek hij te dromen als een jachthond, en hij praatte zelfs in zijn slaap. 'Ulrike, Ulrike,' zei hij zacht.

Humboldt legde resoluut zijn hand op de rug van de slaper. Zijn aanraking leek Kleist goed te doen. Algauw hield hij op met rillen, zijn kaken ontspanden zich, en met een hoorbare zucht verliet alles wat zijn ziel belastte zijn lichaam. Humboldt dekte hem toe, maar bleef met zijn hand op zijn rug naast hem zitten tot hij weer rustig ademhaalde. Toen Humboldt Kleist twee uur later voor de laatste wacht wekte, sprak hij er geen woord over, maar vroeg wel wat de metalen ring om zijn pols betekende.

'Ik heb gezworen,' zei Kleist, 'dat ik zolang er nog één Fransman in Duitsland rondloopt, een ijzeren ring aan mijn arm zal dragen.' Kleist strekte zijn arm uit, een uitnodiging voor Humboldt om de eigenaardige armband van dichtbij te bekijken. De wetenschapper draaide de ring rond tot aan de lasnaad. 'Ik breek hem pas open als Germaniës ketenen ook zijn verbroken.'

Humboldt wilde iets terugzeggen, maar zag ervan af en wenste Kleist een goede wacht.

'Welterusten, vriend,' zei Kleist. 'Rust een beetje uit.'

In de ochtendschemering verliet Kleist zijn post en ging de kerk uit, maar toch kon Goethe niet boos worden over het plichtsverzuim, want de Pruisische luitenant benutte de tijd om op de markt bij de domkerk twee flessen zoete wijn, brood, eieren, vers gekarnde boter, worst uit Braunschweig, kaas uit Limburg en gerookte gans uit Pommeren te kopen, en met die etenswaren glipte hij de karmelietenkerk weer binnen. Hoewel ze de vorige avond als bedelaars hadden gegeten, konden ze nu als keizers ontbijten. Humboldt maakte vuur om thee te kunnen zetten en eieren te koken, en lette goed op dat er geen vonkje in de buurt van het opgestapelde hout terechtkwam en de ontheiligde kerk zo zou veranderen in een brandstapel. In het daglicht dat door de weinige niet-ge-blindeerde vensters viel, zag de opslagplaats er heel wat minder naargeestig uit, en de slaap had de reizigers goedgedaan.

Toen de grootste honger gestild was en Goethe zijn derde eitje pelde, zei hij tegen Schiller: 'Wel, mijn vriend, daar ik uw bij tijd en wijle onrustbarend grote werklust ken, die zich niet laat tegen-houden door vermoeidheid of ziekte, vermoed ik dat u afgelopen nacht een plan hebt bedacht hoe we de onfortuinlijke dauphin kunnen redden.'

'Dat klopt. Het plan is klaar, een kunststuk zonder weerga. Er komt geen geweld aan te pas – zo'n waagstuk zou me te riskant zijn in een stad vol vijanden. Nee, in deze strijd zullen wij over-winnen met list en vernuft.' Daarop spreidde Schiller de platte-grond van het Duitse Huis voor hen uit. Zijn ijver werkte aanste-kelijk op de anderen en ze lieten meteen hun ontbijt in de steek om zijn verhaal hun volledige aandacht te kunnen schenken.

'Zoals we van de gardesoldaten weten,' begon Schiller, 'heeft de prefect opdracht met assistentie van de geachte madame De Ram-baud te achterhalen of de gevangene inderdaad de zoon van de koning is of een bedrieger. Uit het verhaal van de soldaten kon ik opmaken dat hij Mainz in geen geval mag verlaten: mocht het een bedrieger zijn, dan heeft de prefect instructie om hem de zwaarst mogelijke straf op te leggen en hem zo lang mogelijk in de kerker van het plaatselijke tuchthuis vast te houden. Maar als hij de dau-phin is – zo blijkt uit dit document, dat zich op het lichaam van de dode luitenant bevond – dan dient hij onmiddellijk en in het ge-heim door de garde te worden terechtgesteld, en dient zijn lijk eveneens onmiddellijk en in het geheim naar Parijs te worden ge-bracht. Dat alles houdt in dat wij Louis niet levend Mainz uit kun-nen krijgen. Als we dat toch zouden proberen, lopen we een groot risico, namelijk dat de prefect, die naar het zich laat aanzien over dezelfde informatie beschikt als wij, wantrouwig wordt en ons op-sluit, en door onze povere vermomming, die niet meer behelst dan deze Franse kleren, heen prikt.

'En dus?' vroeg Kleist.

'Dus rest ons niets anders dan de dauphin neer te schieten' – bij dit woord aangekomen stak Schiller twee vingers van beide handen omhoog en maakte daarmee een beweging alsof hij de lucht voor hem krabde – 'om zijn lijk' – nu herhaalde hij het gebaar – 'de stad uit te brengen.'

'Wat beduiden die gebaren?' vroeg Arnim terwijl hij Schillers eigenaardige beweging herhaalde.

'Dat waren aanhalingstekens, die duidelijk moeten maken dat ik de woorden "neerschieten" en "lijk" ironisch bedoel.'

'Is dat romantische ironie?'

'Nee... meer huis-tuin-en-keukenironie, zo u wilt. Want ik ben allerminst van plan Louis neer te schieten. Luistert u verder.'

Zijn confrontatie met zijn voormalige vroedvrouw, gespeeld door de waarde mademoiselle Brentano, zal plaatsvinden in het Duitse Huis. Bettine zal de gevangene aan een onderzoek onderwerpen en dan de kenmerken vinden die madame De Rambaud zo vriendelijk was ons te vertellen. Daarmee is Louis' doodvonnis getekend. Wij zullen hem, vermomd als nationale gardisten, naar de dichtstbijzijnde muur sleuren en hem daar onder de ogen van de prefect uit vier vuurmonden tegelijk neerschieten. Alleen bevatten onze musketten geen lood, maar slechts kruit en papier, dat weliswaar opvlamt en herrie maakt, maar geen letsel veroorzaakt. Desondanks zakt Louis op de grond en doet alsof hij getroffen is en zijn laatste adem uitblaast. Een van ons constateert dat hij dood is en voordat een van de daar aanwezige soldaten dit kan controleren, tillen we zijn levende lijk in een meegebrachte kist en de kist in de koets. Met deze vracht verlaten we nog te zelfder ure Mainz, om ons met het eerste het beste bootje dat we kunnen vinden over de Rijn te laten zetten. Eenmaal terug in Duitsland, breken we de deksel van de kist open en stellen de springlevende prins in vrijheid. Een geveinsde dood, zoals in *Romeo en Julia*.

'Dat stuk vind ik een slecht voorbeeld,' zei Bettine, 'want daar loopt het nou juist mis, en iedereen sterft.'

Schiller wuifde het protest weg en vervolgde zijn uitleg. 'We moeten de ontmoeting 's avonds laten plaatsvinden, dan verschaft de duisternis ons niet alleen dekking tijdens onze vlucht, maar bemoeilijkt hij ook het controleren van de neergeschoten dauphin door anderen. Daarnaast is het absoluut noodzakelijk dat we de gevangene nog voor de confrontatie van onze plannen op de hoogte stellen, in het bijzonder van het feit dat we hem goed gezind zijn. Het is een duivels plan, maar volstrekt... goddelijk!'

Hoewel niemand Schillers enthousiasme ten volle deelde, werd zijn plan toch door iedereen aanvaard. Goethe, die hoge verwachtingen koesterde van Fouchés onbeperkte volmacht, dacht dat het het beste was om Mainz direct via de brug naar Kastel te verlaten, om eventuele achtervolgers zo snel mogelijk af te schudden. Kleist verklaarde zich bereid de onechte kogels voor de schijnexecutie te fabriceren.

Alleen Arnim liet een kritisch geluid horen. 'Mij lijkt deze methode niet geheel ongevaarlijk,' zei hij, terwijl hij bij het laatste woord Schillers gebaar imiteerde.

'Dat is ze ook niet, mijnheer Von Arnim,' gaf Schiller toe, 'en als er een betere manier is, dan zou het me plezier doen als een van ons die zou ontdekken. Tot het zover is kunnen we niets anders doen dan driemaal op hout kloppen. Gelukkig is er hier genoeg.'

Er werd overeengekomen de actie op de avond van de volgende dag uit te voeren. Nu ging het erom diverse voorbereidingen te treffen, en snel werden de taken verdeeld: Kleist zou uitzoeken welke wegen van het Duitse Huis naar de schipbrug leidden, hoe de poorten die ze zouden passeren en de brug zelf eruitzagen, of er tol werd geheven, hoeveel wachtposten ze bij de verschillende controlepunten konden verwachten en hoe ze Kastel aan de overkant konden verlaten om, weer op Duitse bodem, naar het vorstendom Nassau en vervolgens naar Kostheim te komen. Arnim en Bettine moesten het Duitse Huis een paar uur observeren om de wachtposten te tellen en de tijden van de aflossing van de wacht te noteren. Ten slotte zou Humboldt zelf, voorzien van de nodige papieren, in het uniform van de nationale garde de prefectuur binnengaan en om een onderhoud met de prefect verzoeken, en in overleg met hem het tijdstip voor de confrontatie van de gevangene met Agathe-Rosalie de Rambaud vaststellen. Daarnaast zou hij nagaan hoeveel soldaten er in het gebouw aanwezig waren en waar ze zich bevonden, en zou hij het karakter moeten doorgronden van de prefect, die in de eerste plaats door hun toneelstukje moest worden overtuigd. De moeilijkste taak werd Schiller toebedeeld: hij moest onderzoeken hoe de dauphin voor morgenavond ongemerkt over hun plannen kon worden geïnformeerd, hetzij in het tuchthuis zelf of tijdens het transport naar de prefectuur. In een berg rommel uit de tijd voor de onteigening van de kerk had hij tussen kapotte meubels, beschadigde standbeelden, stompjes kaarsen en altaardoeken ook de pij van een karmelieter monnik gevonden, en als zodanig gekleed wilde hij, uitgerust met een houten crucifix, poolshoogte nemen bij het tuchthuis in de Wijnpoortsteeg.

Tot op het laatst bleef Goethe zonder opdracht, en toen Humboldt hem daarop aansprak, verklaarde hij dat hij op madame De Rambaud zou letten, zodat zij niet op het laatste moment zou proberen te ontsnappen en hun plan zou verijdelen. Als hij nog tijd over zou hebben, dan wilde hij op zoek gaan naar een vaatje buskruit, om in de koets te verstouwen.

'We komen toch geen kruit tekort?' vroeg Schiller.

'Nee, dat niet, we hebben nog meer dan genoeg patronen voor onze musketten, maar als je in een stad als Mayence een huzarenstukje als dat van ons wilt uithalen, kan het beslist geen kwaad een koets met voordelige springstof achter de hand te hebben.'

Kleist sprong overeind en juichte: 'Vivat! We zullen ze van de aardbodem wegvagen!'

'Niet zo heetgebakerd, mijnheer Von Kleist. Ik had het over een noodsituatie die hopelijk niet zal optreden. Alleen dan en niet eerder wordt de lont aangestoken.'

'En voor het geval iemand ernaar mocht vragen, mijn vriend,' zei Schiller, terwijl hij zich tot Goethe richtte, 'vandaag is het octidi, de 8e ventôse van het jaar 13 van de vrijheid.'

Nu trok ook Humboldt zijn uniform aan en Schiller het habijt van de bedelmonnik, en een voor een verlieten ze de kerk om hun

taken te vervullen. Toen hij de kerk uit liep, klopte Arnim driemaal met zijn knokkels op een houten balk, zoals Schiller hem
had aangeraden.

In zijn habijt, de monnikskap ver over zijn gezicht getrokken, liep
Schiller via de Schoenlapperssteeg naar de dom en vandaar verder
door de Augustijnensteeg. Enkele burgers, maar vooral de Franse
soldaten, wezen hem met de vinger na en lachten om de monnik,
dat fossiel uit lang vervlogen tijden voor de revolutie en de secularisatie, een aanblik die in Mainz zo zeldzaam was geworden.
Mocht het Schillers bedoeling geweest zijn om niet op te vallen,
dan bereikte hij met zijn vermomming eerder het tegendeel.
Schiller wandelde door een stad waar de wederopbouw na de be-
legeringen van de voorgaande oorlogsjaren nog altijd niet was
afgesloten: onderweg liep hij onder steigers door en hij kwam
langs bouwputten, stapels bakstenen, leisteen en balken. Overal in
de muren van de huizen zaten de gaten die de Pruisische, Franse
en Oostenrijkse kogels in het steen hadden achtergelaten, hier en
daar gaapten nog enorme bressen die houwitsers in de muren
hadden geslagen. Heel wat gevelstenen met familiewapens en heel
wat piëta's waren door de republikeinen uit hun omlijstingen geslagen, heel wat nissen waar vroeger een madonna in stond,
waren nu verlaten.
Ten slotte bereikte hij een wijk met ruwe klinkerstraten en hoge,
kale huizen waarvan de parterres zo weinig zon kregen dat er mos
op de stenen groeide. Daar stond, tussen ziekenhuizen en het
weeshuis, het huis van bewaring. Schiller wilde het gebouw eerst
van alle kanten in ogenschouw nemen en raakte daardoor nietsvermoedend in de Kapellenhofstraat verzeild, waar de lichtekooi-
en op hun klandizie stonden te wachten. Ondanks de kou deden
ze hun best om hun charmes zo veel mogelijk te etaleren.
'Kijk, moeder, kijk,' zei een van hen tegen een matrone die op de
begane grond uit een raam keek, 'daar loopt een vrome broeder!
Die zal zeker om een aalmoes vragen.'
De oude prostituee schoot in de lach. 'Vraag hem toch binnen,

zodat wij hem kunnen opmonteren!' riep ze. 'Hij voelt dat hij in een huis van vreugde is aangekomen!'

De eerste vrouw trok Schiller aan zijn pij. 'Kom, beste man! Moeder wil u laven.'

Nu kregen de andere dames hem ook in de gaten. Een van hen zei: 'Precies! Kom, rust wat en ga verkwikt weer op pad!'

Schiller hief zijn crucifix, mompelde een zwak protest en maakte zijn habijt los uit de greep van de vrouw. Haastig beende hij weg, achtervolgd door het gelach van de snollen.

In gedachten stelde hij zich voor hoeveel losser Goethe met de avances van de hoeren zou zijn omgegaan, en dat ergerde hem bijna nog meer dan zijn preutsheid. Hij had het er even warm van gekregen, maar de winterse windvlagen die door de plooien van zijn gewaad drongen, koelden hem snel weer af.

Toen hij eenmaal om het gebouw was gelopen en bij de poort van het tuchthuis kwam, trof hij een wachtpost aan – geen Fransman, maar een Duitser. Schiller groette hem en stelde zich voor als monnik van de orde van de Heilige Hieronymus, die tijdens zijn omzwervingen in Mainz was beland en nu wenste, zoals zijn orde dat voorschreef, dwalende zielen de biecht af te nemen en troost uit de Schrift te bieden – in het bijzonder jonge zielen, want juist bij hen was het van het grootste belang dat ze tijdig op het rechte pad zouden worden gebracht. De wachtpost, een hologige knaap met dons op zijn bovenlip, toonde zich onder de indruk van de missie van de monnik en beloofde in zwaar Mainzer dialect dat hij het er met de directeur over zou hebben. Toen nam hij dit onverwachte bezoek van de geestelijke echter te baat om over zijn eigen noden te praten, met name ongelukkige liefde en vleselijke lusten. Schiller hoorde het lijden van de jonge wachter geduldig aan en bood troost en goede raad, iets wat op vruchtbare bodem viel. Daarna kondigde hij aan de volgende avond terug te keren in de hoop dan ook de gevangenen zielzorg te kunnen bieden, en met een gemompelde zegening nam hij afscheid van de knaap.

Hij constateerde dat hij zich naar volle tevredenheid van zijn taak had gekweten: ofwel werd hij de volgende dag in de cel van de dauphin zelf binnengelaten en kon hij hem tijdens de zogenaamde biecht van hun plan op de hoogte brengen, ofwel wachtte hij in de straat voor het tuchthuis, waar de wachtpost hem kende, om daar een korte zegen, waarin de belangrijkste aanwijzingen verborgen zaten, over de gevangene uit te spreken voordat deze naar de prefectuur werd overgebracht. Door de straatjes in de schaduw van de verdedigingsmuur langs de Rijn keerde Schiller terug naar hun basiskamp in de verlaten kerk, nog net op tijd om de ruggen van Arnim en Bettine te zien, die op hun beurt op weg waren naar het Duitse Huis.

Niet meer dan drie straten van de karmelietenkerk vandaan, tussen het arsenaal en de slotkerk van de keurvorst, lag de voormalige commanderij van de Duitse Orde, een charmant paleisje van drie verdiepingen, met geweld ontdaan van alle decoraties van het ancien régime. Hier had de grootmeester van deze ridderorde gezeteld, hier had het parlement van de Mainzer Republiek, die slechts een kort leven beschoren zou zijn, onderdak gevonden, vervolgens hoge militairen, Fransen of geallieerden – al naargelang de militaire situatie – en nu was het dan de zetel van de prefectuur van het departement Donnersberg, en na Napoleons overnachting in vendémiaire van het vorige jaar ook nog eens *palais impérial*, het paleis van de keizer in zijn nieuwe residentie aan de Rijn. Boven het portaal hing de vlag met de keizerlijke adelaar, in zijn klauwen een bundel bliksemschichten. Links en rechts werd de hof van het Duitse Huis begrensd door twee bijgebouwtjes, erachter lag alleen de stadsmuur, en een paar stappen verder een van de poorten naar de Rijn.

Op het kleine kerkhof van de Sint-Pieterskerk troffen Arnim en Bettine een stenen bank aan, waarop ze gingen zitten. Vandaar konden ze het Duitse Huis aan de overzijde prima observeren, en ze waren in de schaduw van de kerk en achter de bomen toch voldoende verscholen om geen aandacht te trekken, want voor het palais impérial wemelde het van de Franse soldaten en officieren. Arnim haalde alleen een vel papier en een griffel tevoorschijn, Bettine het zakhorloge dat Goethe haar had geleend, en nauwgezet noteerden ze het aantal wachtposten en hun bewegingen.

De kou deerde hen niet want ze hadden zich warm genoeg aangekleed, maar bij Bettine kreeg de verveling de overhand. Terwijl Arnim ook schreef als er voor de prefectuur niets te zien was, begon zij na een uur of twee op de bank heen en weer te schuiven. 'Ik zou nog liever in die bomen klimmen,' zei ze met haar blik op de kale boomtoppen, 'dan er als een zoutzak onder te zitten en te wachten tot mijn achterste en deze steen met elkaar vergroeien.'

'Foei,' berispte hij. 'Zoiets zegt een dame niet.'

'Anders wat, mijnheer de dominee? Wil je mijn mond spoelen met water en zeep?' Bettine porde met haar elleboog in zijn zij. 'Vertel eens, wat schrijf je daar eigenlijk allemaal voor verhalen op?'

'Dat is iets voor het plan van mijnheer Von Schiller.'

'Plannen worden gemakkelijk verijdeld, daarom kun je ze maar beter niet maken. We hebben het op de chaussee gezien.' Ze deed een snelle greep naar het papier. Met ongedachte felheid probeerde hij te verhinderen dat ze las wat hij had geschreven, maar ze kon het toch niet ontcijferen. 'Je hebt een behoorlijk wanstaltig handschrift, beste Achim,' zei ze met gefronst voorhoofd, 'dit zijn echte hanenpoten! Is dit Chaldeeuws of Hebreeuws, of alleen hopeloos onleesbaar?'

'Geef het maar terug, als je het niet kunt lezen.'

'Wat staat er?'

'Niets.'

'Kom op, vertel!'

'Niets!' zei Arnim nors; hij griste het papier weg en vouwde het dubbel op zijn bovenbeen.

Vervolgens waren ze allebei een tijdje stil. Voor het Duitse Huis vond blijkbaar de wisseling van de wacht plaats en ze legden alles vast, zoals hun was opgedragen.

Daarna begon Arnim weer te praten. 'Hoe zal het verdergaan als we weer in Frankfurt terug zijn?'

'Hoe het verder zal gaan? De lente komt eraan. Dat is alles wat ik weet.'

'Ik had het over ons,' zei Arnim. 'Ben je mij nog toegenegen, Bettine?'

'Waarom vraag je dat?'

'Ik weet het niet.'

Bettine legde haar hand op die van Arnim. 'Natuurlijk, mijn lief. Ik ben je toegenegen, zoals ik de wereld en alles waarin God weerspiegeld wordt toegenegen ben. Je bent me heel veel waard en oneindig dierbaar.'

'Waarom dan... geen bruiloft?'

Ze schudde haar hoofd. 'Te vroeg. We willen pas brave burgers worden als we alle landen hebben gezien en alle avonturen hebben beleefd. Eerder niet.'

'Dus je wilt nog gelukkiger worden?'

'Ik ben gelukkig geboren, gelukkiger kan ik niet worden. Laat me toch nog even kind zijn, voor ik moeder van andere kinderen zal zijn. En wij, goede vriend, kennen elkaar nog maar zo kort. Wij moeten nog veel met elkaar dansen voor we ons ritme hebben gevonden.'

'Maar als je op een dag een andere danspartner tegenkomt,' zei hij na een tijdje, 'zeg het dan gewoon; ik zal er zeker begrip voor hebben.'

Ze antwoordde niet, maar bleef naar de soldaten voor het Duitse Huis kijken. Arnim schraapte met de punt van zijn laars over de bevroren aarde.

'Ik hoop dat we dit waagstuk allemaal zonder kleerscheuren zullen overleven,' zei hij, zonder zijn blik van zijn laarzen af te wenden. 'Ik maak me het meest zorgen om Goethe, die een oude man is geworden. Hij ziet er niet meer zo voornaam uit als vroeger. Zijn huid is vlekkerig, zijn hals gezwollen, zijn haar dun. Op zijn leeftijd zou hij dit soort jeugdige capriolen niet meer moeten uithalen, en liever van zijn rust en een waardige oude dag genieten.'

'Pas op,' siste ze ineens, en voor hij er erg in had, had ze zijn hoofd in haar handen genomen en drukte hem een kus op zijn koude lippen. De verbouwereerde Arnim wist eerst niet wat te doen, toen legde hij zijn armen om haar heen, trok haar naar zich toe en beantwoordde haar kus.

Hij ademde snel en er stonden blosjes op zijn wangen toen ze zich van hem losmaakte. Bettine, wilde hij zeggen, maar toen zag hij dat er pal voor hen twee Franse soldaten stonden. Bettine deed verrast, Arnim was het.

'*Bonjour*,' zei de oudste Fransman lachend. 'Is er in Mayence geen aangenamere plek te vinden voor jullie rendez-vous dan een harde bank op een kerkhof?'

'Pardon, messieurs,' antwoordde Bettine zacht, haar gezicht beschaamd afgewend, 'maar naar mijn tante kunnen we niet, want die bewaakt me angstvalliger dan een kettinghond. En in een herberg, dat zou onbetamelijk zijn.'

'Wat is dat nou mooi, prille liefde in zo'n koude winter. We dachten al dat jullie Engelse spionnen waren, omdat jullie daar de hele tijd onafgebroken naar het palais impérial zitten te staren!'

'Nee, messieurs. We zijn gewoon geliefden. Wat, Ludwig?'

Arnim knikte en pakte haar hand.

'En wat is dat dan?' zei de tweede soldaat op ernstige toon. 'Een liefdesbrief?' Hij raapte het blad met notities op dat tijdens de kus van Arnims been op de grond was gevallen en vouwde het open. Bijna slaakte Bettine een kreetje van schrik, maar Arnim kneep zo hard in haar hand dat ze het onderdrukte.

Intussen had ook de soldaat heel wat moeite om Arnims gekriebel te ontcijferen. 'Lees voor,' zei zijn kompaan.

De soldaat begon in het Duits, met een zwaar accent:

Steeds meer zijn we elkaar nabij,
ik ben als een schaduw aan je zij,
en ieder uur is anders dan
de tijd die ik van vroeger ken.

Er is geen toekomst, geen verleden,
geen dwaze droom meer in dit heden.
Mijn kamer is een heerlijk oord,
waar ik slechts doe wat mij bekoort.

[103]

Zelfs in die zoete lediggang
maakt het nietsdoen mij niet bang.
Zodra jij maar naar mij kijkt,
is alles wat ik wil bereikt.

Toen hij met het gedicht klaar was, keken de soldaten elkaar aan. 'God zegene jullie, kinderen,' zei de oudste. 'En moge God je halsstarrige tante tot inkeer doen komen. Of haar een snelle dood schenken, gevolgd door een goede erfenis.'

De ander gaf het papier terug zonder een blik op de achterkant te hebben geworpen, waarop Arnim de tijden van de aflossing van de wacht had genoteerd. Met een 'Leve de keizer' verlieten de twee soldaten het kerkhof en keerden ze naar hun post terug.

Bettine slaakte een zucht van verlichting. 'Heb je dat gedicht voor mij geschreven?'

'Ja. Bevalt het je?'

'Het heeft ons het leven gered.'

'Zeker, maar beviel het je ook?'

'Zeer. Onder andere omstandigheden zou ik in lachen zijn uitgebarsten, want de fransozen klinken altijd een beetje eigenaardig als ze zich aan ons moeilijke Duits wagen. Je zou bijna denken dat de fransozen pech hebben gehad toen in Babel de zevenenzeventig talen werden verdeeld, en nu moeten ze het met de armzaligste taal van alle zien te redden.'

Arnim antwoordde niet. Ze bleven nog een uur zwijgend voor de Sint-Pieterskerk zitten. Eenmaal sprak Bettine nog, om Arnim erop attent te maken dat Alexander von Humboldt, die ze pas in tweede instantie herkende, in zijn uniform langs de wachtposten liep en in het inwendige van het Duitse Huis verdween.

Nadat Humboldt zijn verzoek had ingediend, werd hij naar een wachtkamer op de tweede verdieping gebracht. Hij hoefde niet lang te wachten. De prefect van het departement vroeg hem hoogstpersoonlijk zijn bureau binnen te treden, dat in een ruim, maar verrassend sober vertrek met uitzicht op de Rijn was ondergebracht. Jeanbon de Saint-André, want zo heette hij, was een niet erg grote man van Goethes leeftijd met een hoog voorhoofd en een puntige neus waarvan de huid ondanks het donkere jaargetijde bruin en vlekkerig was. Humboldt salueerde, maar de prefect reikte hem vriendschappelijk de hand en liet hete koffie brengen. Terwijl Saint-André vluchtig de papieren doornam die Humboldt hem had voorgelegd, informeerde hij naar de nieuwtjes en roddels uit de hoofdstad. Humboldt dronk zijn koffie, schudde een paar verhalen uit zijn mouw en liet zijn blik door de ruimte dwalen. Op de rand van de tafel lag een gekleurde kaart van Europa, een kopergravure die dateerde van de eeuwwisseling. Op de kaart bevonden zich een penseeltje en een potje blauwe Oost-Indische inkt. Saint-André had onlangs de recente veroveringen van Frankrijk in de Lage Landen, Duitsland en Italië ingetekend, waarbij het Franse blauw zich niet al te fraai met de kleuren van de veroverde staten vermengde.

'Het is met het penseel nauwelijks bij te houden,' zei Saint-André toen hij Humboldts blik volgde. 'Ik moet dringend een nieuwe kaart aanschaffen. Gouden tijden voor de cartografen, vindt u niet?'

'Als dat zo doorgaat, zijn de kleuren op deze kaart binnenkort overbodig. Dan heeft Frankrijk de wereld veroverd.'

'Niet Frankrijk verovert de wereld, burger, maar de Republiek,' corrigeerde Saint-André. 'De republikeinse waarden, waar alleen vorsten aanstoot aan nemen, maar die door de volkeren worden toegejuicht. De enige reden dat de keizer de ene na de andere zege behaalt, is dat hij tegen soldaten vecht die niet geloven in de zaak waarvoor ze strijden.'

'Frankrijk is geen republiek maar een keizerrijk.'

'Correct, maar dat is slechts een naam. Napoleon is de hoeder van de vrijheid, de aanvoerder van een republikeinse monarchie. Het probleem met Frankrijk was tot voor kort dat Jan en alleman wilde heersen en niemand wilde gehoorzamen. Onder Napoleon is dat veranderd: hem gehoorzaamt men graag. Ik ben een voormalige vriend van Robespierre, ik schaam me niet om dat te zeggen, en ik stemde voor de onthoofding van Louis Capet; denkt u nu echt dat ik onder een despoot zou kunnen dienen? En denkt u dat een despoot iemand als mij tot prefect zou benoemen?'

Saint-André kwam overeind en legde zijn vinger op de kaart, op de plek waar Mecklenburg lag. 'En als we de Elbe eenmaal hebben bereikt, zijn het West-Frankische en het Oost-Frankische Rijk na duizend jaar weer herenigd. Napoleon volgt Charlemagne op – door de stad Aken is hij inderdaad al gevierd als een Karolinger van de nieuwe tijd, hem werd een armreliekhouder van Carl geschonken – Napoleon de Grote, heer over Frankrijk en het Rijk der Franken en vader van een vrij volk van broeders, dat reikt van de Atlantische Oceaan tot aan de Baltische Zee. Zou zo'n *réunion* niet fantastisch zijn?' Hij gaf Humboldt een knipoog. 'Vooropgesteld dat we ook in de toekomst tegen soldaten vechten die hun tirannen haten.' Vervolgens kwam de prefect terug op de brief. 'Wanneer zullen we het kindermeisje met de vermeende dauphin herenigen?'

'*Lieutenant* Bassompierre vraagt of het mogelijk is morgenavond tegen zes uur af te spreken, als het *monsieur le préfet* schikt.'

'*D'accord*, ik sta tot zijn beschikking. Deze affaire behoort tot zijn competentie. Ik zal ervoor zorgen dat de gevangene bijtijds wordt overgebracht.'

'Mijn lieutenant vraagt bovendien of er zo min mogelijk andere mensen bij aanwezig kunnen zijn, met het oog op de geheimhouding.'

'Ik begrijp het.'

Humboldt keek uit het raam naar de Rijn. Twee wagens, een paar ruiters en talrijke voetgangers staken de schipbrug over. Onder hen ontwaarde hij zijn Brandenburgse landgenoot Kleist, die was teruggekeerd uit Kassel en zelfverzekerd over de planken liep. Nu bleef Kleist staan en staarde naar de rivier. Wat een statige verschijning was de luitenant toch, als hij niet werd geplaagd door woede of angst, zoals zo vaak. Humboldt was dankbaar voor het gezelschap van Kleist, en achteraf ook voor het feit dat Schiller twee dagen eerder een goed woordje voor de jonge Brandenburger had gedaan.

'Het lijkt allemaal te fantastisch om waar te zijn,' bromde de prefect ineens. 'Hoe denkt u er eigenlijk over? Is die jongeman werkelijk de zoon van de koning van Frankrijk?'

'Ik kan het me met de beste wil van de wereld niet voorstellen, monsieur. En voor hem zou het beter zijn als hij het niet was.'

Nu voelde hij zich goed. Stroomafwaarts lag een tiental schipmolens tussen de overspoelde pijlers van de oude Romeinse brug voor anker. Hij keek naar de onophoudelijk ronddraaiende schepraderen. De laatste keer dat hij in Mainz was, een jaar geleden rond dezelfde tijd, leed hij aan zenuwkoorts; hij kwam zijn kamer niet uit en bleef vaak in bed. Het enige waarvan hij opleefde was het vooruitzicht van een fraai graf. Het grote aantal Franse soldaten in de Duitse stad had zijn gezondheid in het geheel geen goed gedaan. Destijds was hij slechts een brave gast geweest, weliswaar een gast in eigen land, maar nu was hij in een Trojaans paard de vesting binnengedrongen en stond hij op het punt de Fransen een gevoelige slag toe te brengen. Hij stond aan de reling van de schipbrug, die lichtjes onder hem bewoog, en liet de koude wind in zijn gezicht blazen, en zoals de Rijn bruisend onder hem door stroomde was het haast of hij zich op hoge zee bevond, op weg naar een onbekende toekomst. Achter Kleist langs reed een groepje kurassiers voorbij, en een van hen spoog een zwarte fluim tabak in de grensrivier.

'Spuug maar, Galliër,' zei Kleist zo zacht dat hij het zelf nauwelijks kon horen. 'Ook jou zullen we binnenkort aan de vissen voeren. Met jullie lijken zullen we de Rijn afdammen, zodat hij zich schuimend een andere weg baant en door de Palts zal stromen. Dan, ja, dán zal hij weer de natuurlijke grens met Frankrijk vormen!'

Kleist had zich de route van de brug door Kastel naar de Frankfurter Poort ingeprent. Nu ging hij terug naar Mainz om de poorten naar de Rijn te bestuderen, en achtereenvolgens bekeek hij de voor- en de achterkant van de Kanselarijpoort, de Rode

Poort en de IJzeren Poort. De Rijnpromenade was lelijk en lag vol met rommel. Tussen gebogen kranen en primitieve opslagplaatsen lagen stapels hout en bergen kolen, tegen de stadsmuur stonden bouwvallige hutjes en op de kade, waar elke vrije meter door een boot in beslag werd genomen, moest je opletten niet op een van de uitgespreide vissersnetten te stappen. Respectabele burgers en soldaten zag je hier nauwelijks, alleen arbeiders, vissers en nettenboetsters, die doorlopend om het hardst tegen elkaar schreeuwden. Reizigers naar Kastel konden er nauwelijks passeren.

Nadat Kleist zijn onderzoek had afgerond, liep hij via de Vispoort de stad weer in. Op het Onze-Lieve-Vrouweplein, in de schaduw van de verwoeste kerk, had zich een groot aantal mensen verzameld om een marionettentheatertje dat op de markt in elkaar was getimmerd en het gepeupel vermaakte. Juist toen er een nieuw stuk begon, sloot Kleist zich bij hen aan.

NAPOLEON ONDERGRAAFT ENGELAND

(Het gordijntje gaat open. Aan de linkerkant zien we de Engelse kust, rechts de Franse, en daartussen, aangeduid door een paar golfjes, Het Kanaal. Op de Franse oever verschijnt Napoleon, van wie eerst alleen zijn steek te zien is, omdat hij nogal klein van stuk is.)

NAPOLEON: Allons, enfants! Ik ben het, jullie Petit Caporal. De dag van de glorie is aangebroken. Vandaag marcheren we Engeland binnen. Ik zal de koudbloedige Britten een kopje thee voorzetten dat hun nog lang zal heugen.

JOSÉPHINE: Mijn Keizer der Fransen!

NAPOLEON: Mijn liefste Joséphine.

JOSÉPHINE *(omarmt hem en legt haar hoofd op zijn schouder)*: Zeg lieveling, hoe wil je eigenlijk over die verduivelde sloot komen?

NAPOLEON: Die sloot moet toch overgestoken kunnen worden, als je maar flink genoeg bent om het te proberen. De schepen zijn gezadeld, de riemen geladen en de zeilen geplant. Steek in zee, steek in Engeland! Wat een marine!

(Een klein scheepje vaart over de woelige baren. In Engeland verschijnt een uitgemergelde premier Pitt met een rattenneus; hij duwt een kanon voor zich uit. Dit produceert een knal en het schip zinkt. Water spuit omhoog.)

NAPOLEON *(ontevreden)*: Wat een marine. Kennelijk hebben de Britten de bui zien hangen. Dat is die nare minister, Pitt junior.

JOSÉPHINE *(terzijde)*: Als dat Pitt junior is, mag je Pitt senior van me houden. *(Bekkenslag.)*

PITT: God save the King, jij Corsicaanse helhond. Dat krijgt hij ervan als hij zijn op land beluste tengels naar mijn eiland uitsteekt. Hij kan naar de maan lopen en als hij geen zeemansgraf wil, kan hij daar beter blijven!

NAPOLEON: Nietswaardig insect! Ik zal je bestrijden en vermorzelen. Ik stamp je zo grondig tot moes dat je blauwe plekken op de dag van de wederopstanding nog te zien zijn.

PITT: Loop naar de hel! Hij graaft zijn eigen graf. Hier, alsjeblieft.

(Pitt werpt de keizer over Het Kanaal een schepje toe.)

NAPOLEON: Dank u beleefd.

(De keizer graaft; intussen wordt ter illustratie voortdurend aarde tussen het publiek gegooid.)

PITT: Zo is het goed. Voer voor de wormen. Laat hij het maar zo breed en zo diep maken dat er naast hem nog plaats is voor zijn verblinde Franse volk. *(Tot Joséphine.)* En jou, schatje, neem ik als maintenee, en als je je gedraagt mag je zelfs in mijn Lagerhuis.

JOSÉPHINE: Van mijn levensdagen niet. Je bent geen Pitt, je bent *piteux.*

PITT: Viswijf.

JOSÉPHINE: Pleeborstelaar.

PITT: I'll be damned, waar blijft Little Boney eigenlijk? *(Tot het publiek.)* Wat zeggen jullie? Achter me?

(De keizer heeft een tunnel onder Het Kanaal door gegraven en is

achter de minister opgedoken. Hij gebaart de kinderen stil te zijn. Dan slaat hij met zijn schep de hersenpan van de minister door-midden.)

PITT: Blimey. *(Sterft en valt in de tunnel.)* Pity me, Pitt is in the pit.

NAPOLEON: Victoire!

JOSÉPHINE: Mijn Keizer van Engeland!

NAPOLEON: Mijn zoeteliefje, geef me een kus.

JOSÉPHINE: Ik kom gezwind.

(Ze rennen allebei de tunnel in, met als resultaat dat Joséphine in Engeland en Napoleon in Frankrijk opduikt, waarop beiden weer naar de andere kant lopen. Dit dwaze spelletje gaat een tijdje zo door, tot het publiek er genoeg van heeft, en ten slotte loopt de keizer reso-luut over het water en drukt zijn liefje aan het hart. Het doek valt onder de klanken van 'Veillons au Salut de l'Empire'.)

Hoewel Kleist geamuseerd was door deze schertsvertoning, en hij ook kon velen dat de kleine poppenkastkeizer Engeland veroverde, vond hij het hoogst onaangenaam dat de hymne aan het slot niet alleen door de aanwezige Fransen maar ook door veel burgers uit Mainz werd meegezongen. Dat iemand zo voor zijn onderdrukker door het stof kon gaan, vond hij even walgelijk als onvoorstelbaar. Toen de flauwe poppenkast afgelopen was, verdween hij snel van het toneel, maar opeens zag hij overal een teken van de Mainzer hielenlikkerij in: in de manier waarop de burgers hun bezetter vriendelijk groetten in plaats van hen naar de duivel te wensen, in de talrijke afbeeldingen van de gezette Corsicaan, in het ook in esthetisch opzicht armzalige opschrift WAS GODS ZOON NU OP AARDE, DAN WAS HET BESLIST NAPOLEON op de muur van een huis – waar hij zo misselijk van werd dat toen een marktvrouw hem een gefileerde vis te koop aanbood, hij bijna moest overgeven. Hij haalde opgelucht adem toen hij de zware deur van de karmelie-tenkerk achter zich sloot en omgeven werd door de geur van de eiken balken en Humboldt, Arnim en Schiller bij hem waren, mensen die dachten zoals hij – want de meest onverdraaglijke gedachte was voor hem dat de mensen in Mainz niet eens van het Franse juk bevrijd wílden worden.

'Ik haat de Fransen, maar die semi-Fransen haat ik nog meer,' zei hij, 'die trouweloze verraders die als een weerhaan met alle winden meewaaien. Eerst dienen ze de keurvorst, dan Robespierre, dan weer de keurvorst, dan weer Napoleon; vandaag de Duitsers, morgen de Fransen; vandaag de monarchie, morgen de republiek, en nooit klinkt er een woord van protest.'

'Wie zouden ze naar uw mening dan moeten dienen?' vroeg Goethe.

Een ogenblik dacht Kleist erover na, toen zei hij: 'De Duitse Republiek.'

'Die bestaat niet, en zal ook nooit bestaan.'

'Niet met dit soort opportunisten, zoveel is zeker.'

Iedereen bracht nu verslag uit van zijn bevindingen. Humboldt beschreef de prefect als een intelligente, niet onaardige man die de indruk maakte dat hij het leven van zijn gevangene wilde redden. Schiller informeerde of de arme prefect werkelijk met de naam 'Ham' was gedoopt, waarop Humboldt hem het verschil tussen Jeanbon en *jambon* uitlegde.

Alleen Goethe had geen succes gehad met zijn zoektocht, want kruit was er alleen in het garnizoen en in het arsenaal, en geen van beide gebouwen durfde hij binnen te gaan. 'Ik rij morgen de stad uit in de hoop dat ik wat op het platteland zal vinden.'

'Hoezo? Groeit het kruit daar op de velden?'

'Nee, daar wordt het opgeslagen. Mijnheer Von Humboldt, het zou me plezier doen als u mij morgen wilt begeleiden, want we gaan nogmaals ondergronds. Nee, Bettine, dit is een commando voor soldaten, daarom blijf je hier en denk je erover na hoe we jou met behulp van wat kleren en weinig flatteuze schmink een paar jaar ouder kunnen maken.'

Na een bedekte hint van Schiller zei Goethe: 'Ook uw hulp, mijnheer Von Kleist, zouden we zeker goed kunnen gebruiken.'

'En ik?' vroeg Arnim ietwat ontstemd toen dit triumviraat was gesmeed. 'Moet ik soms met Bettine rouge gaan kopen?'

'Och nee, of u moet het graag willen. Zo niet, vergezelt u dan alstublieft de heer Schiller bij het aanschaffen van de doodskist voor de zogenaamd neergeschoten dauphin.'

De rest van de avond viel er niets meer te doen en terwijl er een hevige regenbui op het dak van de kerk neerdaalde, dineerden de zes met madame De Rambaud. Daarna ging er een fles wijn rond en Schiller en Kleist staken de brand in de pijp, hoewel Goethe bezwaar maakte en zei dat tabak dom maakt en meer mensen onder de groene zoden had geholpen dan alle oorlogen bij elkaar. Bettine had, ondanks het advies van de heren uit Weimar om alleen het hoogstnodige mee te nemen op reis, een spel kaarten bij zich. Al snel waren zij, Arnim en Humboldt het eens over de spelregels van omber en zo begon een heel vrolijke partij, die de kameraden de gevaarlijke onderneming van de volgende dag een paar uur deed vergeten, en die pas diep in de nacht met een overwinning van Humboldt eindigde.

De volgende ochtend lag er zo'n dichte, hardnekkige mist over het Rijndal dat de spits van de kerktoren nauwelijks zichtbaar was, een situatie die de drie ruiters zeer gelegen kwam. Nadat ze de buitgemaakte uniformen van de nationale garde weer hadden aangetrokken en de paarden bij het garnizoen hadden opgehaald, passeerden ze de Münsterpoort en reden het vrije veld in. Voor het gehucht Gonsenheim liet Goethe zijn paard een braakliggende akker op rijden die voor wintergewas werd gebruikt, en de anderen volgden hem. Het duurde een paar minuten tot Goethe zich in de mist had georiënteerd, maar uiteindelijk vond hij wat hij zocht: een wilg tussen twee velden, waar enige keien tegen de stam lagen opgestapeld; stenen die de boeren hadden opgeploegd en daar hadden neergegooid. Ze waren alleen op het veld. Een donkere schaduw in de nevelen deed de muren van Fort Bingen vermoeden.

Toen Goethe was afgestegen, sprong ook Kleist van zijn paard. 'Span de haan niet zo lang, heer geheimraad, maar schiet! Waarom hebt u ons hierheen gebracht?'

'Tussen de wortels van die boom liggen een paar vaatjes buskruit verborgen, als ze de afgelopen dertien jaar tenminste door niemand zijn ontdekt. Trek die soldatenjas uit, mijn zoon, we gaan graven. En intussen zal ik vertellen hoe ik van deze bergplaats weet.'

Ze sloegen de teugels van hun paarden om een tak en ontdeden zich van hun jassen. Daarna verwijderden ze de keien van hun plek. Sommige waren zo zwaar dat het zweet de drie mannen op het voorhoofd parelde.

'Toen we in mei 1793 deze stad belegerden,' begon Goethe, 'streden we tegen een van de sterkste vestingen ter wereld, zo niet de sterkste. De aanval werd niet alleen bemoeilijkt door de muren en grachten en de talrijke bolwerken, maar ook door enkele listen die de mensen uit Mainz achter de hand hadden, zoals de onderaardse tunnels, waarvan de toegangen binnen het fort hier vlakbij lagen. Die smalle gangen vlak onder de grond waren volgestouwd met vaten buskruit. Wanneer de infanterie een stormloop op het fort ondernam, werd de lont aangestoken en volgde er een explosie onder de aanvallers, die zich nauwelijks realiseerden wat voor bizarre, dodelijke vulkaan er ineens onder hen tot uitbarsting kwam: de aarde zelf. Een effectieve manier van bombarderen, als de vijand tenminste op de plek staat waar je hem hebben wilt. Maar in werkelijkheid zijn er nauwelijks kruitgangen opgeblazen, want de verdedigers begrepen algauw dat ze elk slaghoedje kruit hard voor hun musketten en hun batterijen nodig hadden. Ook de gang waarop we nu staan werd niet gebruikt. De ingang bevindt zich verderop in Fort Bingen, neem ik aan, maar tot dusver heeft niemand die ontdekt, en niemand die ervan weet is nog in leven of van plan zijn kennis te delen.

Dit gat hier is door een verdwaalde kanonskogel in het zand geslagen. Tijdens een patrouille reed ik mee met een ritmeester van de hertog en een paar van zijn mannen, en onze aandacht werd getrokken door deze krater, die op de gang eronder uitkwam. Hoewel we al vermoedden dat er vaten in het donker lagen, hadden we niet genoeg tijd om de tunnel leeg te halen, want we werden vanaf de kantelen door de Fransen beschoten. Dus dekten we de schacht provisorisch af met planken en keien – en zo te zien hebben de boeren er in de loop der jaren nog een paar bij gelegd – om hem een andere keer leeg te ruimen. Maar de ritmeester sneuvelde een paar dagen later bij een Franse uitval, en in de weken daarna ben ik vanwege alle beslommeringen de gang met de springlading helemaal vergeten.'

Intussen hadden ze de oude planken blootgelegd en nadat ze ook die hadden verwijderd, kwam de gezochte schacht inderdaad te-voorschijn. Humboldt pakte een touw uit zijn rugzak.

'Lopen we gevaar?' vroeg Kleist.

'Alleen als u met een brandende pijp naar beneden gaat.'

Terwijl Humboldt het touw vasthield, klom Kleist door de kleine opening omlaag. Toen zijn ogen aan de duisternis waren gewend, volgde hij de halfvergane lont op de grond de gang in. Zelfs gebukt stootte hij zich nog tegen de aarde boven hem. Na een paar passen had hij de springlading bereikt: een aanzienlijke lading van zes vaatjes. Sommige waren opengegaan, andere waren nat geworden, maar Kleist vond er twee die nog intact waren en droeg ze een voor een naar de uitgang, waar Humboldt ze aan een touw naar boven trok.

'Dat is voldoende kruit om de hele stad weg te vagen,' zei Kleist toen hij achter de vaten omhoogkwam, 'met man en muis!'

'Zeer bedankt voor de moeite,' zei Goethe. 'Nu snel het gat weer dicht, en dan terug naar ons houten onderkomen.'

Nadat ze de krater weer met planken en stenen hadden afgesloten en de vaatjes aan hun zadels hadden bevestigd, liet Humboldt de waterzak rondgaan.

Goethes blik dwaalde over de akkers. 'Wat hier voor veldslagen hebben gewoed,' zei hij hoofdschuddend. 'Waar nu die mono-tone akkers zich voor ons uitstrekken, lagen destijds de lijken van onze infanteristen, een wonderlijk contrast met de verfomfaaide sansculotten. De dood had ze zonder aanzien des persoons neer-gemaaid en de planten namen nog dagenlang hun bloed op. Na de capitulatie wilde het gepeupel een eindje verder op de straatweg een jakobijn ophangen aan wie de koning eigenlijk vrije doortocht had beloofd. Het volk was wraaklustig en door het dolle heen; ze scholden en schreeuwden de vreselijkste dreigementen: "Hou hem tegen! Sla hem dood!" En voordat ik er erg in had, riep ik luid en resoluut: "Halt!" Het werd doodstil. Ik ging verder: "De jakobijn staat onder doorluchtige bescherming en jullie ellende en haat is geen vrijbrief voor geweld." De straf van de misdadiger moest aan God en de overheid worden overgelaten. Toen het volk zich terugtrok, wilde de jakobijn me bedanken, maar ik zei dat ik alleen mijn plicht had gedaan en de orde had bewaard.'

'Door welke wesp was u gestoken?' vroeg Kleist. 'U hebt zich met iets ingelaten wat rampzalig voor u had kunnen aflopen.'

'Dat is nu eenmaal mijn aard; ik bega liever een ongerechtigheid dan chaos te moeten verdragen.'

'Of u wilt of niet, daarmee laat u zich kennen als een vriend van de revolutie,' zei Humboldt voorzichtig.

'Nee! Ik ben steeds een vriend van órde geweest, maar ik kan geen vriend van de revolutie zijn; de verschrikkingen daarvan maakten me elke dag woedend. Ik heb de Franse revolutie al vaak verfoeid, en nu vervloek ik haar dubbel, nee, driedubbel. De permanente terreur in Frankrijk heeft bewezen dat de mens niet is geboren om vrij te zijn. Zelfs onder Louis' wanbeleid was het volk niet zo ongelukkig als ten tijde van de revolutie. Geloof me, een volk wordt niet ouder en wijzer; een volk blijft altijd kinderlijk. Daarom is het veel beter om de mensen als kinderen te leiden, voor hun eigen bestwil.'

'Dan bent u een vriend van het bestaande.'

'Dat is weer een dubbelzinnige titel, waarvan ik liever verschoond wil blijven. Een vriend van het bestaande, dat betekent vaak niets minder dan een vriend van slechte, ouderwetse toestanden. Maar als al het bestaande voortreffelijk, goed en rechtvaardig is, wel, dan heb ik er niets op tegen om een vriend van het bestaande te worden genoemd. – En vrijheid? Een mooi woord, als iemand het al begrijpt! Die vrijheid hoef ik niet, waarbij mensen zichzelf en anderen kwaad doen en zich als kannibalen op elkaar storten.' Goethe was uit zijn humeur gebracht. Hij maakte zijn paard los.

'En waar op de wereld is het bestaande voortreffelijk, goed en rechtvaardig?' vroeg Humboldt.

'Komt u eens naar Weimar, het Athene van Duitsland,' zei Goethe, en hij steeg in het zadel, alsof hij Humboldt uitnodigde hem meteen daarheen te volgen. 'Weimar is groot geworden door zijn koning en er bestaat voor mij geen groter geluk dan mijn vorst, die ik eer, te dienen.'

Nu klakte hij met zijn tong, en zijn paard draafde rustig terug naar de straatweg. Humboldt en Kleist zeiden niets. Maar toen Goethe nog slechts een schim in de mist was, wisselden ze een stilzwijgende blik die verraadde dat ze de mening van de oude man volstrekt niet deelden.

'De koning der dichters is ook een dichter des konings,' zei Kleist. Hij glimlachte, een glimlach die uiteindelijk ook de rimpels op Humboldts voorhoofd deed verdwijnen. Kleist vouwde zijn handen bij wijze van opstapje, waar Humboldt dankbaar gebruik van maakte om in het zadel te stijgen.

Schiller en Arnim waren inmiddels getransformeerd tot timmerlieden. Toen de drie ruiters naar de karmelietenkerk waren teruggekeerd, spleet de een met een bijl een plank terwijl de ander een tweede plank aan het schaven was. Ze hadden ergens gereedschap vandaan gehaald en daarmee een echte doodskist in elkaar getimmerd, waaraan alleen nog de deksel ontbrak.

'Zo'n bijl spaart een timmerman uit,' zei Schiller tussen twee slagen door.

Arnim wiste zich het zweet van zijn voorhoofd. 'We besparen ons de daalders en de hoofdbrekens die het kopen van een kist ons ongetwijfeld zouden kosten,' verklaarde hij. 'En waar kun je beter timmeren dan in het huis van de Grote Timmerman zelf?' Goethe liep naar de lijkkist toe en veegde een paar splinters van het hout. Arnim keek hem over zijn schouder aan. 'Zullen we er ook maar een paar voor onszelf maken?'

Met een strenge blik wees de oudere man hem voor zijn grapje terecht, maar hij zei niets.

In de buurt van het koor zat Bettine allerlei rokken, hoeden en sjaals die ze gekocht had met elkaar te vergelijken, om de combinatie te vinden die het meest geschikt was om haar een paar jaar ouder te maken. Ze had haar haar grijs gepoederd en rijkelijk rouge en lippenstift aangebracht, zoals oudere dames die er ten onrechte van uitgaan dat ze daar jonger door lijken.

De dag ging langzaam maar zeker voorbij, en hoe dichter de avond naderde, des te onrustiger werden de jongsten onder hen, terwijl over Goethe en Schiller een rust was gekomen die haast droevig kon worden genoemd. De resterende paarden en de koets werden van het garnizoen naar de binnenplaats van de kerk overgebracht. Daar stouwden ze de twee vaatjes kruit onder de achterbank en bevestigden aan elk vaatje een dubbele lont. Zodra de doodskist klaar was, werd hij op het bagagerek achter op de koets geplaatst. De overige bagage werd in de koets opgeborgen.

De musketten werden schoongemaakt en volgens luitenant Kleists aanwijzingen geladen met kruit en ongevaarlijke proppen papier. Een paar metgezellen wasten zich nog een laatste keer voordat ze de uniformen van de nationale garde weer aantrokken. Achter de berg kerkelijke afdankertjes knielde Arnim in stil gebed. Schiller nam namens allen afscheid van madame De Rambaud en bedankte haar ervoor dat ze ondanks haar bedenkingen een inschikkelijke gevangene was geweest, en beloofde Louis-Charles' leven te zullen verdedigen. Ze diende zich diezelfde nacht nog, als alles achter de rug was, bij de prefectuur te melden om geen verdenking op zich te laden, en de autoriteiten de verblijfplaats van de echte gardisten in het Soonwald te noemen.

In de schemering gebruikten ze zwijgend de maaltijd. Het brood en de ham waren niet erg in trek, maar de wijn was al snel op. Schiller keek glimlachend rond. 'Nu moet er gehandeld worden, nu komt het op moed aan. En wie vreest dat het hem aan moed zal ontbreken, kan ik een hart onder de riem steken: moed komt met het gevaar, en kracht ontstaat door dadendrang!' Vervolgens sloeg hij de monnikspij over het uniform van de nationale garde. Hij moest als eerste vertrekken, om de koninklijke gevangene in hun plannen in te wijden. Hij had zijn sabel afgelegd en zijn steek achter zijn broekriem gestoken. 'Laten we, voordat we uit elkaar gaan, ons heldhaftige verbond met een omarming bekrachtigen.' Ze legden hun armen op elkaars schouders en vormden een kring rond Schiller. 'Ik neem geen afscheid van u, want we zien elkaar al over twee uur terug: jullie met de ongedeerde dauphin, ik als voerman van de koets waarmee we zullen vluchten. En dan verlaten we dit land, waar het volkenrecht met voeten wordt getreden. Voor middernacht zullen we de grens zijn gepasseerd en dan, potverdorie, is het eerste rondje van mij!'

Schiller strekte zijn rechterhand uit, de handpalm uitnodigend naar boven gericht. Achtereenvolgens legden Kleist, Arnim, Bettine, Humboldt en Goethe hun handen op de zijne, zodat Schiller alle vijf handen in zijn eigen hand hield. Hij keek de kring rond en zei: 'Ik voel een leger in mijn vuist.'

Goethe liep samen met Schiller de kerk uit, naar de hof. De mist was nog altijd niet helemaal opgetrokken. 'Dat was een korte maar indrukwekkende toespraak, waarvoor ik u dank, mijn vriend. Zelfs ik voel een jeugdig levensgeluk dat mijn bloed sneller door mijn aderen doet stromen. U zou generaal moeten worden, of priester.'

'Misschien in een volgend leven.'

'Dat, hoop ik, niet al te snel zal beginnen. Pas goed op uzelf.'

'En u op uzelf, en op de jongelui. Vaarwel.'

'Hoe vaak hebben we dat niet gezegd.'

'En hoe vaak zullen we het nog herhalen!'

Met deze woorden trok Schiller de kap over zijn hoofd en verliet de hof door het deurtje in de muur, op hetzelfde moment dat de klokken van de kerktorens in de buurt vijf sloegen. Een halfuur later braken ook de anderen op.

Een aangename opwinding zorgde ervoor dat Schillers hart bijna even snel sloeg als het ritme van zijn laarzen op de kinderhoofdjes van de straten. Bij een huis in de Touwslagerssteeg, dat in de steigers stond, had zich een menigte verzameld. Schiller trok de monnikskap wat verder over zijn hoofd en baande zich langs de muren van de huizen aan de overkant een weg door de meute, maar ineens sprong een vrouw uit het gedrang naar voren en versperde de haastige broeder de weg.

'Een monnik!' riep ze. 'U komt als door de hemel gezonden, eerwaarde broeder!' Voor Schiller er erg in had, duwde ze hem luid roepend naar het midden van de menigte. 'Opzij, opzij voor de priester!'

Nu werd de tweevoudig vermomde schrijver duidelijk wat de reden van de samenscholing was: onder aan de steiger die tegen het bouwvallige huis stond, lag een man in zijn eigen bloed tussen scherven gebroken leisteen op het plaveisel. Een van zijn benen maakte een bizarre hoek met zijn romp.

'De leidekker is van het dak gevallen!' riep de vrouw. 'Hij wil de laatste sacramenten, broeder! U moet hem helpen voor het te laat is!'

Schiller knielde neer naast de onfortuinlijke man. De ruggengraat van de dakdekker was verbrijzeld. Zijn ogen knipperden onophoudelijk, en nu eens waren de pupillen, dan weer was het oogwit te zien. Zijn rechterhand, die op zijn borst lag, beefde als die van een oud omaatje. Uit de andere ledematen was het leven al geweken. Schiller wist dat geen arts ter wereld deze man nog kon redden, hij zou zijn laatste adem binnen het uur uitblazen.

'Hebben jullie een priester geroepen?'

'Ja, eerwaarde broeder, allang!' zei de vrouw. 'Maar er komt niemand!'

Een jonge maat van de leidekker vloekte, afwisselend van woede knarsend en van angst klapperend met zijn tanden: 'De duivel mag me halen! Dankzij de goddeloze Franse keizer zijn er niet genoeg priesters in de stad om een stervende te zegenen! Het is om te...'

Toen moest hij zo heftig slikken dat hij geen woord meer kon uitbrengen, en hij wendde zijn diepbedroefde gezicht af.

'Ik kan niet blijven,' zei Schiller, terwijl hij weer overeind kwam. 'Een zaak van nog grotere urgentie roept mij. Ik betreur het ten zeerste, maar jullie zullen op de gewaarschuwde priester moeten wachten.'

Nu greep een norse, baardige reus Schiller met beide handen vast. 'Broeder, ik ben de patroon van deze goede ziel. Ik moet voortaan leven met het ellendige besef dat de Heer hem onder mijn toezicht voortijdig tot zich heeft genomen. Veroordeel me dan niet ook tot de eeuwige verdoemenis dat hij zonder het laatste oliesel is gestorven. Ik zal het u met goud belonen, maar in naam van God en Zijn hemelse heerscharen, verlaat ons alstublieft niet.'

Schiller keek de man in de ogen, en de ogen van de omstanders waren alle op hem gericht. De handwerksman liet zijn stevige greep niet verslappen.

'Breng mij olie,' zei Schiller ten slotte.

Een zucht van opluchting ging door de zojuist nog zwijgende menigte. 'Haal olie!' klonk het uit vele monden, en de meester zei voortdurend: 'God zegene u. God zegene u, broeder.'

Hoewel Schiller een zonde beging, niet alleen omdat hij het habijt van een geestelijke droeg terwijl hij er zelf geen was, maar ook omdat hij op het punt stond de laatste sacramenten toe te dienen, kon hij de stervende en de treurende omstanders deze laatste troost niet onthouden. Omdat hij niet vertrouwd was met de formules van de katholieke liturgie, begon hij de vaktermen die hij van zijn studie medicijnen kende op te zeggen, in de hoop dat het Latijn genoeg indruk op de aanwezigen zou maken. Ook na deze procedure zou hij nog genoeg tijd hebben om het transport van de gevangene naar het Duitse Huis af te wachten. Een paar flessen olie waren snel gevonden. Schiller vroeg de kijklustigen afstand te houden, en algauw hadden de maten van de leidekker hen zo ver teruggedrongen dat ze niet meer konden horen wat hij zei.

Maar wie hem uitstekend kon horen was de ten dode opgeschreven werkman zelf, en dus liet Schiller het Latijn voor wat het was en sprak hij al snel troostende woorden tot de stervende in het Duits. Intussen zalfde hij behoedzaam het bebloede voorhoofd en de handen van de man. Schiller vroeg de mensen om hem heen voor de ziel van de man te bidden, en weldra klonk er een devoot gemompel door de straat.

De werkman ademde nu rustiger en zijn lichaam beefde niet meer. Maar hij stierf niet, en ook de ontboden priester liet op zich wachten. Kostbare minuten verstreken. De torenklok sloeg kwart over vijf.

Schillers zorgzame ziel werd nu verscheurd door een dilemma van Griekse proporties, want enerzijds kon hij de stervende niet alleen laten of zijn doodsstrijd bespoedigen, maar anderzijds zette hij met zijn getreuzel mogelijk het leven van zijn kameraden op het spel. Zojuist was Schiller nog een doodskist aan het timmeren, nu begeleidde hij een stervende naar het einde, en straks zouden zij een ander mens van het schavot redden... Vandaag was de dood onmiskenbaar zijn vaste metgezel.

Ineens bewoog de ongelukkige zijn lippen. Met grote moeite vormde hij woorden. Schiller boog zich voorover en legde zijn oor te luisteren.

'U bent geen monnik,' fluisterde de man. 'Wie bent u?'

'Een oprechte vriend,' fluisterde Schiller ten antwoord.

'Wat gaat er gebeuren?'

Daarop wist Schiller geen antwoord. De stervende herhaalde zijn vraag: 'Wat gaat er gebeuren?'

'Ik weet het niet,' antwoordde Schiller, maar omdat in de ogen van de ander na dit antwoord een moedeloze uitdrukking verscheen, fluisterde hij: 'De hemel opent zijn gouden poorten, en in het koor van engelen staat Maria. Ze houdt de Zoon des Mensen op de arm en strekt glimlachend haar handen naar je uit. Op lichte wolken stijg je op.'

Oneindig langzaam sloten de ogen van de man zich voor de laatste maal. Met een zucht week het leven uit zijn lichaam.

'Kort is het lijden,' zei Schiller wat luider, zodat de man het nog zou horen voor hij deze wereld verliet, 'en eeuwig is de vreugde.' Even zweeg hij aangedaan, toen zei hij 'Amen'.

Toen Schiller weer overeind kwam, had de ontroering eenieder met stomheid geslagen. De vrouw die hem had aangeklampt, legde voorzichtig een laken over de dode, die daardoor geheel werd bedekt. Nu lieten zijn vrienden hun tranen de vrije loop. Schiller maakte van de collectieve verslagenheid gebruik om tussen de mensen weg te sluipen voor men hem kon bedanken, laat staan betalen.

De angst gaf Schillers voeten vleugels. Half rennend, half lopend vervolgde hij zijn weg naar de Wijnpoortsteeg en toen hij eindelijk in de verte het dak van het tuchthuis in de avondschemering zag opdoemen, viel er een last van hem af. Toen de zon onderging, stond hij bij de deur.

In de hof van het Duitse Huis bonden ze hun paarden vast. Arnim klom van de bok en hielp Bettine, nu compleet als matrone verkleed, galant uit de koets. Ze hingen de geweren om hun schouders en controleerden of hun uniformen goed zaten.

'Een ding nog, kameraden,' fluisterde Humboldt tegen de anderen, 'mocht ik om wat voor reden dan ook achterblijven, wacht dan niet op mij. Ik red me wel.'

'Hetzelfde geldt voor mij,' zei Kleist.

'En voor mij,' zei Arnim

'Maar in geen geval voor mij,' zei Bettine. 'Mocht ik achterblijven, red me dan alsjeblieft of ga samen met mij ten onder.'

En Goethe: 'Genoeg woorden. Laten we tot daden overgaan.'

Stipt op tijd betraden ze onder aanvoering van lieutenant Bassompierre, alias geheimraad Goethe, het paleis. Dat was nu in de avonduren heel wat leger dan tijdens Humboldts laatste bezoek. Een commies bracht ze naar het bureau van de prefect, waar deze al op hen wachtte in gezelschap van twee geüniformeerde mannen. Eerst begroette Jeanbon Saint-André Goethe en de vermeende madame De Rambaud uiterst galant, daarna stelde hij de twee andere aanwezigen voor, capitaine Santing en zijn adjudant. De prefect berichtte dat Santing degene was geweest die erin was geslaagd de man die zich voor de dauphin had uitgegeven, in Hamburg op te sporen en naar Mainz over te brengen, waar over zijn lot zou moeten worden beslist. De capitaine had een gemiddeld postuur, maar hij was zeer krachtig gebouwd. Zijn hoofd werd bedekt door een volle zwarte haardos en ook zijn ogen, waarmee hij de metgezellen een voor een doordringend opnam, leken nagenoeg zwart te zijn. In zijn nek had hij een rood, slecht geheeld litteken, dat van zijn kaak tot onder zijn oor liep. Net als Schiller sprak hij Frans met een licht accent, dat niet naar zoetgevooisd Schwabisch maar eerder naar hoekig Beiers klonk.

'U klinkt niet als een geboren Fransman, mon capitaine,' zei Goethe, die zelf vlekkeloos Frans sprak.

'Mijn hart is Frans, dat is wat telt,' antwoordde de officier.

'De capitaine komt uit Ingolstadt,' verklaarde Saint-André niet zonder trots, 'uit het keurvorstendom Beieren, de trouwste vazal van Napoleon. Maar daar is het helaas nog altijd niet mogelijk zonder adellijke titel officier te worden. Alleen het Franse leger beloont de prestaties van de soldaten en niet hun naam, en zelfs een bezembinder kan het bij ons tot generaal brengen als het hem niet aan moed en bekwaamheid ontbreekt. Dat capitaine Santing als Duitser voor de zaak van de keizer strijdt, demonstreert de internationale reikwijdte van Napoleons ideeën.'

'Alle respect voor het feit dat u de troonpretendent in Hamburg hebt kunnen aanhouden,' zei Goethe. 'Mag ik u desondanks verzoeken, mon capitaine, de ruimte tijdens de confrontatie te verlaten met uw adjudant?'

'Ik blijf, lieutenant Bassompierre,' antwoordde capitaine Santing. 'Voor mij zijn er geen geheimen, ten slotte ken ik de man.'

Goethe sputterde even tegen, maar besloot de ander niet tegen te spreken. 'Waar is de gevangene?' vroeg Goethe de prefect.

'In het gebouw. Een wenk, en ik laat hem halen. Mag ik voor het zover is nog even vragen: hoe gaat de procedure in zijn werk?'

'We confronteren de man met madame De Rambaud, die hem zal onderzoeken. Als ze niet zeker is van haar zaak, zal ze de man een paar vragen stellen waar alleen de echte Louis-Charles het antwoord op weet. Als hij de dauphin niet is, sluiten we hem weer op, conform monsieur Fouchés orders. Maar als hij het wel is, wachten hem drie kogels en een dodelijke aderlating en brengen wij zijn lijk over naar Parijs.' Tegelijk wees hij op de geweren van Humboldt, Kleist en Arnim.

'Viér kogels,' corrigeerde de kapitein. 'Ik wil me de kans niet laten ontnemen ook mijn loden steentje aan de dood van dat tirannengebroed bij te dragen.'

'Uitgesloten,' zei Goethe sneller dan hem lief was.

'Waarom gunt u me dat plezier niet?'

'De tenuitvoerlegging van het vonnis is uitsluitend voorbehouden aan de nationale garde.'

'Wenst u kruit te sparen?'

'Het is uitgesloten, zeg ik.'

'*Contenance*, lieutenant. Als officier ben ik uw superieur. In geval van twijfel laat ik eenvoudig mijn hogere rang gelden.'

Tijdens de discussie had Santing geen moment zijn glimlach laten varen. Goethe richtte zich tot Saint-André, hopend op steun. 'Ik verzoek u, monsieur le préfet, als onpartijdige rechter te beslissen wat in deze kwestie de doorslag moet geven: de hoogste rang of dit schrijven van de minister van Politie.' Daarop nam hij de volmacht uit zijn vestzak en overhandigde hem aan Saint-André, die met het document aan zijn secretaire ging zitten en het snel doornam.

'Ik vrees dat u zich zult moeten voegen naar de instructies van de luitenant, die van de hoogste top afkomstig zijn,' zei hij uiteindelijk tegen Santing, die zijn ongenoegen slechts met moeite kon verbergen.

Nu deze verraderlijke klip was omzeild, gaf Saint-André zijn commies opdracht de gevangene te halen. Allen zwegen een moment, en intussen pakte Saint-André een stoel voor Bettine en zette hij een andere tegenover haar neer. Toen kwam de ondergeschikte van de prefect terug, gevolgd door twee mannen die de gevangene tussen hen in meevoerden. De man had kettingen aan handen en voeten, over zijn hoofd zat een linnen zak. Hij was mager, bijna uitgemergeld te noemen, en zijn kleren, die ooit netjes waren geweest, waren smerig en versleten omdat ze voortdurend waren gedragen. Nadat de twee bewakers de gevangene op de stoel hadden gezet, verlieten ze het bureau. De commies verdween in een zijkamer, maar liet de tussendeur open.

'U weet waarom u hier bent?' vroeg Goethe.

De gemaskerde draaide zijn hoofd naar de plek waar hij de spreker vermoedde. 'Ja, monsieur.' Hij schraapte zijn keel.

'Madame De Rambaud?'

Bettine knikte.

Daarop trok Goethe de zak van het hoofd van de gevangene. Er kwam een jongeman tevoorschijn met een lichte baard van twee weken op zijn ingevallen wangen en kin. Zijn krullende, asblonde haardos was onverzorgd. Zijn boventanden staken uit, wat hem jonger deed lijken. Op zijn kin bevond zich een smal, wit litteken. Hij keek angstig rond – Santing knikte hem spottend toe – en zijn blik bleef uiteindelijk op Bettine rusten.

Ze wilde iets zeggen, maar voor ze een woord had kunnen uitbrengen, zei hij: 'Dat is Agathe de Rambaud niet.'

Er viel een diepe stilte. Bettine hervond zich als eerste. 'Maar mijn beste Louis…'

'Noem mij niet zo! Ik ken u niet!'

'Maar natuurlijk ken je mij! Heeft de monnik niet met je gesproken?'

'Welke monnik?' Nu kwam Santing in beweging, en de gevangene zocht hulp bij hem. 'Capitaine, bij alles wat me heilig is, dit is madame De Rambaud niet! Lever me niet over aan de klauwen van die bedriegster!'

Santing en Saint-André keken Goethe vragend aan. 'Begrijpelijk,' zei deze. 'Als een aal in een fuik wringt hij zich in allerlei bochten om aan het oordeel te ontkomen.'

'Nee! Ik kan u de echte madame De Rambaud beschrijven! Zíj is het niet!'

Bettine legde een sussende hand op de gevangene, maar hij trok zich terug alsof hij door witgloeiend ijzer aangeraakt werd.

'Wat stelt dit voor?' vroeg Saint-André.

'Het gespartel van een reddeloos verloren ziel op het schavot,' zei Goethe. 'Hecht u toch geen geloof aan dat gejammer.'

'Ze willen me vermoorden!' schreeuwde de gevangene luidkeels.

'Capitaine Santing, help me! Ik smeek het u! Als u een mens bent, weet u wat ik doormaak!' Ongelukkig genoeg deed de gevangene uitgerekend een beroep op Santings genade, als een schipper die zich vastklampt aan de rots waarop zijn schip is gestrand.

'Een kostelijk schouwspel,' zei Goethe, en hij applaudisseerde spottend voor de gevangene. 'Laten we maar met deze schertsvertoning ophouden. Madame De Rambaud, is dit de zoon van de koning?'

'Dat is hem,' antwoordde Bettine.

'Ik ben het! Maar u niet!'

'Het is voorbij, monsieur Capet.' Goethe gaf Kleist en Arnim een teken, waarop ze op de gevangene afstapten.

'Moordenaars! Jozef en Maria, sta me bij!'

'Laat Jozef en Maria erbuiten,' zei Kleist.

'Help me!'

'Zwijg, vervloekte hond, als je niet wilt dat ik je mond dichtstop met deze vuist!'

'Nee, een ogenblik,' zei Saint-André met opgeheven handen. 'Hou uw mannen alstublieft tegen. De bezwaren van de gevangene lijken me te steekhoudend om ze domweg te negeren.'

'Monsieur le préfet, mijn volmacht…'

'Ik wil dat zijn beschuldiging wordt onderzocht. In elk geval wil ik madame een paar vragen stellen om na te gaan of zij ook de persoon is voor wie zij zich uitgeeft. Kan ze zich legitimeren? Voor het geval dat ik met mijn nauwgezetheid in strijd met de orders van de minister handel, draag ik de gevolgen zelf.'

'Ik duld geen uitstel,' zei Goethe. Zweet parelde op zijn voorhoofd. 'Dit is mijn prefectuur, luitenant!'

In het algemene tumult ontging het Humboldt, die achter de anderen bij de muur stond, niet dat Santings adjudant met zijn rechterhand zijn foedraal zocht om zijn pistool te trekken. Humboldt, die alleen zijn geweer bij de hand had, sloeg de man meteen met de kolf tegen zijn slaap. Het slachtoffer viel tegen de muur en trok een portret van de keizer met zich mee naar de grond. Santing greep naar zijn sabel, maar Arnim liet de gevangene bliksemsnel los en wierp zich met zijn volle gewicht op de gespierde capitaine. Eerst kwamen de twee eveneens tegen de muur terecht, daarna gaf de capitaine Arnim een elleboogstoot in zijn maag. Arnim tuimelde achterover, maar hij hield de ander aan zijn jasje vast tot die ruggelings op de secretaire viel. Terwijl ze elkaar in een ijzeren greep hielden, kwamen ze allebei achter de meubels op het parket terecht, brieven en pennen met zich meesleurend. Intussen had Goethe zijn zakpistool getrokken om Saint-André onder schot te houden. De prefect had zijn hand al naar de la van de secretaire gebracht waarachter het verwoede gevecht van de twee titanen zich afspeelde, ongetwijfeld om eveneens een wapen te grijpen, maar na een gebaar van Goethe legde hij zijn handen achter zijn hoofd. Bettine had haar hartsvanger met een snelle beweging tevoorschijn gehaald uit de laars waarin ze hem had verborgen, en de opgewonden gevangene het lemmet op de keel gezet, zodat hij rustig zou blijven zitten.

De precaire situatie leek onder controle te zijn – Humboldt en Kleist boeiden de adjudant, die versuft, maar niet bewusteloos was, en knevelden hem – maar de metgezellen konden niet zien dat Santing achter de secretaire boven op Arnim lag en dat zijn handen zich als een ijzeren ring steeds vaster om diens hals sloten. Arnim snakte naar adem. Hoe hij ook naar de capitaine sloeg, hij wist zich niet uit zijn wurggreep te bevrijden. In den blinde tastte hij met zijn vingers rond naar een wapen. Het enige wat hij vond was een inktpot die op de grond was gevallen, die hij op Santings voorhoofd kapotsloeg, zonder enig resultaat. Zwart als satan zweefde Santing nu boven hem. Arnim voelde dat zijn hart stokte. Zijn krachten begaven het. Toen was de lucht ineens vol met splinters. Santings zware lichaam zakte op Arnim neer, en daarachter stond Kleist, de leuning van de stoel die hij zojuist op Santings hoofd aan stukken had geslagen nog in zijn handen. Arnim duwde het beweginglose lichaam opzij. Kleist hielp hem op de been. De inkt had Arnims jasje bevlekt als zwart bloed. Samen legden ze de bewusteloze capitaine naast zijn geboeide adjudant.

Goethe kuchte. 'Goed. Goed. Goed. Dit verloopt allemaal niet volgens het uitgekiende plan van de heer S., maar hopelijk loopt het toch nog goed af.'

'Wie zijn jullie?' riep de gevangene, eveneens in het Duits, en nog altijd opgewonden.

'Stil! Stil! We komen Uwe Hoogheid bevrijden! We zijn door bondgenoten van uw ouders gestuurd.'

'Maar jullie dragen de uniformen van de nationale garde!'

'Een vermomming,' zei Goethe. 'Eén stap nog en Uwe Hoogheid is vrij.'

'Dus jullie willen me niet vermoorden?'

'Als we Uwe Hoogheid hadden willen vermoorden,' zei Bettine terwijl ze haar mes liet zakken, 'hadden we dat allang gedaan.'

Nu stapte Kleist woedend op de man af. 'Waarom, verduiveld nog aan toe, heeft Uwe Hoogheid de instructies van de monnik niet opgevolgd? U brengt ons allemaal ernstig in gevaar met uw komedie!'

'Alweer die idiote monnik! Bij mijn ziel en zaligheid, ik heb geen monnik gezien!'

Kleist schudde zijn hoofd. 'Uit deze chaos word ik niet wijs.'

'Hoe komen we hier weg?' vroeg Arnim met krassende stem.

'Met waardigheid,' zei Goethe. 'Men heeft ons zien arriveren, men zal ons zien vertrekken. Het paleis is zo goed als verlaten. Niemand zal ons tegenhouden.'

'Dat durf ik te betwijfelen,' zei de prefect, die de verhitte discussie aandachtig had gevolgd. 'Mayence is een vesting. Niemand komt erin, maar er komt ook niemand uit.'

'Laat dat maar aan ons over, monsieur le préfet.'

'Tot uw dienst.'

Terwijl Goethe zijn hoofd over de terugtocht brak en zijn nieuwe snor nerveus tussen zijn vingers draaide, bracht Bettine abrupt haar hartsvanger omhoog en slingerde hem door de open deur naar de kamer ernaast. Het mes boorde zich in de tegenoverliggende deur, waardoor de commies van de prefect, die het tumult in stilte had gadegeslagen, juist ongezien wilde ontsnappen. Geïmponeerd door het projectiel legde de man zijn handen achter zijn hoofd en gaf zich over aan de aanvallers. Ook hij werd door Humboldt met gordijnkoord vastgebonden.

'Een echte amazone!' jubelde Kleist. 'Trek die vrouw een maliën-kolder aan, en mij een jurk!'

Goethe stak zijn pistool weer in het foedraal. 'Laten we gaan. God geve dat de heer S., als hij niet bij het tuchthuis was, dan toch ten minste bij de koets wacht. Hebben we nog touw om mijnheer de prefect vast te binden en de mond te snoeren, of…'

Kleist had het zware vloeiblok gepakt dat ondanks de worsteling op tafel was blijven liggen en Jeanbon Saint-André er van achteren mee op het hoofd geslagen. De prefect tuimelde voorover op het parket.

'Daarmee is mijn vraag beantwoord,' zei Goethe, en met een blik op het vloeiblok: 'Het woord is het wapen van de dichter.'

Met achterlating van twee bewusteloze en twee geboeide mannen verlieten de metgezellen het bureau van de prefect, de geketende man tussen hen in. Op weg naar de begane grond passeerden ze een groot aantal soldaten, maar geen van hen maakte aanstalten hen tegen te houden.

'Dit paleis is één ding,' fluisterde Humboldt, 'de stadspoorten een ander; daar zal het wat moeilijker worden, vrees ik.'

'*Pas de problème.* U zwaait met de volmacht, en we worden door-gelaten.'

'U hebt de volmacht.'

Goethe bleef midden op de trap staan, en de anderen volgden zijn voorbeeld. 'Pardon?'

'U hebt de volmacht, zeg ik. Ik heb hem niet.'

'Hel en verdoemenis!' vloekte Goethe. 'Hij lag nog op de secre-taire, ik dacht dat u…'

'Dan banen we ons schietend een weg!' riep Kleist.

'Onzin! Een van ons moet teruggaan om het document te halen. Zonder die volmacht kunnen we niets beginnen.'

'Ik ga,' zei Arnim.

'U?' vroeg Goethe, en op hetzelfde moment zei Bettine: 'Jij?'

'Ik ben met die vent uit Ingolstadt en de papieren op de grond ge-vallen. Ik weet het best waar ik het document kan vinden.'

'Bravo! Dat noem ik nog eens ruggengraat. Veel geluk, mijnheer Von A. Wij wachten op u naast het paleis, aan de Rijnkant.'

Arnim keek nog even naar Bettine, en terwijl de anderen het Duitse Huis verlieten en de binnenplaats op liepen, ging hij de trap weer op naar het bureau van de prefect.

Daar trof hij het vertrek aan in dezelfde chaos waarin ze het hadden achtergelaten. De twee vastgebonden mannen hadden vergeefs geprobeerd zich te bevrijden en de aandacht te trekken. Hun ogen werden groot van schrik toen Arnim terugkwam, alsof ze bang waren dat hij het karwei waarmee zijn vrienden waren begonnen, zou afmaken. Arnim liep door het bureau en zocht op de parketvloer achter de secretaire naar Fouchés brief. Terwijl hij de papieren doorbladerde, hoorde hij de koets in de straat onder het raam voorrijden. Eindelijk ontdekte hij het document. Hij richtte zich op. Tegenover hem, aan de ander kant van de secretaire, stond capitaine Santing met een pistool dat op hem was gericht, zijn inktzwarte gezicht vertrokken van woede.

'Stelletje schurken! Wie zijn jullie?' vroeg hij in het Duits. Hij was nog altijd versuft en leunde met zijn arm op tafel. Arnim antwoordde niet.

'Hier met dat papier.'

Arnim deed niets. Buiten, in het donker, sloegen de paardenhoeven zacht op het plaveisel.

'Hier met dat papier.'

Arnim keek naar het document in zijn hand.

'Hier met dat papier, galgenaas, of wil je dood?'

'Alleen Hij voleindigt alles,' zei Arnim uiteindelijk; hij vouwde de brief rustig op en stak hem in zijn vest. Daarop draaide hij de capitaine de rug toe en sprong door het gesloten raam.

De kogel raakte hem nog in zijn sprong. In een wolk van scherven doorbrak Arnim de ruiten en viel twee verdiepingen naar beneden. Als een rotsblok brak hij door het dak van de koets heen. Zijn val werd uiteindelijk gebroken door de bank. De dauphin, die aan de andere kant zat, slaakte een luide kreet van schrik.

Toen capitaine Santing, die nu met het pistool van zijn adjudant

was bewapend, door het gebroken raam keek, werd hij direct ont-
haald op een pijl uit Schillers kruisboog. Santing deinsde achteruit
en de pijl vloog door een ruit die nog heel was gebleven. Op de bok
sloeg Schiller met de leidsels en de paarden galoppeerden weg.
Humboldt, Goethe, Kleist en Bettine volgden op hun paarden.
Santing spaarde zijn kogels en rende naar het trappenhuis.

Door nauwe steegjes spoedden de metgezellen zich nu naar de uitgang van dit Mainzer labyrint. De paarden draafden voort alsof
ze door onzichtbare geesten werden opgezweept en het enige wat
Schiller kon doen was de leidsels met moed en beleid in handen
houden en de wielen de ene keer rechts, de andere keer links, van
een huis hier, van een stadsmuur daar wegleiden. De veren van de
koets kreunden onder de last. Er brak een spaak van een wiel. In
zijn vaart trok de koets het raamwerk van een looier omver, en
meer dan één burger verwenste de onbehouwen Fransen.

Toen Kleist door het raampje van de vernielde koets naar binnen
keek, peuterde Arnim, die nog altijd niet rechtop zat, met trillende
vingers de volmacht uit zijn vest en overhandigde die aan hem.
Kleist ging naast Goethe rijden en gaf hem het document.

'Hoe gaat het met Achim?' riep Bettine.

'Hij leeft nog, die duivelse kerel! Een kat die zo valt, gaat eraan,
maar hij niet!'

'Matig uw snelheid, daar is de Rode Poort.'

De metgezellen gaven gehoor aan Goethes verzoek en in een rustige, onopvallende draf naderde het gezelschap de Rode Poort. Bedaard groette Goethe de commandant van de wacht en overhandigde hem het document. De commandant las het in het licht van
de lantaarns en bekeek de hijgende gardisten sceptisch, in het bijzonder Bettine op haar paard en het ingedeukte dak van de koets,
maar stelde geen vragen. Toen gebaarde hij de groep door te rijden. Bruggengeld hoefden de dragers van het uniform van de keizer niet te betalen.

Ze volgden Kleist, die de weg wist, langs de verlaten pakhuizen en
de op het droge getrokken bootjes naar de schipbrug, en algauw
liepen de paarden op hout in plaats van op zand. Onder hen ruiste

[131]

de nimmer slapende Rijn. Het licht van de lantaarns op de bok viel op de brug, die op dit avondlijke uur nagenoeg verlaten was. Dat alles droeg ertoe bij dat de zenuwen van de metgezellen zich na de chaos in het Duitse Huis en Arnims doldrieste sprong zich weer wat konden ontspannen.

'Daar ligt Kastel!' zei Kleist, terwijl hij naar de overkant wees.

'Wat dichtbij lijkt, is vaak onbereikbaar ver,' zei Goethe. 'Laten we de dag dus niet prijzen voor het avond is.'

En inderdaad, toen ze ongeveer drie kwart van de brug hadden afgelegd, riep Schiller van de bok: 'We worden gevolgd!'

Goethe trok zo hard aan de teugels dat zijn paard hinnikend onder hem steigerde. Vanaf de Mainzer oever galoppeerde een half dozijn ruiters de brug op.

'Wat denkt u ervan?' vroeg Bettine. 'De paarden de sporen geven!'

'Dat heeft geen zin, ze zullen ons op zijn laatst in Kastel inhalen. Mijnheer Schiller, zet de koets dwars! Mijne heren, nu zullen we van het kruit gebruikmaken!'

Schiller mende de paarden zodanig dat de koets dwars op de brug kwam te staan, om deze te blokkeren. Kleist en Humboldt sprongen van hun paarden en hielpen ijlings de dauphin en Arnim uit de koets. 'Mijn adem kreunt als een dennenbos,' zei de laatste. Zijn witte broek was ter hoogte van zijn rechterdijbeen rood gekleurd, en hij hinkte.

Intussen pakte Schiller een van de kaarsen uit een lantaarn om de lont aan te steken. Sissend en rokend vrat het vuur zich een weg omhoog langs het grijze koord, met nog drie voet te gaan naar de kruitvaatjes onder de bank. Toen hij dat had gedaan, hing hij zijn kruisboog om. De anderen hadden inmiddels de noodzakelijkste bagage uit de koets gehaald. Omdat er maar vier paarden voor zeven ruiters waren, spande Schiller de twee koetspaarden uit. De riemen en singels boden hardnekkig tegenstand. Het was een wedstrijd tegen de klok, tegen de naderende tegenstanders en de brandende lont.

Een schot viel en weergalmde over het water. Kleist had met zijn musket een kogel op de achtervolgers afgevuurd, die nu tot vijftig pas waren genaderd, hun paarden intoomden en eveneens naar de wapens grepen. Humboldt hielp de gewonde Arnim in het zadel. 'Op uw paarden!' riep Goethe.

Schiller had het eerste paard van zijn tuig ontdaan, en Humboldt ging erop zitten. Hij trok de dauphin bij zich op zijn paard en reed weg. Nu knalden ook de schoten van de Fransen over de brug. Eén kogel sloeg in de doodskist in.

Kleist had het leeggeschoten geweer van zich af gegooid en twee pistolen getrokken. Onder dekking van de koets vuurde hij op de ruiters. Hij schoot het paard onder een van de soldaten vandaan. 'Laat de vijanden van Brandenburg in het stof bijten!' bulderde hij.

'De lont?' riep Schiller, die nog altijd met de riemen worstelde.

Kleist keek in de openstaande koets. De vlam had het grootste gedeelte van de lont verteerd en baande zich nu een weg omhoog naar de twee vaten. 'Eén voet, meer niet!'

'Laat die verdomde knol met rust en kom hier!' snauwde Goethe tegen zijn vriend. Bettine, Arnim, Humboldt en de dauphin hadden hun paarden al de sporen gegeven en waren op weg naar Kastel.

Nu herkende Kleist de eerste van hun achtervolgers. Het was niemand minder dan capitaine Santing; hun kogels schenen hem geen angst aan te jagen. Kleist legde op hem aan, en miste. Toen liet ook hij de koets in de steek en sprong in het zadel van zijn paard.

'Hou afstand, ik ben zo bij u,' riep Schiller, en hij maakte eindelijk de laatste riem los. Hij sprong op de rug van het dier.

Maar de capitaine uit Ingolstadt had de koets allang bereikt en was eromheen gelopen. Schiller, die zijn paard juist de sporen wilde geven, keek op naar het inktzwarte gezicht van een basilisk, en in de loop van diens pistool. Santing drukte af.

Maar het kruit in de koets ontbrandde een fractie van een seconde eerder. De lont had de lading van 1793 bereikt. Door de ontploffing werd de koets aan stukken gereten. Van de beide oevers was de lichtflits duidelijk te zien, en een donderslag rolde over het land. In de houten brug was een gat geslagen, en even later werd de schuit die de planken droeg door de ankerkettingen de diepte in getrokken. Santing, Schiller en het paard werden omvergeblazen en met de splinters van de koets de rivier in geslingerd, de een aan de ene, de ander aan de andere kant. De explosie was zo krachtig dat zelfs het paard van Kleist, die niet ver genoeg van het kruit weg was gereden, door de knieën ging en met de flank tegen de brugleuning viel, maar het kon op eigen kracht opstaan. Het regende brokstukken, en een lat van de gewezen doodskist viel op Goethes steek en deed de wond uit Oßmannstedt weer opengaan. Het kostte de geheimraad de grootste moeite zijn angstige paard in bedwang te houden. Hij zocht het water af naar zijn vriend, maar zag alleen hoe de wrakstukken van de koets snel door de Rijn werden meegevoerd. Schiller was door de zwarte muil verzwolgen.

Aan de andere kant van de bres, die niet bijzonder groot maar toch onoverbrugbaar was, nam nu het gevolg van Santing stelling. Bij hun eerste schot gaf Kleist zijn paard de sporen; hij greep in het voorbijgaan Goethes teugels, die als verlamd en met een verkild hart naar de Rijn staarde, en galoppeerde er met hem vandoor – met het voorgevoel dat zij ruiter en paard nooit meer zouden terugzien.

Nadat Schiller bij zijn positieven was gekomen en weer lucht had gekregen, was de munt die hij per ongeluk bij kasteel Rheinstein in de rivier had laten vallen het eerste waaraan hij dacht. Rustte de vloek van de rivier werkelijk op hem, zoals de oude visser had voorspeld, en zou de Rijnreis een pijnreis worden? Zou hij verdrinken of eerst bevriezen? Tot dusverre was de kou van het water nog uit te houden. De kruisboog op zijn rug was zwaar, maar hij wilde er geen afstand van doen. Hij dacht aan de troostende woorden die hij de stervende leidekker had meegegeven.

Terwijl hij probeerde zich te oriënteren, klonk het gedreun van schepraderen die in de Rijn sloegen hem in de oren. Toen doemden de schipmolens onverwacht snel voor hem op. Meteen begon Schiller hevig met zijn armen en benen te roeien, om niet door de stroom in de schoepen te worden gesleurd. Zijn inspanningen hadden resultaat: hij bereikte de meest rechtse molen, die net als de andere aan de fundamenten van de Romeinse brug lag vastgemeerd. Schiller kreeg een steen van de ingestorte brugpijler te pakken en klampte zich eraan vast terwijl de Rijn om zijn lijf spoelde. De molens waren verlaten. Een plank van de vernielde schipbrug was in de schoepen vast komen te zitten en blokkeerde het rad, tot hij uiteindelijk krakend doormidden brak. Toen op de brug een schot viel keek Schiller op, maar in het duister kon hij vriend noch vijand onderscheiden. Hij controleerde of hij ongedeerd was, wachtte tot hij weer helemaal op adem was gekomen en zette zich van zijn houvast af, de ijzige stroom in. De Franse oever was dichterbij dan de Duitse, maar hij moest de laatste zien te bereiken.

Hoe verder hij naar het midden van de rivier kwam, des te sterker werd de stroming, en voor elke el die hij vorderde, werd hij zeker vier el meegevoerd. Om het doodsgevaar waarin hij zich bevond uit zijn gedachten te bannen en tegelijk een vast ritme te hebben waarop hij kon zwemmen, droeg hij in gedachten Goethes ballade van de tovenaarsleerling voor, maar hij hield daar abrupt mee op toen de held van het gedicht zelf dreigde te verdrinken. Met onregelmatige slagen zwom hij verder, tot even later door de voortdurende weerstand van het water alle kracht uit zijn ledematen was weggevloeid.

Met pijn en moeite bereikte hij de kant, en het moment dat zijn voeten voor het eerst de modderige bodem raakten, was een van de gelukkigste van zijn leven. Meer kruipend dan lopend sleepte hij zich de laatste paar meter door het ondiepe water. Op de wal aangekomen struikelde hij, zodat hij met zijn handen en gezicht in het Duitse moeras viel.

'Wees gegroet, vaderlandse bodem,' mompelde hij. 'Hier moet ik blijven liggen.'

Maar hij mocht niet blijven liggen. Hij voelde brandende pijn in zijn ledematen, al was zijn lichaam koud. Met grote moeite kwam hij overeind en zonder te letten op het water dat nog in zijn laarzen stond, keek hij om zich heen. Kastel lag ver weg. Stroomafwaarts kon hij de lichtjes van Wiesbaden al onderscheiden, en het silhouet van een paard… zíjn paard, inderdaad, dat hij van de dodelijke koets had losgemaakt en dat nu, nadat het net als hij de Rijn was overgezwommen, niets beters te doen had dan op zijn dooie gemak zijn dorst lessen aan de rivier.

Langzaam liep Schiller naar het dier toe en hij sprak geruststellende woordjes. Het paard liet het toe en toen Schiller ineens een luide hoestaanval kreeg, verroerde het zich niet. Schiller aaide het dier over de natte flank en sprong toen op zijn rug. 'Straks hebben we het achter de rug, dan krijg ik mijn verdiende slaap en jij vijf scheppen haver.'

Dwars door de braakliggende velden, in een grote boog om het Franse Kastel heen, galoppeerden de twee overlevenden naar Kostheim.

Voor de herberg van het gehucht Kostheim, waarin madame Botta's Russische koetsier zijn intrek had genomen, zag Schiller zijn metgezellen weer terug, die allen hun uniformen hadden uitgedaan en hun gewone kleren weer hadden aangetrokken. Kleist en Humboldt, die op het punt stonden te vertrekken om naar Schiller te gaan zoeken, waren de eersten die hem met een stevige omhelzing en vochtige ogen begroetten. Bettine huilde terwijl ze een deken om de rillende Schiller sloeg en Arnim, die ze vanwege de schotwond in zijn been al in Boris' koets hadden gezet, stak zijn hoofd zo ver uit het raam dat hij er bijna uit viel. Boris en de dauphin keken in stilte toe. De ketenen van de koningszoon waren verwijderd en hij had een nieuwe jas en een rond brood gekregen. Hij had zo'n honger dat hij zelfs tijdens deze ontroerende scène verlegen verder at.

'Wat een triomf!' zei Kleist. 'Als Mainz de etalage van Frankrijk is, dan hebben wij zojuist een flink rotsblok door de ruit gegooid, zeg ik u.'

De laatste die Schiller met het oversteken van de Rijn feliciteerde was Goethe. Hij reikte hem de hand en zei: 'U hebt uw kapsel geruïneerd.'

Schiller ging met zijn hand door zijn natte haar. 'Inderdaad.'
'Ik vreesde al het ergste. Gaat het goed met u?'
'Als een vis in het water.'
Goethe glimlachte. 'Madame, messieurs,' sprak hij tot het gezel-schap, 'de tranen vloeien, we staan weer op Duitse bodem; maar laten we het overwinningsfeest een andere keer vieren, nu gaat het er in de eerste plaats om dat we op krachten komen en vluchten! We blijven hier niet. Want hoewel we weer in Nassau zijn, ligt Na-poleons grens maar op een steenworp afstand, en misschien zijn onze bonapartisten onbezonnen genoeg om ons ook naar het bui-tenland te volgen. Daarom snel naar de paarden, en over onze avonturen hebben we het wel als we de Fransen een paar mijl ach-ter ons hebben gelaten.'
'De nacht beschermt ons tegen achtervolgers,' zei Schiller. 'En als de vijand geen vleugels heeft, ben ik niet bang voor een aanval.'
Louis-Charles ging met zijn brood naast Boris op de bok zitten en Schiller bij Arnim in de koets. Terwijl de groep zich in beweging zette met het voornemen Kostheim langs de Main te verlaten, ontdeed Schiller zich van zijn koude, natte uniform en trok droge kleren aan.
Daarna moest Arnim meteen vertellen wat er in het Duitse Huis was gebeurd en hoe ze door Kastel waren gekomen, en de gealar-meerde wacht daar een verhaaltje over een Engelse aanslag in Mainz op de mouw hadden gespeld, zodat de groep de stad zon-der tijdrovende controles kon verlaten, opnieuw met dank aan Fouchés onvolprezen volmacht. Schiller deed op zijn beurt verslag van het ongeluk van de onfortuinlijke leidekker en van zijn onver-wachte priesterlijke bijstand, die hem had belet het tuchthuis te bereiken om de dauphin tijdig van hun voornemen op de hoogte te stellen – wat het plan op een haar na in duigen had laten vallen. Vervolgens onderzocht Schiller Arnims bovenbeen. Santings lood had aan de zijkant een vore in het vlees getrokken. Het was een pijnlijke, maar geen ernstige wond.
'Dat litteken zal u goed staan,' zei Schiller.
'Poeh! U hebt er dertig; daar heb ik ook nog wel plaats voor,' ant-

woordde de Berlijner joviaal. 'Bijna had het Beierse galgenaas u ook doorzeefd, God verhoede!'

'In plaats daarvan is hij vanavond per expresse bij de duivel bezorgd. Het kruit moet hem in duizend stukken hebben gereten. Ik durf te wedden dat zijn kadaver nu op Vadertje Rijn naar zee drijft.'

6

Spessart

Bij het aanbreken van de dag pauzeerden ze op een molenberg voor Hattersheim. Het wolkendek was zo dicht, dat er in het oosten geen spoor van de zon te ontdekken viel. Er stond nauwelijks wind en de molenwieken stonden stil. Boris had meteen een vuurtje gemaakt om voor de vermoeide koningsrovers koffie te zetten. De zwijgzame dauphin hielp hem wat brandhout te sprokkelen. Toen het vuur brandde, pakte Kleist een takje uit de vlammen om daarmee, ondanks het vroege uur, zijn pijp aan te steken, en terwijl hij er genietend aan trok, liep hij heen en weer. Schiller vroeg Arnim op de mijlpaal aan de kant van de weg te gaan zitten. Daarop haalde hij naald en draad uit zijn rugzak, en met enkele steken hechtte hij de schotwond. Arnim klemde zijn kaken stevig op elkaar en was vastbesloten geen kik te geven. Bettine stond naast hem en hield zijn hand vast.

'Wat ben jij dapper,' zei ze. 'Wie heeft er ooit zo'n dappere man gezien? Als beloning voor je heldenmoed zal ik je met mijn kussen weer gezond maken.'

Goethe kwam bij hen drieën staan en gaf Arnim als eerste een kop dampende koffie. 'Wat denkt u, mijnheer Von Arnim, kunt u paardrijden met die wond?'

'Het zou wel gaan, maar waarom kan ik niet in de koets blijven?'

'Omdat nu het moment gekomen is dat onze wegen zich scheiden.'

Bettine keek geschrokken op en ook Arnim was door Goethes woorden van zijn stuk gebracht.

'Ik wil niet met de prins door Frankfurt rijden,' zei Goethe, 'want dat zou maar opzien baren en dat is ongewenst. Het is beter om de zuidelijke route om de stad heen te nemen. Wij zullen dus bij Okriftel de Main oversteken, maar u kunt te paard terug naar Frankfurt. Hoezeer het me ook spijt dat er niet meer tijd en geen mooiere plek voor ons afscheid is.'

'Wij moeten de groep verlaten?' riep Bettine uit. 'Maar onze opdracht is nog niet volbracht! Het moment dat we triomfantelijk met de dauphin Eisenach binnenrijden, laat ik me niet afnemen. Schenk ons die voldoening nog!' Terwijl Goethe naar de juiste woorden zocht, vervolgde Bettine: 'En trouwens, ik wil niet terug naar Frankfurt! Alleen al bij de gedachte aan Frankfurt word ik misselijk. Gun ons nog een paar dagen onder de vrije hemel met jullie, vrije vrienden, voor ik terug moet naar de benepen bourgeoisie van Frankfurt!'

'En de verwonding van mijnheer Von Arnim?'

'Die geneest in de openlucht even goed als in een koninklijk donzen bed,' zei heelmeester Schiller, 'als hij tenminste belooft dat hij een huis voortaan alleen door de voordeur zal verlaten.'

'Wat vindt u ervan?' vroeg Goethe aan Arnim. 'Tenslotte gaf u mijnheer Brentano uw woord dat u op zijn zuster zou letten.'

Kleist, die de dialoog had gevolgd, riep met zijn pijp in zijn mondhoek: 'Blijf bij ons, mijn vriend!'

Arnim keek van Kleist naar Bettine, en toen zij haar hand nog steviger om de zijne sloot, antwoordde hij: 'Ik zal hoe dan ook op Bettine blijven letten, maar ik zou een uilskuiken zijn als we dit illustere gezelschap door mijn toedoen zelfs maar één dag zouden missen!'

Uit blijdschap over Arnims toezegging trok Bettine hem meteen stevig tegen zich aan en drukte een kus op zijn blonde haar. 'We rijden naar de Wartburg, jonker Joachim!'

'Zo krijg ik de kans om mijn belofte na te komen die ik in de kerk heb gedaan, alle helden een rondje te geven,' zei Schiller terwijl hij een nieuw verband aanlegde om Arnims bovenbeen.

'Eerst nog een rondje koffie, en dan de hele dag doorrijden,' zei Goethe. 'We gaan pas feestvieren als de paarden niet meer kunnen.'

'Zal ik naar uw hoofd kijken?'

'Dat is niet nodig. Het is de oude wond, die helaas weer is opengegaan. Voor Weimar zit er hopelijk een nieuw korstje op.'

Terwijl allen zwijgend het hete brouwsel dronken, vroeg de jonge Louis-Charles voor het eerst het woord. 'Al zijn we nog niet geheel buiten gevaar,' zei hij met een zachte stem in perfect Duits, 'toch wil ik van de gelegenheid gebruikmaken om u allen nu reeds voor uw heldendaad te danken. U hebt me met gevaar voor lijf en leden uit de allerdonkerste kerker bevrijd. Ik ben een niemand, een koning zonder land, zonder rijkdom, zonder familie… maar als ik ooit meer zal bezitten, zal ik het u honderdvoudig vergoeden. En als u, wat God verhoede, ooit in gevaar mocht komen, dan beloof ik hier en nu dat ik mijn bloed zal geven voor u, tot de laatste druppel, voor wat u zo onverschrokken voor mij hebt gedaan. God zegene u allen.' Op dat moment brak zijn stem en tranen welden op in zijn ogen. Beschaamd wendde hij zich af. 'Vergeef me mijn zwakte, maar de laatste dagen…' De overige woorden bleven uit, zijn stem verstikt door tranen.

Schiller was de eerste van het gezelschap die een troostende hand op de schouder van de dauphin legde, en hem daar liet tot hij weer tot rust was gekomen. De anderen dronken hun koffie, ontroerd en verlegen door de onbeholpen dankbetuiging van de jongeman, die zoals hij voor hen stond – in ruime, eenvoudige kleren, met ongeschoren gezicht – meer op een knecht dan op een koning leek. Bettine gaf de dauphin een doekje om zijn tranen te drogen. Toen hij dat gedaan had, ging hij de kring rond, nog steeds aangedaan, en schudde iedereen, ook de koetsier, als dank de hand.

Na dit hartversterkinkje verzocht Goethe Arnim op de bok te gaan zitten en nodigde hij de dauphin en Schiller uit naast hem in de koets plaats te nemen, terwijl de anderen weer op hun paarden stegen. Bij Okriftel staken ze de Main over en ze reden door de bossen van Isenburg en Rodgau met een grote boog om Frankfurt heen, om bij Seligenstadt de Main opnieuw over te steken en uiteindelijk in de bergen van de Spessart hun achtervolgers – voor het geval dat die er waren – definitief af te schudden. De rit duurde vele uren, die Goethe gebruikte om Louis-Charles in alle details van hun missie in te wijden en de identiteit van hun opdrachtgever en zijn medestanders te onthullen. Louis-Charles kende graaf De Versay noch William Stanley, maar Sophie Botta was hem bekend. Goethe legde uit dat de dauphin in Eisenach aan de zorg van sir William zou worden toevertrouwd, en daarna in Pruisische of Russische ballingschap zijn terugkeer op de Franse troon en Napoleons vernietiging zou voorbereiden. Tijdens Goethes verhaal deed Louis-Charles zijn uiterste best om de draad niet kwijt te raken, maar aan zijn intelligente interrupties was te merken dat hij alles had begrepen.

'Ik wil Uwe Hoogheid slechts één ding vragen,' zei Goethe. 'Spreek niet over de terugkeer van Uwe Hoogheid naar Parijs waar de anderen bij zijn. Hun taak was alleen de bevrijding van Uwe Hoogheid, en van die taak hebben ze zich voorbeeldig gekweten, maar wij willen hen niet met verdere politieke verwikkelingen in verwarring brengen. Want wat er ná Eisenach gebeurt, zijn andermans zaken.'

De prins knikte. Goethe haalde een zilveren zakhorloge uit zijn vest. 'Het loopt tegen tienen. Als het Uwe Hoogheid behaagt nog wat slaap in te halen, kan Uwe Hoogheid met alle plezier op de bank gaan liggen.'

Schiller kuchte. 'Misschien moesten we het maar afleren in de dagen voor we in Eisenach aankomen Zijne Hoogheid met Uwe Hoogheid aan te spreken, als we in de poststations en de herbergen niet onnodig de aandacht willen trekken.'

'Dan noemt u me Louis-Charles,' zei de dauphin, 'of liever Louis.'

'Zelfs dat verraadt nog te veel.'

'En Charles? Of Karl?'

'Beter.'

Goethe keek op van zijn horloge. 'Karl Wilhelm Naundorff.'

'Pardon?'

Met de nagel van zijn wijsvinger tikte Goethe op de achterkant van zijn zakhorloge. Daar stonden de sierlijk gegraveerde letters: K.W. NAUNDORFF. WEIMAR.

'Karl Wilhelm Naundorff,' zei Goethe, 'horlogemaker te Weimar. De echte Naundorff is waarschijnlijk allang dood, hij zal zich dus niet over de diefstal van zijn naam beklagen.'

Met dit pseudoniem was Louis-Charles meer dan tevreden. Hij prevelde zijn nieuwe naam nog een tijdje zacht voor zich uit, wat hem dusdanig vermoeide dat zijn hoofd algauw tegen de ruit gleed, en hij sliep meer dan twee uur.

In M., een onbeduidend gehucht in het noordelijke deel van Spessart, vonden ze ver van de hoofdwegen een herberg die hun onderdak voor de nacht zou bieden. Het was een lang, laag gebouw waar aan de ene kant een stal en aan de andere kant een omheinde kippenren tegenaan stond. Het was door een dicht bos omgeven, waardoor de zon, hoewel de zeven reizigers 's middags al arriveerden, niet meer boven de toppen van de sparren en de beuken uitkwam. Hier en daar lagen zelfs nog vuile, pokdalige sneeuwhopen onder de reusachtige bomen. Des te curieuzer leek het dat de naam van het logement uitgerekend De Zon was. De waard kwam meteen naar buiten – een imposante, ronde verschijning met een kop als een kool, waar de ogen en de mond in leken te zijn gesneden – en even later ook zijn vrouw, om het onverwachte, talrijke gezelschap welkom te heten. De dochter des huizes hielp Boris bij het uitspannen van de paarden, terwijl de anderen de waard en de waardin het lokaal in volgden. Ergens kondigde een specht de lente aan.

De gelagkamer was eenvoudig, maar vergeleken met het koele, donkere woud meer dan uitnodigend. Er stonden drie tafels met de meest uiteenlopende stoelen, verder een versleten leren fauteuil en een bank bij de grote kachel, waarin een klein vuur brandde. De waard beloofde het meteen van nieuwe houtblokken te voorzien. Aan het plafond hingen kruiden en uien, maar ook stevige worsten en een paar hammen, waarvan de geur de reizigers bijna goddelijk voorkwam. Het lokaal was leeg, afgezien van een weimaraner die voor de kachel lag te slapen en twee kippen die de kruimels van de laatste maaltijd van de plavuizen pikten, totdat de waardin de hond en de kippen met een bezem het huis uit joeg.

De waard van De Zon liep met de vrienden de trap op naar de kamers, die net zo eenvoudig waren als de gelagkamer, maar met bedden die er na de nachten in de koets, de glasfabriek en de verlaten kerk uiterst verleidelijk uitzagen. Bettine en Arnim deelden een kamer, Humboldt en Kleist kregen een andere en een derde was voor Schiller en Goethe, zodat 'Karl' uiteindelijk een kamer voor zich alleen had. Maar gezien de geïsoleerde ligging van de herberg vond Schiller het niet verstandig de dauphin alleen te laten slapen en hij bood zich aan als kamergenoot, een voorstel waar de dauphin graag op inging. De Russische koetsier ging op eigen verzoek in de stal bij de paarden slapen.

Er werd afgesproken dat ze eerst zouden slapen en baden – wat allebei hard nodig was – en dan laat op de avond in de gelagkamer bij elkaar zouden komen om met spijs en drank de doldrieste daad van Mainz passend te vieren. De waard beloofde dat hij in zijn kelder op zoek zou gaan naar de beste flessen en dat hij zijn vrouw zou opdragen echte bootwerkersporties klaar te maken.

'Ik ben zo uitgeput,' zei Kleist voor hij de deur van zijn kamer sloot, 'dat ik niet denk dat alle bedden waarin de keizer slaapt me ooit nog op de been kunnen krijgen.'

En toch was Kleist de eerste die na een dutje, gladgeschoren en met een schone jas aan, weer in de gelagkamer verscheen. Buiten was een gure wind opgestoken, die de krakende sparren tegen elkaar aan wreef en de dennenappels van de takken blies, maar in de kachel brandde reeds lang het beloofde vuur. De hond was weer binnengelaten en had zich op zijn vaste plek voor de kachel opgerold. Kleist liet zich in de leunstoel zakken, stopte een pijpje en sloeg terwijl hij rookte de dochter des huizes gade, die op de bank met haar rug tegen de kachel geleund een silhouet uitknipte. Met geoefende hand knipte ze een gezicht uit het zwarte karton.

'Hoe heet je, kind?' vroeg Kleist.

'Catharina, geachte heer.'

'Wel, Catharina, wiens silhouet knip je daar zo vlijtig uit het papier?'

'Dat van rijkskanselier Dalberg, geachte heer.'

Kleist schoot in de lach, verslikte zich in de rook van zijn pijp en moest hoesten. 'Dalberg! God beware me! Waarom juist hij?'

'Er is een koopman in Aschaffenburg die in zijn winkel de silhouetten van grote Duitsers verkoopt en ik krijg twee groschen voor elk knipsel.'

'Maar Dalberg is geen grote Duitser, meisje. Die maakt gemene zaak met de kwade geest Napoleon.'

Om een antwoord verlegen staarde het meisje naar het zwarte papier in haar hand. Van het profiel van de kanselier had ze alleen nog het achterhoofd uitgeknipt.

'Geef je schaar wat beters te doen,' stelde Kleist voor. 'Gooi die Dalberg in het vuur en knip grote Duitsers die de titel werkelijk waardig zijn.'

'Wie dan, mijnheer?'

'Frans van Oostenrijk, misschien… Prins Louis Ferdinand, Louise van Pruisen… of grote denkers als Kant, Lessing of Goethe.'

Op hetzelfde moment klonken er voetstappen op de trap en alsof hij had gehoord dat er over hem gesproken werd, stapte laatstgenoemde binnen. De korte slaap had ook Goethe zichtbaar goedgedaan en afgezien van de wond op zijn hoofd zag hij eruit alsof hij zojuist de trap van zijn huis aan het Frauenplan af was gekomen.

'General Moustache, snorloos?' zei Kleist met zijn blik op de kaalgeschoren bovenlip van de geheimraad, waar ooit de Franse knevel gezeten had.

'Jongelui en Fransen mag zo'n snor goed staan, maar mij niet.'

'Niets doet afbreuk aan een fraai gelaat, Uwe Excellentie.'

'Ik dank u voor deze welwillende, zij het niet geheel op waarheid berustende woorden.'

Kleist kwam overeind uit zijn leunstoel en stond erop dat Goethe zijn plaats innam. Toen Kleist een andere stoel erbij had getrokken, spraken ze over het opblazen van de schipbrug bij Mainz en Goethe bedankte de Pruis omdat deze hem, na de explosie en de verdwijning van Schiller, uit zijn verdoving had gewekt en hem had aangespoord te vluchten voordat de Fransen hun posities weer hadden ingenomen en het vuur hadden geopend.

'U hebt de Fransen zelfs nog onder vuur genomen! Als ik het u op een of andere manier kan vergelden, hoeft u het maar te zeggen.'

'Ik heb wel een idee… Als u, in alle bescheidenheid, eens naar mijn blijspel…'

'Geen woord, mijnheer Von Kleist, geen woord meer hierover!' zei Goethe glimlachend, 'want raad eens wat ik heb meegenomen, omdat ik dacht als eerste beneden te zijn en niemand aan te treffen om mee te converseren?' Tegelijk trok hij de map met de kopie uit zijn jas. 'Nu lees ik het maar voor het slapengaan.'

Deze beschikking bracht zo'n gelukzalige stemming bij Kleist teweeg dat hij krachtig aan zijn pijp trok om zijn opwinding te verbergen, hoewel de tabak allang niet meer brandde.

Als derde sloot Schiller zich bij het gezelschap aan, en even later volgde de waard, die hun uiterst vriendelijk verzocht, 'slechts een *formalité*, zich in het gastenboek in te schrijven. Goethe, bij wie het boek en de pen het eerst in de schoot werden gelegd, wachtte even en schreef toen naast '1 maart' de naam Möller. Schiller volgde zijn voorbeeld als doctor Ritter en Kleist tekende daarna zo kordaat met Klingstedt alsof hij nooit anders had geheten.

Nu kwamen ook de anderen, als laatste Bettine, die eindelijk het poeder uit haar haar en de lippenstift van haar lippen gewassen had en de onooglijke vrouwenkleren had uitgedaan waarin ze zich voor madame De Rambaud had uitgegeven. Ze droeg nog altijd haar doelmatige reiskleding, maar in de bescheiden herberg was ze een verschijning die niet onderdeed voor Helena. Inmiddels was de grootste tafel van de herberg gedekt en met veel strijkages nodigde de waard hen uit plaats te nemen. Goethe nam plaats aan het hoofd van de tafel, links van hem Louis-Charles, Schiller en Humboldt, aan zijn rechterhand Bettine en Arnim, en tegenover hem Kleist. Boris liet zich excuseren. Uit de keuken kwam de deugdzame huisvrouw binnen met een dampende pot, die ze op tafel zette, en met de pollepel schepte ze de eenvoudige koolsoep met spek op de borden. De waard legde er een rond brood naast. 'Wel bekome het u,' zei Schiller, en direct grepen de hongerige eters naar hun lepel.

Bettine pakte evenwel het brood en sneed voor ieder van haar zes vrienden in de kring een stuk af, waarvan ze de dikte liet afhangen van eenieders eetlust – een alleraardigst schouwspel dat iedereen ontging behalve Goethe, die als enige van zijn soep opkeek.

De waard informeerde of deze entree, eenvoudig als zij was, hun goedkeuring kon wegdragen en vroeg welke wijn men wenste te drinken: 'Franse of rijnwijn?'

'Als ik mag kiezen,' zei Goethe, 'wordt het rijnwijn.'

'Heel juist!' riep Arnim. 'Het vaderland verleent de grootste gaven.'

'Wat ons weer bij de vraag brengt of een rijnwijn wel een Duitse wijn is, en niet eerder een Franse.'

'Van welke oever is hij?' vroeg Bettine aan de waard. 'De rechter of de linker?'

'Ik zou het niet weten, mevrouw. Uit Nierstein.'

'Dus links van de Rijn. Strikt genomen dus ook een Franse.'

'Maar geen Franse uit Mainz,' zei Humboldt. 'Die zou ons uit deze vaderlandse patstelling kunnen bevrijden.'

'Hebt u misschien Franse wijn uit Duits Frankrijk?'

De waard was door deze discussie zo in verwarring geraakt dat hij niet durfde te antwoorden. Hij schudde alleen zijn hoofd.

'Ach wat, schenk in!' zei Goethe met een knipoog. 'Ons hart mag de Fransen dan verachten, maar onze papillen houden van ze.'

De waard ging de tafel rond en toen hij allen had ingeschonken, hief Goethe zijn beker. 'Ik zou graag een glas ter ere van de vrijheid drinken.'

Kleist fronste zijn voorhoofd. 'Nee maar! U wilt met een Franse wijn een heildronk uitbrengen op de Duitse vrijheid?'

'U lijkt Frederik de Grote wel. Ik sprak niet van de Duitse vrijheid, maar van die van onze jonge vriend.' Hierbij hief hij het glas naar de dauphin. 'Leve de vrijheid! Leve de wijn.'

De anderen stemden in met Goethes woorden en dronken. Ondanks zijn problematische herkomst smaakte de niersteiner voortreffelijk. Snel werden een tweede en een derde fles ontkurkt. De volgende toost bracht Schiller uit op Bettine, 'de onverschrokken Maagd van Mainz', en zij op haar beurt hief het glas 'tegen de bekrompenheid en de verveling'. Toen de soeppot was geleegd, zette de waardin knollen en gebraden lamsvlees op tafel, en de smulpartij ging van start. De vrienden strooiden kwistig met complimenten voor de kokkin, want bij een pontificaal banket had het hun niet beter kunnen smaken dan hier. Onder het eten vlogen de grappen en bon mots over en weer, en dankzij het hartelijke gezelschap en de soepele wijn liet ook Louis-Charles zijn schroom varen en werd hij spraakzamer. Het bestek en de borden met lamsbotten werden door de waard afgeruimd, en tot slot bracht de vrouw des huizes gebakken appel met honing. Heel wat broekriemen werden losgemaakt om ook voor dit dessert plaats te maken. Na de maaltijd verlangde Goethe met het oog op een betere spijsvertering een brandewijntje, en de waard schonk uit een kruik voor iedereen een tinnen bekertje plaatselijke Wildsau in. De zeven sloegen allen tegelijk hun beker achterover. Louis-Charles moest hoesten.

'Ah, dat smaakt, dat brandt!' zei Schiller waarderend met tranende ogen. 'Een half dozijn goede vrienden rond een kleine tafel, een koninklijk maal, een glaasje brandewijn en een goed gesprek... zo heb ik het graag!'

Schiller haalde zijn pijp tevoorschijn en deelde zijn Driekoningentabak met Kleist, en algauw stegen blauwe rookwolken op naar de worsten en kruiden aan de balken van de herberg. Een stille, behaaglijke zucht ging door de ruimte en één lang moment zei niemand een woord. Allen luisterden naar het knapperen van het haardvuur en het knippen van Catharina's schaar.

'Beste Karl,' zei Bettine vervolgens tegen de dauphin, die tegenover haar zat, 'in 1795 bereikte ons vanuit Parijs het bericht van uw dood en destijds betuigden overal in Fritzlar, waar ik in die tijd woonde, de mensen hun medeleven. Ik was tien jaar en weet nog goed dat ik om u heb gehuild, want u bent maar een week ouder dan ik, en voor uw ziel heb gebeden. En nu, tien jaar later, zit u echter in levenden lijve en in goede gezondheid voor me. Zoudt u ons kunnen en willen vertellen hoe dat mogelijk is? Want ik brand van nieuwsgierigheid om het verhaal te horen, en ik ben vast niet de enige hier.'

Louis-Charles keek naar zijn buurman Goethe, die zijn handen over zijn ronde buik had gevouwen. Goethe knikte. 'Als uw verhaal geen oude wonden openhaalt, zou ik het ook heel graag horen.'

Zodoende werden ze door de zoon van de Bourbonse koning mee-gevoerd naar het Parijs ten tijde van de revolutie, terwijl het licht van de kaarsen in de wijnkelken spiegelde en de koude wind bui-ten om de herberg gierde.

HET VERHAAL VAN LOUIS-CHARLES DE BOURBON

'Vanwege uw moed en uw opofferingsgezindheid hebt u er van-zelfsprekend recht op het verhaal in zijn volle omvang te horen. Er zijn maar weinig mensen op de hoogte van hetgeen u nu zult ver-nemen, en maar een handvol van hen hebben deze laatste paar jaar van bloed en tranen overleefd. Als ik met mijn verhaal begin, doe ik dat op voorwaarde dat u allen uw woord geeft geen enkel detail verder te vertellen. Dit vraag ik niet alleen om mijn vrienden en helpers voor gevaar te behoeden, maar ook uzelf, omdat u vanaf vandaag tot de kleine kring ingewijden zult behoren die weet heb-ben van de ontvoering van de dauphin uit de Temple in Parijs.

Ik zal u niet vervelen met een beschrijving van de jaren waarin donkere wolken zich boven Frankrijk samenpakten, waarop een storm volgde die mijn ouders nietsvermoedend als een gewone re-genbui afdeden, maar die hen uiteindelijk zou vernietigen en, met hen, het Frankrijk waarvoor ze stonden. Daarvan weet u waar-schijnlijk meer dan ik, tenslotte was ik bij de verovering van de Bastille in 1789 pas een jongetje van vier jaar. De eerste gebeurte-nis die ik me kan herinneren was de dood van mijn oudste broer, een maand eerder, niet omdat ik verdrietig was om het verlies van Louis-Joseph, want daarvoor was ik te jong, en ook niet omdat ik in zijn plaats erfgenaam van de troon van mijn vader werd, maar eenvoudig omdat ik toen Moufflet kreeg, het hondje van mijn broer, en daar blij over was terwijl mijn familie om de overledene treurde.

De dood van mijn broer was de eerste schakel in een ketting van onzalige gebeurtenissen die volgden op de oprichting van de Assemblée Nationale en de bestorming van de Bastille. Hoezeer mijn vader ook probeerde de wilde baren van de revolutie te temperen, of althans de golven en het kolkende water het hoofd te bieden, hij slaagde daar niet in, omdat de burgers hem in hun roes het ene na het andere privilege ontnamen, tot hij ten slotte alleen in naam nog koning was. Hij werd niet afgezet omdat hij een tiran was, maar vanwege het tegendeel: omdat hij als het erop aankwam, niet tiranniek genoeg was. Uitgerekend zijn liefde voor het volk had dus tot gevolg dat dat volk hem naar de guillotine voerde.

Een groep marktvrouwen kreeg het voor elkaar dat de koninklijke familie naar de Tuilerieën in Parijs moest verhuizen door in het slot te Versailles in te breken en een groot aantal wachtposten te vermoorden. Dat voorval alleen al maakt duidelijk hoeveel macht de burgers reeds bezaten, en hoe weinig macht mijn vader had. De eisen van de Parijzenaren werden steeds radicaler en de situatie in het land steeds onrustiger, zodat mijn vader uiteindelijk geen andere uitweg meer zag dan Parijs en Frankrijk te ontvluchten om zijn familie voor het geweld van het canaille te beschermen. De Tuilerieën waren al te zeer een gevangenis geworden, er waren te veel aanslagen op ons, vooral op mijn ongelukkige moeder, die ten onrechte bij veel van mijn landgenoten gehaat was. Begrijpt u mij niet verkeerd, ik veroordeel de sansculotten niet vanwege hun ideeën, want die kwamen aanvankelijk, hoe onwaarschijnlijk het nu ook moge klinken, nog met die van mijn vader overeen, maar vanwege hun barbaarse methoden, die onmogelijk uitgangspunt kunnen zijn bij de opbouw van een menswaardige maatschappij. Dus besloten we te vluchten en in juni 1791 stapten we in een koets die ons naar Habsburgs gebied, naar het vaderland van mijn moeder, zou brengen. Wij, dat waren naast mijn ouders en mijn zus Marie-Thérèse-Charlotte ook de zuster van mijn vader, madame Elisabeth, onze gouvernante, een Zweedse graaf die een favoriet van mijn moeder was en drie lijfwachten, en samen gaven we ons uit voor een ander reisgezelschap, onder een valse naam. Ik kreeg zelf meisjeskleren aan en vond het allemaal een geweldig spel.

Het werd mijn vader noodlottig dat hij tijdens de reis naar het oosten te veel belang aan comfort hechtte en te weinig aan spoed, en een reeks onfortuinlijke incidenten zorgde voor verdere onachtzaamheid. Ons lot was bezegeld toen mijn vader in het gehucht Sainte-Menehould uit het raampje van de koets keek en de oplettende zoon van de plaatselijke postmeester zijn gezicht herkende als dat van de beeltenis voor op een louis d'or. De postmeester zelf volgde daarop te paard onze koets naar Varennes-en-Argonne, waar hij tijdig de autoriteiten waarschuwde, zodat die ons konden beletten verder te reizen. Alle instructies van de koning ten spijt werden we de volgende dag onder escorte terug naar Parijs geleid – een ware kwelling voor mijn ouders, die weerloos waren overgeleverd aan de hoon en de handtastelijkheden van de mensen langs de weg.

Dus de vlucht die ons van de onvrijheid en de aanslagen moest vrijwaren, deed beide uiteindelijk alleen maar in hevigheid toenemen. Zelfs de Tuilerieën waren nu nog te goed voor ons: in augustus 1792 werd het paleis door de sansculotten bestormd en in brand gestoken en wij vieren werden samen met mijn tante Elisabeth in de toren van de Temple ingekwartierd – nee, dat woord beschrijft de situatie niet goed: we werden gekerkerd. Pas nu beseften mijn ouders ten volle tot welke daden de revolutionairen in staat waren. Maar toen was het te laat.

De gewezen burcht van de orde der tempeliers in Parijs was nauwelijks een burcht te noemen, het was meer een versterkte toren: een hoog bouwwerk van donkere steen, met kantelen en puntige leien daken erbovenop, en een kleine ommuurde tuin. De vensters, voormalige schietgaten, waren zo smal dat er nauwelijks licht doorheen viel. Ondanks het warme seizoen was het binnen aangenaam koel; een omstandigheid die ons destijds welkom was, maar die in de wintermaanden vaak ernstige griep tot gevolg had. Tegen een van de gevels van de grote toren was een kleinere aangebouwd, waarin men ons onderbracht tot de grote toren bewoonbaar was gemaakt, in kamers die niet alleen in vergelijking met de Tuilerieën belachelijk klein waren.

Niet meer dan twee bedienden had men ons gelaten, maar er waren wel vijfentwintig man ingezet om ons te bewaken; vijfentwintig man die ons dag en nacht in het oog hielden, zelfs in onze privévertrekken – een behandeling die vooral vernederend was voor mijn moeder en mijn zus en elk contact met de buitenwereld onmogelijk maakte. Onze incidentele wandelingen vonden achter hoge muren plaats, en voor men ons op de omloop van de grote toren liet, werden de openingen tussen de kantelen met planken afgesloten om ons de blik op Parijs en van de Parijzenaars op ons te beletten.

Het was bewonderenswaardig hoe bedaard mijn vader, die hier alleen nog met zijn burgerlijke naam Louis Capet werd aangesproken, bleef. Waardig onderging hij alle vernederingen en hij had zelfs begrip voor zijn kwelgeesten terwijl de Conventie buiten de muren van de Temple over zijn lot besliste. Hij hield er een strikte dagindeling op na: vroeg opstaan, scheren, morgentoilet, gebed, het gemeenschappelijke ontbijt en vervolgens mijn onderwijs, dat mijn vader bij gebrek aan een andere leraar zelf ter hand nam. Wiskunde moesten we algauw opgeven, omdat die onze ongeletterde bewaker voorkwam als een soort geheimtaal met cijfers. Toen op een dag een timmerman kwam om onze deuren te verstevigen, leerde mijn vader me zelfs met tang en hamer om te gaan, waarop de handwerker zei: "Als ze u later weer vrijlaten, kunt u zeggen dat u zelf aan uw gevangenis hebt meegewerkt!" Mijn vader antwoordde, zonder erop te letten dat ik hem kon horen: "Ik betwijfel of ze me ooit weer vrijlaten." Toen liet ik het gereedschap vallen en stortte me huilend in zijn armen, want pas op dat moment begreep ik ten volle dat we verloren waren.

Op 17 januari van het daaropvolgende jaar werd hij met 361 tegen 360 stemmen ter dood veroordeeld, en toen we ons in tranen om hem heen verzamelden, nam hij me op schoot en liet hij me heilig beloven zijn dood en de dood van onze vrienden en volgelingen nooit te zullen wreken. Daarna streek hij mij over mijn hoofd en fluisterde: "Mijn kleine Louis-Charles, dat je nooit het ongeluk moge hebben koning te worden." Vier dagen later werd hij op de Place de la Concorde onthoofd en was ik de nieuwe rechtmatige koning van Frankrijk, Louis Dix-Sept, al ben ik nooit als zodanig uitgeroepen.

Men had mij mijn vader ontnomen en vervolgens ontnamen ze me ook mijn overige familie, door me van mijn moeder, zuster en tante te scheiden en aan de zorg van nieuwe, republikeinse pleegouders toe te vertrouwen. Dat waren de schoenmaker Antoine Simon en zijn vrouw Maire-Jeanne, ruwe, luidruchtige, vulgaire mensen die zelf geen kinderen hadden en die van de zoon van Louis de Korte – want dat was de cynische benaming die ze mijn overleden vader hadden gegeven – een kind van het volk moesten maken. Ze leerden me de taal van de straat, ik moest mijn tafelmanieren afleren, we zongen samen de mars van Marseille en "Ça ira", en voor ik er erg in had schold ik, armzalige knaap, zelf in de meest grove bewoordingen op het huis van Bourbon en de *autrichienne*, zonder me te realiseren dat ik daarmee op mijn eigen moeder schold. In die tijd was ik vaak ziek; of het aan het gebrek aan frisse lucht lag, die voor een kind bittere noodzaak is, of aan het verlangen naar mijn echte familie… oordeelt u zelf.

Niet lang daarna werd ook mijn moeder voor de rechter gesleept en omdat haar geen enkele misdaad kon worden aangerekend, verzonnen de jakobijnen er maar eentje: mijn moeder zou zich aan haar eigen kinderen hebben vergrepen. Dat was een even ongehoorde als onhoudbare aanklacht, die alleen bij de rechtbank belandde omdat men mij een gefingeerd proces-verbaal liet ondertekenen waarin ik mijn eigen moeder van de meest absurde misdaden beschuldigde. God moge het een achtjarig jongetje vergeven dat hij toentertijd niet kon voorzien wat zijn stuntelige handtekening onder een tekst die hij niet had gelezen voor gevolgen zou hebben – ikzelf zal het nooit doen. Mijn geliefde zuster zag ik tijdens dit propagandaproces nog éénmaal, het was de laatste keer. Tante Elisabeth is mijn moeder een halfjaar later naar de guillotine gevolgd.

Nadat ik mijn bijdrage aan die juridische schertsvertoning had geleverd, werd ik volkomen geïsoleerd: ook de pleegouders werden me afgenomen en ik werd opgesloten in een donkere, getraliede eenpersoonscel die nauwelijks van een kooi verschilde en waar ik eten kreeg dat door onbekende handen door de kier van de deur werd geschoven. Mijn eenzaamheid werd algauw zo ondraaglijk dat ik zelfs naar de onbehouwen familie Simon terugverlangde, want contact met de wisselende bewakers was verboden. Misschien was mijn lijden de terechte straf voor mijn verraad aan mijn moeder.

Ook mijn leven kwam van dag tot dag meer in gevaar. Veel jakobijnen wilden de laatste nakomeling van het onreine geslacht der tirannen, zoals ze me noemden, uitroeien en daarmee de monarchistische krachten, of die zich nu in Frankrijk, de opstandige Vendée of het buitenland bevonden, alle hoop ontnemen dat een Bourbon ooit nog de troon zou bestijgen. In de zomer van 1794, toen een mensenleven in Frankrijk minder telde dan ooit tevoren – de revolutie vrat nu haar eigen kinderen; de schavotten vulden zich voor haar voortdurend met nieuwe slachtoffers, zelfs Robespierre kwam onder de guillotine en met hem zijn aanhanger Antoine Simon – leken ook mijn dagen geteld.

Maar één dag na de onthoofding van Robespierre deed een nieuw personage zijn intrede in dit verhaal en in mijn cel: de vicomte de Barras in hoogsteigen persoon. Destijds kon ik niet vermoeden dat uitgerekend deze man, deze streber, die een van de drijvende krachten achter zowel de executie van mijn vader als die van Robespierre was geweest, mij mijn vrijheid zou teruggeven. Hoe dan ook, Barras hield de overwinning van de coalitie tegen het revolutionaire Frankrijk voor zeer waarschijnlijk, en om in dat geval iets in de hand te hebben tegen de broers van mijn vader, de comte de Provence en de comte d'Artois, besloot hij me uit de Temple te ontvoeren. Hij spande hierbij samen met zijn voormalige geliefde, de weduwe van de vicomte de Beauharnais, Joséphine, een overtuigde royaliste die zoals u natuurlijk weet later op voorspraak van Barras de echtgenote en keizerin aan Bonapartes zijde werd.

Barras bezocht me dus in de grote toren en bracht daarvan verslag uit aan het *comité du salut public*. Hij beschreef mijn toestand als beklagenswaardig en zei dat ik was verwaarloosd. Hij had me liggend aangetroffen, daar ik me vanwege mijn dikke knie nauwelijks kon bewegen, en mijn lichaam was bleek en opgezwollen – allemaal onware beweringen, met een bedoeling die later in dit verhaal duidelijk zal worden. Want al die symptomen waren van toepassing op een andere jongen: de stomme zoon van een arme weduwe, die leed aan ernstige rachitis en niet lang meer te leven had. Hoewel het kind iets ouder was dan ik, had het hetzelfde postuur en hetzelfde blonde haar en was het even bleek als ik. Zijn lot was het in mijn plaats te sterven. Barras' secretaris kocht de vrouw haar ten dode opgeschreven zoon af.

Niet veel later kreeg een creool genaamd Laurent de leiding over de Temple-gevangenis – een landgenoot van Joséphine uit haar vaderland Martinique, die via haar in dienst was gekomen bij Barras. Nu kon het plan eindelijk worden uitgevoerd. Laurent had een zuster die hem van tijd tot tijd in de Temple bezocht om schone kleren te brengen. Geen van de wachtposten koesterde dus achterdocht als ze kwam. Die bewuste dag kwam ze echter niet alleen, maar in gezelschap van haar nicht, en dit nichtje was niemand anders dan de doodzieke zoon van de weduwe. Zijn gezicht, hals en handen hadden een creoolse tint gekregen, zijn haar was onder een kapje verstopt en zijn lichaam was in meisjeskleren gehuld. De twee passeerden de portier moeiteloos en kwamen samen met Laurent mijn cel in. Daar verwisselde ik mijn kleren voor die van het zogenaamde meisje, ik bracht kleur aan op mijn gezicht, net als de stomme jongen, en verliet met Laurents zus de Temple, waarin ik twee jaar gevangen had gezeten, zonder dat me een strobreed in de weg werd gelegd. De dienstdoende officier knikte me ten afscheid zelfs nog glimlachend toe.

In de Rue Portefoin werd ik met een koets afgehaald en door een

zekere monsieur Petival, een heimelijke royalist, naar diens land-
goed in Vitry-sur-Seine gebracht, waar ik ook in de weken die
volgden meisjeskleren droeg om mijn vlucht zo goed mogelijk geheim te houden. Ik wilde meteen weten waarom mijn zus niet ook
was bevrijd en mij werd duidelijk gemaakt dat het te riskant zou
zijn geweest ons allebei in één keer te ontvoeren, en dat Marie-
Thérèse-Charlotte bovendien minder van de Conventie te vrezen
had dan ik, omdat zij als vrouw nooit aanspraak op de troon zou
kunnen maken. Mijn zus kwam later langs diplomatieke weg vrij;
met Oostenrijk werd een gevangenenruil overeengekomen en men
leverde haar in Basel uit in ruil voor twaalf Franse krijgsgevange-
nen, van wie er eentje overigens – ironie van de geschiedenis – een
dragonder genaamd Drouet was, de postmeester die indertijd
onze vlucht in Varennes had verijdeld. Maar wat er verder met de
Madame Royale is gebeurd, is een ander verhaal. Ik hoop alleen
dat onze wegen zich na al die jaren van scheiding ooit weer eens
kruisen.

Intussen leefde de stomme in de grote toren langer dan Barras had
verwacht. De bezoekers werden inderdaad door onze gelijkenis en
Barras' valse verklaringen misleid, alleen het plotselinge verlies
van het spraakvermogen van de vermeende dauphin riep bij enkelen vragen op. Uiteindelijk weet men de zwijgzaamheid van de
jongen aan de ruwe behandeling van het echtpaar Simon. Laurent,
wiens dienstverband in de Temple na korte tijd zou eindigen, verklaarde zelfs dat ik na de schandelijke valse getuigenis tegen mijn
moeder een zwijggelofte had afgelegd. Een arts die de zieke jongen
onderzocht en bezwoer dat deze níet de dauphin was, werd niet
veel later op een diner met leden van de Conventie uitgenodigd:
een galgenmaal voor de nietsvermoedende man, die te veel wist en
dezelfde avond met hevige buikkrampen overleed.

Het bericht van de dood van deze arts bracht het huis Petival in
rep en roer, omdat men er nu van overtuigd was dat ik ook in Vitry
niet langer veilig was. In overleg met Barras werd overeengekomen
me naar de Vendée te brengen, bij de opstandelingen, toentertijd
buiten bereik van zowel de sterke arm van de Conventie als die van

de veiligheidsdienst. Na mijn vertrek trof het lot van zovelen die me op mijn reis hadden geholpen ook de beklagenswaardige monsieur Petival: hij werd neergestoken omdat hij getuige was geweest van mijn ontvoering in het park van zijn slot, en degene die tot deze bloedige daad opdracht had gegeven, heette zonder twijfel Barras, die zich wederom van een ingewijde wilde ontdoen.

Op 8 juni van het jaar 1795 stierf de onechte dauphin, moge God zijn ziel eeuwige vrede schenken. Vier artsen verrichtten sectie op de dode, en ze vonden naast de door Barras beschreven ziekteverschijnselen een aantal abcessen dat de ingewanden en maag bedekte. Kennelijk was de jongen aan scrofulose overleden. Hoe curieus, dat hij die de rol speelde van Koning van Frankrijk, nu net aan de kwaal moest sterven die de koningen van Frankrijk naar men zegt op de dag van hun kroning door handoplegging zouden kunnen genezen! Toen mijn oom, de comte de Provence, de tijding van mijn vermeende dood bereikte, liet hij zich tot koning Louis Dix-Huit uitroepen.

Nog even geduld; we naderen het einde van mijn verhaal, en ik zal uw gewaardeerde aandacht niet veel langer in beslag nemen.

In de Vendée maakte ik onder de hoede van de royalisten een naar omstandigheden rustige en aangename tijd door. Hier kreeg ik les als een gewone jongen, onder andere in het Duits, de taal van mijn moeder. Maar toen de royalistische opstand van 1796 in de Vendée definitief werd neergeslagen en de aanvoerders werden geëxecuteerd, moest ik, nu elf jaar oud, opnieuw in gezelschap van drie medestanders vluchten. We begaven ons naar Venetië, vervolgens verder naar Triëst en ten slotte naar Rome, in de hoop dat de paus ons zou helpen.

Waarom ging ik niet naar mijn ooms, vraagt u zich af? Welnu, ten eerste zou ik riskeren daardoor mijn dekmantel te verliezen – want de twee ooms hadden mijn wonderbaarlijke wederopstanding zeker niet geheimgehouden – en zo het doelwit van nieuwe aanslagen te worden. Maar ten tweede beschouwden mijn beschermers de comte de Provence, oftewel Louis Dix-Huit, en de comte d'Artois niet als vrienden maar als tegenstanders, want zolang ik in leven was, zouden zij nooit koning kunnen worden. U huivert als u van deze menselijke afgronden hoort, u gelooft niet dat een oom zijn eigen neef dood wenst? Napoleon moet ooit hebben gezegd dat wat zich bij de Bourbons afspeelt niet veel meer is dan met kleren bedekte hartstocht en haat. Misschien is dit oordeel niet helemaal onterecht.

Nadat de paus door de Fransen gevangen was gezet, was ook Rome niet veilig meer: twee van mijn begeleiders werden vergiftigd en het is een zegen of een vloek dat dit lot mij niet trof. Met de derde scheepte ik halsoverkop in op een boot naar Engeland, om van daaruit verder naar Amerika over te steken. Ik had de hoop geheel opgegeven dat men mij in Europa zou helpen, en wilde me daarom zo ver mogelijk van het moorddadige Frankrijk verwijderen. We vestigden ons in een dorpje in de buurt van Boston en leidden een teruggetrokken, sober bestaan, tot op een dag via allerlei omwegen madame Botta's aanbod ons bereikte om terug te keren naar een antinapoleonistische staat en de veilige gemeenschap van de *emigrés*.

Tegen het advies van mijn enig overgebleven begeleider in zeilden we van Boston naar Hamburg, en u kunt zich mijn ontzetting indenken toen ik in de haven niet door vrienden maar door bonapartistische soldaten werd verwelkomd. Wat er in Hamburg van mijn vriend is geworden, kan ik niet zeggen; ik werd in elk geval naar Mainz gebracht, een helse rit, en was voortdurend mikpunt van de spot van capitaine Santing, die door zijn eigen mensen heimelijk "de bloedhond" wordt genoemd, omdat hij in zijn ambitie over lijken gaat en christelijk mededogen hem vreemd schijnt te zijn. Wat er verder in Mainz gebeurde, hoef ik u niet te vertellen. Tien jaar duurt mijn odyssee nu en ik hoop vurig dat hij net als zijn Griekse pendant na deze tien jaar ook voorbij is, en dat Karl Wilhelm Naundorff een thuishaven vindt. Voorlopig zal ik pretenderen een horlogemaker te zijn: een beter beroep kan ik me niet voorstellen, want mijn vader zaliger was een echte uurwerkfanaat, die in Versailles op zolder een werkplaats had ingericht, en hij benutte elke vrije minuut om daar met veel kennis van zaken aan klokken en automaten te knutselen. Er was geen uurwerk, hoe complex ook, dat hij niet aankon – met één enkele uitzondering: het grote uurwerk van de politiek, tussen de raderen waarvan hij uiteindelijk werd vermorzeld.'

Na deze afsluitende woorden sloot Schiller het boekje waarin hij notities had gemaakt terwijl Louis-Charles zijn verhaal deed. De waard, die zich met veel tact buiten het vertrek had opgehouden, keerde nu met een volle fles niersteiner terug en vulde de lege glazen opnieuw.

'Dit uitstapje naar het verleden heeft me vermoeid,' zei de prins na een lange pauze, 'staat u mij toe dat ik me terugtrek, nadat ik het glas op u en uw ongekende dapperheid heb geheven.'

Ze zwegen plechtig en dronken. Toen wenste Louis-Charles iedereen welterusten en verliet de gelagkamer.

'Laten we hopen dat ons niet hetzelfde lot ten deel valt als al zijn begeleiders en beschermers,' zei Arnim toen de dauphin buiten gehoorsafstand was, en hij klopte driemaal op het tafelblad. 'Een treurig gezelschap van vergiftigde en in de rug gestoken figuren. Alsof hij vervloekt is.'

'Zijn hele familie is trouwens onder een ongelukkig gesternte geboren,' zei Goethe. 'Toen ik in 1770 nog in Straatsburg studeerde, kwam zijn moeder op haar reis van Wenen naar Parijs door de stad en moest ze voor ze voet op Franse bodem zette op een eiland in de Rijn alles achterlaten wat haar met haar oude vaderland verbond – een oude traditie. Speciaal met dat doel was er op het eiland een gebouw neergezet dat heel goed voor een buitenverblijf van hoogwaardigheidsbekleders had kunnen doorgaan. Een paar dagen voor Marie Antoinettes aankomst slaagde ik erin samen met een paar kameraden de portier met een zilverstuk over te halen om ons binnen te laten. De grote zaal van het huis was behangen met glanzende wandtapijten, die naar schilderijen van recente Franse schilders waren vervaardigd. Maar wat voor smakeloze dingen waren dat! Rond de zetel van de toekomstige koningin was het verhaal van Jason en Medea verbeeld, een voorbeeld van de rampzaligste bruiloft aller tijden! Links van de troon was de bruid te zien, verwikkeld in een gruwelijke doodsstrijd, rechts keek de vader in ontzetting naar de vermoorde kinderen aan zijn voeten, terwijl de furie met haar drakenwagen door de lucht vloog. En deze taferelen, stelt u zich eens voor, moesten de veertienjarige dauphine in haar nieuwe vaderland verwelkomen! Ik beschouwde deze decoraties als een slecht voorteken, en toen Marie Antoinette dagen later uiteindelijk in Parijs aankwam, kwam er nog een bij: tijdens een vuurwerk ter ere van haar ontstond er een vuurzee die tientallen mensen het leven kostte en honderden verwondde. Het verschrikkelijke lot van de familie waarin Karl werd geboren, leek inderdaad voorbestemd te zijn.'

Bettine zuchtte. 'Arme stakker. Hij heeft nu al genoeg geleden voor twéé mensenlevens.'

'De klopjacht op hem is een reden temeer om Napoleon te haten,' zei Arnim.

Kleist knikte somber, 'Napoleon... een naam als een potje met gif. In de stoofpot met hem!'

'Een vrome wens! Hoe kun je in de buurt komen van iemand als Napoleon?' vroeg Humboldt. 'De man lijkt onsterfelijk te zijn.'

'Ik wilde het doen.'

'Wat?'

'Napoleon vermoorden.' De anderen verwachtten min of meer dat de man het grappig had bedoeld, maar Kleist zei: 'Ik meen het.'

'Wat? Wel verdraaid!' Schiller schoof zijn stoel dichter naar de tafel. 'Wilt u soms het ongelooflijke verhaal van Karl nog overtreffen? Vertel!'

Kleist keek de kring rond, en begon. 'Het was in de herfst van het jaar 3, toen de keizer nog eerste consul voor het leven was, maar toen al had hij zijn legerkamp in Boulogne-sur-Mer, waar hij zijn soldaten trainde en grote aantallen landingsvaartuigen liet fabriceren om daarmee Het Kanaal over te steken en Engeland binnen te vallen. Ik ben soldaat uit een soldatenfamilie – mijn oudoom is gevallen in Kunersdorf – en mijn afkeer van Bonaparte was destijds niet geringer dan tegenwoordig. Toen het complot voor de aanslag van Malmaison werd ontdekt en verijdeld, dacht ik: waar-

om is er niemand te vinden die deze boze geest die de wereld onveilig maakt, een kogel door de kop jaagt? Als de Fransen het zelf
niet voor elkaar krijgen, dan moet een Pruis het maar doen. Dus
vatte ik het niet bepaald bescheiden plan op eigenhandig, met één
grandioze actie, Bonaparte te vernietigen. Als door de duivel beze-
ten reisde ik via Gent en Parijs naar Boulogne. Daar, aan de noord-
kust van Frankrijk, wilde ik dienst nemen in het invasieleger om
vermomd in een Frans uniform de consul dicht genoeg te naderen
om hem de hartelijke groeten te kunnen doen met een dood en
verderf zaaiende kogel. Deze ene wens zou de hemel voor me moeten vervullen, daarna mocht het opperwezen met me doen wat hij
wilde.'
'Sapperloot! Dat zou uw einde hebben betekend!'
'En waarschijnlijk dat van hem, maar kun je je een heldhaftiger
dood wensen dan door de grootste tiran die er bestaat om het
leven te brengen, zonder voor het eigen leven te vrezen? Beste
vrienden, tienduizend zonnen, gloeiend aaneengesmeed tot één
bal, kwamen me minder schitterend voor dan een overwinning,
een overwinning op hem. Daarmee zou ik de krans der onsterfelijkheid hebben verworven, maar ik zou hem vervolgens hebben
moeten afgeven aan alle geharnaste legioenen die bij de helle-
poorten staan en met hun roodgloeiende speren zwaaien.'
'En wat gebeurde er?'
'De Here God had andere plannen met mij, en met Napoleon. Nog
voor ik mijn voornemen in daden kon omzetten, werd ik geveld
door een kwaadaardige zenuwkoorts die me elke activiteit onmogelijk maakte. Ernstig ziek, met één voet in het graf, verliet ik de
kust, niet getooid met de lauweren van mijn daad maar ijlend van
de koorts, en sleepte ik me naar Mainz – uitgerekend Mainz! –
waar ik na langdurige, moeizame verpleging genas. Tegenwoordig
ben ik niet in staat veel over deze vreemde reis te vertellen. Sinds
mijn ziekte begrijp ik zelf niet meer hoe bepaalde gebeurtenissen
elkaar konden opvolgen.'
'U haat Napoleon intens,' zei Humboldt, of misschien vroeg hij het
hem.

'Meer dan alle beproevingen des levens,' zei Kleist, en hij haalde diep adem, alsof er een molensteen op zijn borst lag. 'De uit de hel opgerezen geest van een vadermoordenaar die in de tempel van de natuur rondwaart en alle zuilen schudt waarop die is gegrondvest.'
'U hebt geen goed woord voor hem over?'
'Zeker, hij is een groot veldheer, misschien wel de grootste sinds Frederik de Tweede. Maar hem daarvoor bewonderen zou zijn alsof de ene worstelaar de andere bewondert op het moment dat deze hem in het stof doet bijten en zijn gezicht met voeten treedt. We kunnen Napoleon pas bedanken als de bekrompen Germanen tegen hem ten strijde trekken, verenigd tot een grote, nee, titanische natie, zoals eens onder de Romeinse keizers.'
Goethe, die ongewoon lang had gezwegen, maakte gebruik van de korte pauze in de conversatie om deze weer in rustiger vaarwater te leiden. 'Ik dank in elk geval God of uw beschermengel, mijnheer Von Kleist, dat hij uw plan in Boulogne-sur-Mer heeft verijdeld. Want anders zou u niet bij ons in dit vertrouwde gezelschap zitten om te drinken en feest te vieren. Over drinken gesproken... Waard! Nog een glas brandewijn, en graag een christelijke hoeveelheid!'
Plichtsgetrouw kwam de waard aanzetten met de kruik, en wederom pauzeerde de Wildsau uitgebreid bij elk glas. 'Want ik heb een kleine *récompense* voor u in petto,' vervolgde Goethe toen de waard het vertrek weer had verlaten. 'Ik weet dat u allen de heer Schiller en mij naar Mainz hebt begeleid, omdat het welzijn van de koning u ter harte ging. Van enige betaling was nooit sprake. Toch heeft de hertog mij met het oog op de bevrijdingsactie een som geld meegegeven, waarvan ik tot nog toe nog niet de helft heb verbruikt. Maar omdat ik in geen geval met volle zakken naar Weimar wil terugrijden, verzoek ik u als dank voor uw loyaliteit een deel van dit geld aan te nemen.'
Even deden de anderen er verbluft het zwijgen toe, toen protesteerde Humboldt als eerste, en meteen daarna Bettine. Goethe wuifde hun bezwaren weg. 'Ik dacht al dat u zo zou reageren, maar toch sta ik erop dat u het geld aanneemt. Verdrink het vannacht nog, koop een nieuw pak, of schenk het aan een klooster als u het

[162]

per se niet wilt houden, maar terug naar Weimar gaan deze wissels in geen geval. Tateretaa! Tateretaa!' Hij bootste trompetgeschal na en haalde de wissels, die hij met reepjes papier in identieke stapeltjes had onderverdeeld, uit de binnenzak van zijn jasje. 'Hier zijn honderdvijftig rijksdaalders voor ieder, en wie nu nog protesteert krijgt voor straf nog meer.'

'God zegene u, Uwe Excellentie,' zei Kleist.

'Dat mag hij rustig doen, maar het is mijn geld niet en daarom verdien ik uw dankbaarheid niet.'

Goethe wilde de bundeltjes een voor een uitdelen, maar er werd overeengekomen dat het geld tot het afscheid op de Wartburg bij hem zou blijven, voor het geval dat hij er nog een beroep op zou moeten doen. Toen Goethe de wissels weer had opgeborgen, hief Schiller zijn Wildsau. 'Mijn dierbare vrienden – want zo mag en wil ik ieder van jullie noemen na deze turbulente weken aan weerskanten van de Rijn – nadat we samen voor duizend geweerlopen hebben gestaan en de dood onder ogen hebben gezien, volstaat het "u" voor mij niet meer. Sta me toe broederschap met u te drinken en sta me toe als de oudste aanwezige, na mijnheer Von Goethe, die – met permissie, heer geheimraad – zo'n voorstel in geen honderd jaar zou doen, nog eerder zullen we de Rijn andersom zien stromen… sta me dus toe, u met "jij" aan te spreken. Dat is me meer waard dan alle daalders ter wereld. Laat me jullie omarmen! Ik ben Friedrich.'

Dat aanbod was een regelrechte schok voor de aanwezigen. Het was alsof paus Pius in Rome hun had gevraagd hem te tutoyeren. Alleen Goethe had binnenpret.

'Heinrich,' zei Kleist vervolgens, zichtbaar aangedaan.

'Bettine,' zei Bettine.

'Alexander,' zei Humboldt.

'Achim,' zei Arnim.

'Goethe,' zei Goethe, en hij voegde eraan toe: 'In tegenstelling tot de heer Schiller wil ik niemand van u in de pijnlijke situatie brengen mij, grand seigneur, te moeten aanspreken als een jongeling van uw leeftijd.'

[163]

Daarop dronken allen hun brandewijn. Even snel als de glazen waren geleegd, werden ze weer gevuld.

'Wat een verheven moment,' zei Arnim.

Schiller nam een trekje van zijn pijp. 'Alleen jammer dat we geen Tischbein in ons midden hebben; die zou onze kleine plechtigheid kunnen schetsen om haar later in olieverf te vereeuwigen.'

'Ah, een Tischbein hebben we misschien niet,' zei Kleist, 'maar we hebben iets veel beters! Käthchen!'

De dochter van de waard, die de hele tijd bij de kachel had gezeten, keek nu op van haar silhouet. 'Ja, geachte heer?'

'Käthchen, meisje, laat die grote Duitsers toch even rusten en knip als aandenken ons zessen uit het karton. Ik wil je daarvoor ook een daalder geven.'

Catharina liet dus haar silhouet zakken, pakte een groot stuk karton en ging met haar krukje in het midden van het vertrek zitten om haar zes modellen zo goed mogelijk te kunnen zien. Onbevangen arrangeerde ze het zittende gezelschap zo dat iedereen goed zichtbaar was, ze vroeg er zelfs een paar om te gaan staan, en algauw sneed haar schaar door het zwarte papier als een mes door de boter.

'Zie je, Käthchen,' zei Kleist, 'onze contouren gaan je toch zeker gemakkelijker af dan Dalbergs driedubbele onderkin, nietwaar?'

'Jazeker, hoge heer.'

'Dalberg?' vroeg Schiller.

'De andere Dalberg.'

'Van die mijnheer zag ik graag wat meer profiel,' zei Catharina.

'Van mij?'

'Nee, van de bruine. O, pardon.'

'Al goed,' zei Humboldt glimlachend, en hij draaide zijn hoofd in de verlangde positie.

'Een silhouet van deze groep,' zei Bettine peinzend. 'Wat staat ons hierna te wachten? Een prentenboek met onze avonturen?'

'Eerder een toneelstuk,' zei Humboldt. 'Als je ziet hoe ijverig mijnheer Von Sch… excuseer, Friedrich dingen in zijn boekje opschrijft, zou je haast geloven dat hij personages en avonturen verzamelt voor zijn volgende drama.'

Schiller glimlachte en deed er het zwijgen toe, maar Bettine stak haar hand op. 'Dan wil ik beroemd worden als zijn volgende Johanna.'

'De dáád is alles, niet de roem,' bracht Goethe in herinnering.

'En wat voor daad!'

Toen lieten de vrienden hun avonturen nog eens de revue passeren, van de heimelijke overtocht over de Rijn tot het overrompelen van het Franse escorte, van de voorbereidingen in Mainz tot de actie in het palais impérial en de hachelijke vlucht over de brug. Arnim moest opnieuw over zijn confrontatie met de Beierse capitaine vertellen, en Schiller hoe hij na het exploderen van de koets de Rijn overzwom. Een tijdje gingen de verhalen zo over en weer, doorspekt met komische scènes waaraan de brandewijn niet vreemd was, en heel wat glazen werden geleegd en gevuld, tot het meisje eindelijk klaar was met haar werk en de zwarte snippers van haar schort veegde.

'Ik plak het op wit karton. Zal ik het silhouet een titel geven?'

'*Doctor Ritter te midden van zijn vrienden,*' stelde Schiller voor.

'*Het sublieme zestal,*' zei Kleist.

En Arnim: '*De helden van Mainz.*'

'Iets meer bescheidenheid alstublieft, mijne heren,' zei Goethe. 'Datum en plaats, dat is meer dan voldoende, Käthchen, schrijf "Mainz" en het jaartal.'

Catharina ging terug naar haar plekje bij de kachel om haar werk te voltooien. Ze had haar daalder meer dan verdiend, want het silhouet, dat nu op het witte karton was geplakt, zag er inderdaad alleraardigst uit: het stelde de zes vrienden aan tafel voor. Voor de toeschouwer zat links Kleist met een geheven glas wijn in de hand; dan achter de tafel Humboldt, Bettine en Arnim, staande met zijn hand op haar schouder; rechts in de fauteuil Goethe en ten slotte achter hem, eveneens staande, met zijn notitieboekje in de hand, Schiller. Eronder had het meisje in Oost-Indische inkt met fraaie letters 'Mainz 1805' geschreven. Iedereen vond dat de dochter van de waard hen heel goed had geportretteerd en ze prezen haar uitbundig.

Nadat hij het silhouet had bekeken en aan zijn buurman had doorgegeven, zei Schiller: 'Zien we er niet uit alsof we allemaal uit hetzelfde hout zijn gesneden? Eén tegen de vijand, als één man. Een goed team.'

Arnim had een oprisping. Hij klopte zich met de vuist op de borst en zei toen: 'We zouden erover moeten denken of we hier in de bossen van Spessart niet een roversbende kunnen oprichten, als we niet meer van de pen kunnen leven.'

'Niet meer?' lachte Kleist. 'Mij heeft hij tot dusver nog nooit van iets laten leven, het ondankbare ding!'

'Goed! Dan zullen we een roversbende vormen!'

'Een geestig idee,' zei Goethe.

'Meer dan dat, die gedachte is goddelijk!' zei Kleist, die opsprong en daarbij zijn halfvolle glas omstootte. 'En u, u moet onze hoofdman zijn!'

'Goed, ik ben jullie hoofdman,' zei Goethe.

'Leve onze hoofdman!' klonk het nu uit vele kelen. 'Wij zweren u trouw en gehoorzaamheid tot in de dood! In tegenspoed noch gevaar zullen we elkaar in de steek laten!'

Met de wijn in zijn bloed speelde Goethe het vrolijke spel tot groot vermaak van de anderen enthousiast mee, en hij dreigde dat hij iedere rover die zich tegen zijn bevelen zou verzetten koud zou maken.

Daar moest op gedronken worden, en ditmaal bracht Kleist de toost uit: 'Moge het mijn hooggeëerde heer hoofdman noch aan het kruit van een goede gezondheid, noch aan de kogels van de eeuwigdurende voldoening, noch aan de bommen der tevredenheid, noch aan de geraamten der gemoedsrust, noch aan de lont van een lang leven ontbreken!' De anderen sloegen zich op de dijen van het lachen tijdens de geïmproviseerde voordracht die door Kleist met een onverstoorbaar gezicht werd afgedraaid, en door Goethe met een even droge gelaatsuitdrukking werd aangehoord.

Dit was zo'n beetje het laatste moment dat de leden van het gezelschap zich de volgende ochtend nog konden herinneren, want toen de klok twaalf had geslagen – de waardin en haar dochter waren reeds lang naar bed – nam het bacchanaal barbaarse proporties aan. De ene fles na de andere werd ontkurkt en algauw had Goethe zo veel wijn en brandewijn gedronken dat zijn tong hem niet meer wilde gehoorzamen en onwillekeurig de meest potsierlijke woordspelingen ontstonden, waar hij zich in stilte om verkneukelde. Terwijl buiten de wind akelig om het huis gierde, vertelde Arnim een spookverhaal; Humboldt voegde daar het ware verhaal van de geest van zijn dode moeder die niet tot rust wilde komen aan toe, en hij vertelde over de onuitsprekelijke schanddaden van deze geest in het slot van de Humboldts in Tegel. Vervolgens werden er uit volle borst enkele liederen gezongen, waaronder ter herinnering aan de vrijheidsboom in Stromberg opnieuw de Marseillaise, maar daarna op aandringen van Kleist ook 'Gott erhalte Franz den Kaiser', en Bettine vroeg Arnim ten dans, en zo goed en zo kwaad als zijn schotwond het toeliet dansten ze, terwijl de anderen de maat klapten. Kleist hamerde het ritme met de lege brandewijnkruik net zo lang op tafel tot deze brak en hij alleen nog het handvat in zijn hand hield. Eén keer liet Arnim zijn partner zo snel ronddraaien dat haar hand uit de zijne glipte, waarna ze viel en met haar hoofd tegen de tafelrand sloeg; ondanks de pijn lachte ze alleen over het ongelukje, terwijl ze met haar hand over de buil wreef. Toen iedereen buiten adem raakte, was het concert in het rokerige lokaal afgelopen. Arnim riep de vriendenkring tot 'Duits tafelgezelschap' uit, een verbond tegen Fransen, ongelovigen en saaie burgermannetjes, maar zijn poging om voor de vuist weg een statuut op te stellen, verzandde. Bettine protesteerde, omdat ze de Fransen in principe graag mocht. Vanwege deze provocerende uitspraak joeg Arnim haar de hele gelagkamer door, en toen hij haar eindelijk had gevangen, trok hij haar op zijn schoot en bestrafte haar met een paar kussen. Snel werd er een nieuwe kruik aangedragen door de attente waard, die voelde dat er gouden zaken in de lucht hingen. Alleen Humboldt legde zijn hand op zijn tinnen beker om aan te geven dat deze niet bijgevuld hoefde te worden. 'Ik zit dicht,' zei hij, waarop Kleist terugkaatste met 'ik

[*167*]

ben dichter', en dat bon mot werd algemeen geroemd als het beste van de avond. Daarna dronk Schiller de dubbele hoeveelheid, die van hem en die van Humboldt, een beslissing die hem een onbestemde gelaatskleur gaf. 'Je ziet bleek, Friedrich,' zei Bettine, en de koning der drinkers verklaarde dat hij zich even buiten de deur diende te begeven. Bij het opstaan viel hij bijna omver en hij moest door Humboldt worden ondersteund.

'Excuus,' zei hij, 'het staan valt me zwaar! Het hoofd is helder, de maag is gezond, maar de benen willen me niet meer dragen.' Met onvaste tred zette hij koers naar de deur van de herberg, en nauwelijks was hij buiten of er weerklonken onwelluidende geluiden, onderbroken door gevloek.

'Die is door de Wildsau omvergelopen!' zei Kleist lachend.

Maar ook voor de andere drinkebroers was het moment aangebroken om zich terug te trekken. Humboldt ging als eerste; even later volgden Kleist en Arnim en Bettine, die elkaar voortdurend kusten en plaagstootjes gaven. Arnim struikelde op de trap.

Goethe keek de wankelende gestalten na. Zelf bleef hij achter om de rekening aan de waard te voldoen. Hoewel het diep in de nacht was, waren zijn roes en zijn vermoeidheid ineens verdwenen. Daarom liet hij zich door de waard, voordat deze de lichten doofde en ging slapen, nog een beker warme melk brengen, en met de melk en Kleists blijspel ging hij in de leunstoel bij de kachel zitten. Toen hij de leren map opensloeg en de sobere titelpagina las – DE GEBROKEN KRUIK – kwam Schiller weer binnen. Het ging beter met hem, maar hij hoestte en vervloekte de kou.

'Foei! Het is ijzig koud,' zei hij, en hij wreef stevig over zijn armen. 'Verdraaid, sinds Oßmannstedt word ik niet meer echt warm. Maar dat was toch een vrolijk afscheid, nietwaar?'

'Inderdaad. Het was het watertrappen in de Rijn wel waard, m'n oude vriend. Ik heb me zelden zo vermaakt.'

Schiller wees naar de beker melk in Goethes hand. 'Nog een slaapmutsje?'

'In zekere zin.'

'Dus u gaat nog niet naar bed?'

'Nee. Ik heb geen rust meer. Ik kijk nog wat in de *Kruik*.'
'Maar niet te diep!' zei Schiller, en hij knipoogde. Toen liep hij de trap op die Arnim bijna noodlottig was geworden, en verdween.

Nauwelijks hadden Bettine en Arnim de deur achter zich dichtgedaan of ze kusten en liefkoosden elkaar, beneveld door wijn en lust, en de kou in de kamer deed daar geen afbreuk aan. 'Je bent mijn zwarte steen,' zei Arnim buiten adem tussen twee kussen door. Ze pakte zijn hoofd en duwde dat in haar haren en tegen haar hals. Haar hart klopte sneller en sneller onder haar huid. Daarna wilde ze hem van zijn jasje bevrijden, maar de mouwen bleven halverwege zijn armen steken. 'Ik hou van je,' zei Arnim, maar Bettine bracht hem met een kus op zijn lippen tot zwijgen. Haar warme adem rook naar wijn, haar tong smaakte ernaar. Toen maakte ze zich van hem los en begon de lintjes van haar rok los te maken. Arnim keek lijdzaam toe, zijn jasje nog altijd half uitgetrokken tot op zijn ellebogen. Kennelijk kon hij niet geloven wat er gebeurde, of hij zag het in de duistere kamer aan voor een zinsbegoocheling. Hij kneep zijn ogen samen om zich ervan te vergewissen.
'Wat is er?' vroeg Bettine.
Arnim knikte alleen en probeerde zich op zijn beurt uit te kleden. Omdat zijn armen nog steeds in zijn mouwen vastzaten, kon hij zich nauwelijks bewegen. Tijdens zijn worsteling met het jasje wankelde hij; hij deed een stap naar achteren, stootte tegen de bed-bak, verloor zijn evenwicht en stortte ruggelings op het ledikant en het zachte dons. Daar bleef hij liggen. 'Dit is een toestand die zich niet erg leent voor de liefde,' zei hij, maar dermate onduidelijk dat hij het zelf niet eens kon horen. Toen liet hij een boer.
Bettine stopte met uitkleden. 'Wat is er?' vroeg ze nog eens. 'Wil je slapen?'
Moeizaam richtte Arnim zijn bovenlichaam weer op en schudde zijn hoofd. 'Ik kan niet slapen, het is me te licht.' Toen vielen zijn ogen dicht, het ene na het andere, en ondanks zijn woorden liet hij zich opnieuw op het bed zakken. Ditmaal bleef hij liggen. Weldra

ademde hij zachtjes en regelmatig, hoewel zijn adem daarnet nog snel was gegaan.

Half ontkleed boog Bettine zich over de slapende heen, die er ook onder deze onwaardige omstandigheden nog als een Griekse godenzoon uitzag. Met de vlakke hand sloeg zij hem op beide wangen, maar het enige antwoord dat ze kreeg was zijn gesnurk. Ze zette zich naast hem op de rand van het bed.

Een tijdje bleef ze zo zitten. Toen liep ze naar de commode en liet koud water over haar gezicht en handen lopen. Geïrriteerd probeerde ze Arnim nog uit de houdgreep van zijn jas te bevrijden, maar hij lag erbovenop en was loodzwaar. Dus trok ze alleen zijn laarzen uit, tilde zijn benen op het bed en spreidde de deken over hem uit. Ze bond haar jurk weer dicht en verliet de kamer. Nadat ze had gecontroleerd of de gang leeg was, daalde ze af naar de gelagkamer.

In het schijnsel van twee kaarsen zat Goethe in zijn leunstoel. Toen hij Bettine zag, liet hij de komedie, waarvan hij maar een paar bladzijden had gelezen, langzaam zakken. Halverwege bleef ze staan en toen holde ze zonder een woord te zeggen naar hem toe, ging op zijn schoot zitten, sloeg haar zachte armen om hem heen en bleef zo met haar hoofd tegen zijn hart gedrukt zitten. Goethe liet het toe en liet haar loshangende haar door zijn vingers glijden. Stil, heel stil was het, en zodoende viel Bettine ten slotte tegen zijn borst in slaap. Terwijl hij haar in zijn armen hield, stond Goethe op en hij droeg haar als een slapend kind terug naar haar kamer, legde haar in bed en dekte haar toe, net als zij zojuist bij Arnim had gedaan.

7

Friedlos

In het grote boek van de geschiedenis der mensheid is geen hoofd-stuk leerzamer voor geest en gemoed dan de annalen van de men-selijke dwalingen. In Friedlos, een dorp met een poststation links van de Fulda, op drie Pruisische mijl van de Kurhessische grens en zes van Eisenach, waanden de vrienden zich al ver buiten bereik van de vijand en net zo veilig alsof ze op de binnenplaats van de Wartburg stonden. Voor de laatste keer had Boris de paarden ver-wisseld die de koets voor de avond naar Eisenach hadden moeten brengen, en iedereen zat na het korte ontbijt in het poststation alweer in het zadel. Maar Schiller wachtte nog even. Toen hij zijn voet op de treeplank van de koets zette, hoorde hij het woord 'Wartburg' vallen. Schiller draaide zich om naar degene die het had gezegd. Het was een reiziger uit Zweden, een jongeheer met vlasblond haar en een rood hoofd, die drie mannen op een bank voor het station met grote gebaren een verhaal vertelde.

'Een ogenblik, alstublieft,' zei Schiller tegen Bettine en de dauphin, die al in de koets zaten. 'Ik wil toch even horen wat die Zweed te vertellen heeft.' Hij stapte af en ging bij de mannen staan. 'Mijn-heer de Zweed!'

De Noorman draaide zich om naar Schiller, zichtbaar verheugd dat hij er nog een toehoorder bij had gekregen. Nadat ze zich aan elkaar hadden voorgesteld verklaarde de Zweed dat hij een culturele studiereis naar Italië maakte en dat hij hier gisteren – hij was op weg van Eisenach naar Fulda – was gearriveerd.

'Bent u ook op weg naar Eisenach?' vroeg de Zweed, en hij wierp een blik op Schillers gezelschap. 'Onder u bevindt zich geen Brit, mag ik hopen?'

'Hoezo?'

'Omdat eergisteren op de Wartburg 's nachts een vreselijke misdaad is gepleegd: twee Britse bezoekers werden neergestoken en haalden de ochtend niet, twee andere worden op dit moment in het ziekenhuis opgelapt. Het nieuws komt niet in de openbaarheid, omdat de instanties in Eisenach er naar ik aanneem alles aan doen om de moord geheim te houden, in deze tijd waarin de Europese naties elkaar zo angstvallig in de gaten houden.'

'Hoe komt u aan die wijsheid?'

'Ik weet er alleen van omdat het in mijn bedoeling lag op dezelfde dag Luthers toevluchtsoord te bezichtigen, en ik voor dichte deuren kwam te staan. In de algemene verwarring is het me toch gelukt bij een meisje – ze zag bleek als een vaatdoek – informatie over het bloedbad in te winnen. Schokkend, nietwaar? In hetzelfde huis waar ooit de duivel aan de grote reformator is verschenen. Het is te vrezen dat hij de Wartburg die nacht weer heeft bezocht. *Herren må beskydda oss alla!'*

'Is er iets bekend over de daders?'

De Zweed schudde zijn hoofd. 'Helemaal niets, en over de reden van hun daad al evenmin. Ik neem aan dat die er allang vandoor zijn. Ik had zelf ook niets meer in de stad te zoeken.' Toen huiverde de Zweed. 'Wat zei u, doctor Ritter, u was onderweg naar Eisenach?'

'Nee. Ons reisdoel is Hannover.'

Nadat hij afscheid had genomen van de andere reizigers, ging Schiller terug naar de berline. Hij stapte echter niet in de koets, maar ging naast Boris op de bok zitten en fluisterde: 'We nemen de Göttinger Straatweg. Doe wat ik zeg. Ik leg het later wel uit.'

De vier ruiters waren verrast dat de koets een mijl verder, waar de wegen kruisten, niet naar het oosten maar naar het noorden reed, maar na één blik van Schiller volgden ze de koets zonder verdere vragen. Toen ze na een kwartier het bos in reden, beduidde hij Boris de paarden een overwoekerde kolenbrandersweg in te mennen, die eindigde bij een ingestorte houten brug over een beek.

'Sir William is geëlimineerd,' sprak Schiller, en hij sprong van de bok. 'De mannen die Karl onder hun hoede zouden nemen zijn dood of gewond.'

Dat bericht had een verlammende uitwerking op de anderen; als stenen standbeelden van reeds lang overleden veldheren zaten ze op hun paarden.

'Het spijt me dat ik geen beter nieuws voor jullie heb, en dat ik over het slechte nieuws niet duidelijker kan zijn. De Zweed met wie ik heb gesproken wist zelf ook niet meer.'

'Zou men ons vanaf Mainz hebben gevolgd en ingehaald?' vroeg Humboldt. 'Of zijn er in Eisenach zelf tegenstanders van onze campagne?'

'Vandaag rijden we niet naar Eisenach, zoveel is zeker,' zei Goethe. 'Ik stel voor dat we ons hier verborgen houden, en dat er ondertussen een verkenner naar Eisenach rijdt en probeert uit te zoeken wat er op de Wartburg werkelijk is gebeurd.'

Meteen bood Kleist zich voor de opdracht aan, maar Goethe liet zijn keus wederom op Humboldt vallen, omdat deze sir William en zijn officieren kende. Nadat Goethe hem op het hart had gedrukt voorzichtig te zijn, ging Humboldt meteen op weg naar Eisenach. Het enige wat de anderen de verdere dag konden doen, was verborgen in het bos zijn terugkomst afwachten. De paarden werden afgetuigd en naar de beek gebracht om ze te drenken. Goethe vroeg Arnim en Kleist de uniformen van de nationale garde, die ze tot dan toe hadden bewaard, een eindje verderop te begraven, zodat ze later noch bij de Duitse douane, noch bij de Fransen argwaan zouden wekken. Maar de Franse musketten bleven in de koets. Van een van de blauwe uniformen sneed Goethe een knoop af om die, zei hij, in zijn muntenverzameling als aandenken te bewaren.

Vlak na het invallen van de duisternis kwam Humboldt terug. Zijn paard had schuim om de mond en zijn ogen stonden glazig, en het dier zag eruit alsof het dood zou zijn omgevallen als het ook maar één mijl verder had moeten draven. Boris nam het direct onder zijn hoede. Maar ook Humboldt was volkomen uitgeput en kon nauwelijks nog op zijn benen staan, en toen hij zijn leren handschoenen uittrok, bleken zijn vingers vuurrood te zijn van het trekken aan de teugels. Bettine bracht hem water, de dauphin sloeg een deken om hem heen en Kleist masseerde zijn verkrampte nek. Iedereen popelde om zijn verslag te horen, want als er geen reden tot bezorgdheid was geweest, had Humboldt vast niet zo snel gereden.

'Doe eindelijk je mond eens open, Alexander,' zei Schiller, 'laat ons weten wat we moeten vrezen en wat we mogen hopen!'

'Veel van het een. Weinig van het ander.'

'Wees duidelijk! Was je op de Wartburg?'

'Ik hoefde niet naar de Wartburg te gaan om onze ergste vermoedens bevestigd te zien. In de stad kwam ik de Beierse capitaine uit Mainz al tegen.'

'Nee, dat kan niet!' riep Schiller. 'Onmogelijk, dat kun je niet menen! Santing, die bloedhond, in Eisenach, en hij leeft nog?'

'Hij is net zo levend als jij en ik.'

'Een hallucinatie uit de hel! Hij kan het niet zijn, ik kan en wil het niet geloven! Die man is ontploft en verdronken!'

'Het een noch het ander. Hij schijnt een oog verloren te hebben, want hij droeg een ooglap over zijn rechteroog en eronder zat een bruine korst.'

De groep zweeg verbijsterd. Alleen het hoesten van het afgebeulde paard en het klaterende beekje doorbraken de stilte.

Goethe zei: 'Zo gaat dat met schurken. Voor je er erg in hebt, staan ze weer overeind.'

Daarop vertelde Humboldt hoe hij in Eisenach was aangekomen en dat het nieuws van de gebeurtenissen op de Wartburg de stad beneden inderdaad niet had bereikt, want het leven leek zijn gewone gang te gaan. Humboldt wilde juist de markt oversteken, de teugels van zijn paard in de hand, toen hij Santing ontwaarde, die samen met een andere man recht op hem afliep. De twee droegen onopvallende kleren en geen zichtbare wapens. De capitaine zou Humboldt zeker ook hebben herkend, maar de ooglap moet hem het zicht hebben belemmerd. Snel verschool Humboldt zich achter zijn paard en toen ze elkaar waren gepasseerd, volgde hij beide mannen op eerbiedige afstand naar een herberg in de Georgenstraat. Voor de herberg spraken ze met een derde man – in het Frans of in het Duits, dat kon hij van die afstand niet horen.

'En dat is bij lange na niet alles,' ging Humboldt verder, 'want in zijn hand had Santing een wandelstok, die zijn vermomming als rechtschapen burger completeerde. Een wandelstok, met als knop een leeuwenkop uit ivoor.'

'Moge hij duizend doden sterven! Zo'n stok had...'

En Goethe voltooide de zin die Schiller was begonnen: '... sir William Stanley.'

'Gif, pest en verrotting!' vloekte Kleist, en hij trapte woedend een dode tak doormidden. 'Daar kan een gewone sterveling niet bij!'

Terwijl Humboldt zijn dorst leste en Kleist verder tierde op de bosgrond, wilde Arnim Bettines hand pakken, maar ze ging hem uit de weg en kruiste haar armen op haar borst. Louis-Charles keek bleek de kring rond.

Schiller ging hoestend op een bemoste rots zitten, en sprak met zwakke stem: 'Naar het zich laat aanzien, is dit het keerpunt in ons avontuur.'

'Hoe kan Santing hebben geweten waar we heen wilden?' vroeg Arnim, maar daarop had niemand een antwoord. 'Wie heeft hem op het spoor van de Engelsen gebracht, en hoe kon hij sir William vermoorden en ontsnappen?'

'Dit keer voelde u kennelijk niet dat we werden gevolgd,' zei Goethe tegen Schiller. 'Laat uw intuïtie u in de steek, beste vriend?'

'Om heel eerlijk te zijn, mijnheer Von Goethe, voel ik sinds Mainz net zo sterk dat ik word gevolgd als daarvoor, aan de andere kant van de Rijn. Maar tot vanochtend leek het me een dwaze gedachte en ik wilde de algehele feestvreugde niet bederven met cassandravoorspellingen. U kunt erop rekenen dat ik in de toekomst geen van mijn vermoedens zal verzwijgen.'

Goethe knikte. 'Goed, vrienden. Laten we over deze complicatie niet in paniek raken. Mijnheer Von Kleist, misschien kunt u het struikgewas even met rust laten en zich weer bij ons voegen.' Nadat Kleist nog een laatste tak doormidden had gestampt, deed hij wat er van hem verlangd werd.

'Voorlopig kunnen we niet naar Eisenach, zoveel is duidelijk,' verklaarde Goethe. 'We kunnen hier wachten tot de hertog in de stad is gearriveerd om de zaak tot op de bodem uit te zoeken, want dat zal hij zeker doen.'

'Hier kan de prins niet blijven,' wierp Schiller tegen. 'Hier niet, en nu al helemaal niet. Als we niet in zijn web lopen, zal die spin van een Santing het binnenkort verlaten en naar ons op zoek gaan.'

'Daar ben ik het geheel mee eens, mijn vriend. Alleen in Weimar zijn Karl en wij volkomen veilig voor de ons achtervolgende Fransen.'

'Maar als we naar Weimar willen, moeten we door Eisenach. Er leidt geen andere weg naar Weimar.'

Nu nam Kleist het woord. 'Dit vraagt om daden en niet om complotten! Wat is er tegen een open *bataille*? Ik ben voor heel het Franse leger nog niet bang! We hebben het voordeel van de verrassing, we bezitten wapens en munitie genoeg en hebben in Mainz een heel garnizoen verslagen! We moeten dat roversgespuis uit Duitsland verdrijven, nu of nooit, of onze gewassen met hun bloed doordrenken! We hebben de schoft al van één oog beroofd, als het aan mij ligt beroven we hem ook van de rest.'

'Dat u stoutmoedig bent lijdt geen twijfel, mijnheer Von Kleist, maar uw wil lokt nog geen daden aan en uw moed stelt zich de slag ongetwijfeld gemakkelijker voor. Laten we niet vergeten dat onze gastvoorstelling in Mainz op een haar na is uitgelopen op een drama. Wie weet of Fortuna ons ditmaal opnieuw gunstig gezind is? En wie kan zeggen hoeveel Franse soldaten Santing Duitsland heeft binnengeloodst? We leven maar één keer, dus laten we het noodlot niet tarten.'

'We kunnen niet verder, we kunnen niet hier blijven, wat dan?'

Goethe haalde een van de kaarten die Voight hem had meegegeven uit de koets en vouwde hem uit op de bosgrond. 'We gaan via
een omweg naar Weimar,' zei hij. 'We beschrijven een boog die zo
groot is dat we om Santings web heen rijden. Ofwel via het zuiden,
onderlangs het Thüringer Woud door Beieren...'
'Naar de ontaarde Beier, dat nooit! Naar de meest zelfzuchtige
Duitse vorst, dat nooit! Dan liever meteen terug naar Frankrijk!'
'Heinrich heeft gelijk,' zei Schiller. 'In het hele Duitse Rijk is er
geen trouwere aanhanger van Bonaparte dan de keurvorst. Nog
daargelaten dat Santing zelf uit Beieren afkomstig is.'
'Dus verder rechtuit, over Pruisen en Saksen terug naar Thüringen, en dan van het noorden uit naar Weimar.'
De halve cirkel die Goethes vinger op de landkaart beschreef van
hun huidige positie tot aan Weimar, vond algemene instemming
en ook werd men het erover eens die nacht door te rijden, omdat
de paarden vanwege de lange rustpauze nog fris waren.
Terwijl ze de zadels een voor een op de paardenruggen tilden, zei
Arnim: 'Heer geheimraad, ik zou nu graag willen terugkomen op
uw aanbod om ons twee paarden ter beschikking te stellen om daarmee terug te keren naar Frankfurt. Bettine en ik moeten hier om
voor de hand liggende redenen afscheid nemen van het gezelschap.'
Bettine, die juist de riemen van haar zadel vastmaakte, was door
deze mededeling nog meer verrast dan de anderen. Zonder een
woord te zeggen pakte ze Arnim bij de hand en liep met hem naar
de beek, en ze gingen in de schaduw van de zwarte, bemoste balken van de voormalige brug staan.
Maar voor ze iets kon zeggen, begon hij: 'Bettine, het is genoeg.
Hou maar op met fronsen, het staat je niet en het brengt me echt
niet op andere gedachten. Je bereikt er niets mee. We keren terug
naar Frankfurt, dat is een uitgemaakte zaak. Je hebt me je woord
gegeven. Ik moet nu al vrezen dat Clemens mijn gezicht met zijn
degen zal openhalen vanwege al die schelmenstreken waarvoor ik
je niet heb behoed. En ik zal zeker niet toelaten dat je dwars door
Duitsland vlucht, achtervolgd door bloeddorstige Fransen die
niets liever willen dan ons vernietigen. Ik heb mijn portie lood al

gehad,' zei hij terwijl hij zijn hand op zijn doorboorde dijbeen legde, 'ik heb al gegeten en gedronken, en geen behoefte aan een toetje.'

'Dus je wilt de anderen aan hun lot overlaten? De heren Goethe en Schiller zijn niet jong meer.'

'Oude mensen móéten sterven, jonge mensen kúnnen sterven. Dat is het verschil. Niemand heeft ze gedwongen om dit te ondernemen. En ik ben zeer zeker niet hún beschermer, maar die van jou. We gaan terug naar Frankfurt.' Met deze woorden pakte hij Bettine bij de arm om haar naar de paarden te brengen, maar ze rukte zich los en rende weg langs de beek. 'Bettine!'

Zijn kreet trok ook de aandacht van de vrienden bij de koets. 'Achim, is alles in orde?' klonk het door het bos.

'We zijn zo bij jullie,' antwoordde Arnim, en hij rende Bettine achterna.

Toen hij haar vond, klom ze tot zijn grote verbazing net een iep in. Arnim sprong naar voren om haar voet nog te kunnen pakken, maar die trok ze bijtijds omhoog. Vanaf een tak een flink stuk boven de grond keek ze demonstratief in de verte, haar rug tegen de stam geleund.

Arnim slikte in wat hij eigenlijk had willen zeggen, en vroeg: 'Hoe is de lucht daar boven?'

'Vrij.'

'Ik kan onder je rok kijken.'

'Hartelijk gefeliciteerd.'

'Bettine, de anderen wachten op ons. Je bent geen eekhoorntje, kom naar beneden voordat je valt.'

Bettine gaf geen antwoord. Ze keek niet naar Arnim maar naar de toppen van de kale bomen boven haar.

'Je bent verblind,' zei Arnim. 'Kennelijk weet je zelf niet meer wat je nodig hebt.'

'Ik weet wat ik nodig heb! Wat ik nodig heb, is dat ik vrij blijf!'

Verlegen peuterde Arnim een stukje schors van de stam. 'Wat kan ik doen om je weer beneden te krijgen, zonder een bijl te gebruiken?'

'Achim, begrijp me toch,' zei ze zacht, 'het is me niet om de dauphin of de heren Schiller en Goethe te doen, maar in de eerste plaats om jou. Ondanks alle gevaren zijn dit de mooiste dagen die ik ooit met je heb doorgebracht, en ik zou willen dat het altijd zo verderging. In Frankfurt zal alles weer zijn brave burgerlijke gangetje gaan; we zullen nooit alleen zijn, nooit onbespied. Denk aan onze nacht in De Zon.'

'Liever niet. Tot mijn schande ben ik op de drempel naar het paradijs in slaap gevallen.'

'Maar de volgende keer zul je wakker blijven, en die volgende keer komt er, niet in Frankfurt, maar hier, als we vrij blijven,' fluisterde ze, en ze keek met haar donkerbruine ogen naar hem omlaag. 'En ik zweer je, Achim, het wordt paradijselijk.'

Een kwartier later reden Achim von Arnim, Bettine Brentano en hun metgezellen over de Göttinger Straatweg naar het noorden.

Nog lang voor de ochtend zag Schiller, die op de bok van de koets zat, ver achter zich een dansend lichtje op de weg. Met een klap op het dak wekte hij Goethe, die samen met Louis-Charles in de koets aan het slapen was, en wees hem wat hij zag.

'Een dwaallicht misschien?'

'Dat zigzagt meestal. Dit is geen dwaallicht.' Goethe zocht in Humboldts bagage naar diens verrekijker en gaf hem door het raam aan Schiller om het raadsel van het licht te ontsluieren, zo goed en zo kwaad als dat ging op de hotsende koets.

'De rampen volgen elkaar op,' zei Schiller toen hij de verrekijker liet zakken. 'Boris, doof de lantaarns. Het zijn ruiters.'

'Hoeveel?'

'Dat kan ik niet zeggen. Minstens een half dozijn.'

"Nondeju nog an toe. Dat is toch niet...'

'Wie anders zou het kunnen zijn, in het holst van de nacht, in wilde galop? De elfenkoning en zijn vrouw?'

'Die zouden me bijna nog liever zijn dan die vervloekte bloedhond uit Ingolstadt. Dat is onmogelijk! Of op zijn minst onverklaarbaar! Hoe weet hij dat we hier zijn, en hoe komt hij zo snel uit Eisenach hiernaartoe?'

Schiller vroeg Boris de paarden de sporen te geven. Louis-Charles, die nu ook wakker was geworden, stelde voor in Eschwege bescherming te zoeken bij de politie of in een kazerne, maar Goethe bracht daartegenin dat het risico te groot was dat ze in handen van bonapartisten zouden geraken, of gewoonweg voor gek werden verklaard. En als de Engelse dragonders, de beste van Zijne Majesteit, in een vesting als de Wartburg al niet veilig waren, waarom zou de dauphin het dan in Eschwege wel zijn?

In plaats daarvan wilden ze hun achtervolgers – als het ook werkelijk achtervolgers waren – met de koets, die het gezelschap toch al in zijn voortgang belemmerde, als lokaas op een dwaalspoor brengen en hen over de straatweg naar Göttingen lokken, terwijl de vrienden naar het oosten zouden reizen, naar Pruisen, wat voor de Fransen vijandelijk gebied was. Onder het rijden werd de meest noodzakelijke bagage over de zadeltassen en de rugzakken verdeeld, en de Franse geweren werden in een deken gerold, met uitzondering van één, die de Russische koetsier bij zich hield.

In de ochtend arriveerden ze in Eschwege, maar van de vreemde ruiters geen spoor. Toch namen ze meteen afscheid van Boris en drukten hem op het hart zich het vege lijf te redden als hij zou worden ingehaald. In het posthuis schaften ze met het geld uit Weimar de drie krachtigste paarden aan, zonder op de prijs te letten: een zweetvos met een bles, een kastanjebruin en een bont paard met zwartgele vlekken; paarden als herten, die eruitzagen alsof ze hen desgewenst naar Polen zouden dragen. De zeven ruiters gebruikten op hun paarden een sober ontbijt. Even later kwamen ze bij de Pruisisch-Hessische grens aan; met Pruisische nauwgezetheid werden ze door de douaniers ondervraagd en werden hun passen gecontroleerd. Hun bescheiden bagage werd door een controleur nauwgezet op Franse artikelen onderzocht. Het was uitsluitend aan de perfecte vrijgeleiden van de kanselarij van Carl August te danken dat de zeven toestemming kregen ook al hun wapens in het koninkrijk in te voeren. Na een kwartier werd de slagboom geopend en weer achter hen gesloten, en het was te hopen dat hij voor hun achtervolgers, voor het geval ze hen en niet de koets waren gevolgd, gesloten zou blijven en de klopjacht daarmee beëindigd zou zijn.

Tegen de middag, in Eichsfeld, kwam Kleists paard ten val – een van de Franse, dat sinds de vorige avond ononderbroken had gedraafd – en de berijder belandde onzacht in de berm. Afgezien van een blessure bleef Kleist ongedeerd, maar van het paard was het voorste been zo ongelukkig geknikt dat het alleen nog kon hinken. Hoe ongelukkig deze gebeurtenis ook was, de onderbreking vormde een meer dan noodzakelijke pauze voor mens en dier. De vrienden dronken, masseerden hun beurse ledematen en lieten de dieren grazen. Schiller pakte Humboldts messing verrekijker weer en zocht de horizon af. Arnim kwam bij hem staan.

'Ik geloof dat we ze hebben afgeschud. Denk je ook niet?'

'Nee.'

'Grapje?'

'Nee. Bittere ernst.' Schiller wees naar een stofwolk achter een paar heuvels, die verried dat er ruiters in aantocht waren. 'Hij volgt ons onvermoeibaar op alle kronkelwegen van onze vlucht.'

'Donder en bliksem!' vloekte Kleist. 'Zo hardnekkig volgt zelfs een uitgehongerde wolvin haar prooi niet. Hoeveel slagbomen zijn er eigenlijk nodig om die ellendelingen de weg te versperren, hoeveel bruggen moeten we onder hun kont opblazen! Als ik omkijk, zie ik steevast twee dingen: mijn schaduw en hen!'

Ook Goethe schudde ontdaan het hoofd. 'Valt er soms bij elke stap van ons een druppel bloed op het pad? Hoe is het anders mogelijk dat die man ons als een losgelaten speurhond op het spoor blijft? Ik zou wel eens willen weten aan welke duivel hij daarvoor zijn ziel heeft verpand!'

Arnim en Bettine stegen nu op het sterkste van de drie verse paarden, terwijl Kleist Bettines paard kreeg en Kleists gewonde paard door Humboldt met een zweepslag werd weggejaagd. In galop bespraken ze, luid roepend om boven het hoefgetrappel uit te komen, hoe ze uit deze noodsituatie konden ontsnappen. Kleist wilde vanaf een strategisch punt langs de weg het vuur op de Fransen openen. Humboldt stelde voor de groep in tweeën te splitsen, in de hoop dat Santing achter de verkeerde aan zou gaan. Maar ten slotte werden de metgezellen het erover eens zonder te rusten of te stoppen met de paarden door te rijden tot deze totaal uitgeput zouden zijn, maar in elk geval tot het donker werd, om daarna te voet verder te gaan en alle wegen te mijden, terwijl een van hen met de paarden zijn weg zou vervolgen om de hardnekkige capitaine met de hoefsporen in het stof van de straatweg van de anderen weg te lokken – een list die de tweede keer hopelijk wel zou slagen.

Achter hen ging de zon onder, maar als een van hen een blik over zijn schouder wierp, was het niet om van het avondrood te genieten, maar om te controleren of de afstand tussen hen en hun achtervolgers toe- of afnam. Hoewel de ruiters werden geplaagd door honger en dorst, vermoeidheid en gewrichtspijnen, stond niemand zichzelf toe daarover te klagen. In het donker staken ze de rivier de Unstrut over, en in het bos erachter stegen ze eindelijk af. Louis-Charles viel op de grond omdat zijn benen hem na de lange rit niet meer wilden dragen en bleef daar liggen. Ook Humboldt en Bettine gingen op hun rug in het gras naast de weg liggen. Ieder van hen voelde een loodzware vermoeidheid.
'Wie heeft gezegd dat jullie kunnen gaan slapen?' vroeg Schiller. 'Nog even volhouden, anders worden jullie straks in je slaap gewurgd.'
Het water in de waterzakken was op en er was geen beek in de buurt. Hun mond zat vol met het stof van de weg, en slikken deed pijn. De vrienden pakten de zaken die nog in de zadeltassen zaten over in hun rugzakken, en de Franse musketten werden samen met de bajonetten onder de mannen verdeeld. Kleist laadde beide pistolen, want zijn taak was het met de paarden het dwaalspoor uit te zetten en zich daarna, indien mogelijk, weer bij de anderen te voegen. De teugels van de paarden werden zodanig aan elkaar geknoopt dat Kleist ze met één hand kon leiden. Hij klom op de rug van het bonte paard, nam snel afscheid en stoof er toen vandoor. De anderen hesen de bagage, de dekens en de wapens op hun rug en volgden Humboldt het bos in dat links van de weg lag, steeds verder van hun eigenlijke reisdoel, Weimar, vandaan. Hoe-

wel Humboldt algauw een wildwissel vond, wat het gemakkelijker maakte door het struikgewas heen te komen, was hun wandeling bij nacht en ontij een beproeving. Onophoudelijk sloegen er takken, die in het donker niet waren te onderscheiden, in hun gezicht, en omdat ze hun voeten nauwelijks nog konden optillen van vermoeidheid, struikelden ze regelmatig over wortels en stenen. De dieren in het bos hieven een dissonante klaagzang aan toen de wandelaars hun rust verstoorden. Ze vonden geen bron, alleen een poel met bedorven water, waarmee ze hun dorst niet konden lessen. Humboldt, die voorliep, was doof voor het herhaalde verzoek eindelijk te stoppen, maar uiteindelijk ging hij door de knieen en bekende hij geen stap meer te kunnen verzetten, al zou de hel alle legioenen verdoemde geesten op hem afsturen.

Op deze plek zouden ze dus moeten overnachten, maar niemand nam de moeite een slaapplaats in te richten. Hoewel er nachtvorst dreigde, sloegen de metgezellen zo snel mogelijk hun dekens om zich heen, en de vermoeidheid deed de rest. Arnim had aangeboden de eerste wacht voor zijn rekening te nemen, maar nadat hij had gecontroleerd of iedere slapende warm genoeg was ingepakt en hij in zijn eigen deken gehuld tegen een beuk zat, dommelde ook hij in, nog voordat de uil driemaal had geroepen.

Zonder ontbijt gingen ze de volgende ochtend verder naar het noordwesten. Ze reisden ver buiten de wegen, en als ze de beschutting van het bos verlieten om een veld of een weiland over te steken, deden ze dat voorzichtig en snel, zoals eerder in de door Frankrijk bezette Hunsrück. Ze meden elke nederzetting; slechts eenmaal stuurden ze Arnim naar een herenboerderij om een brood en een stuk kaas te kopen. Toen hij terug was klaagde hij erover dat je je nu ook al thuis in Pruisen voor de vijand moest verstoppen.

Aan de hand van de aanwijzingen die Humboldt hem had gegeven, voegde Kleist zich 's middags bij hen. Hij was tot vlak voor Langensalza doorgereden en had daar de paarden bij een paar andere gezet, die aan de kant van de weg stonden. De eigenaar zou ongetwijfeld blij zijn met de onverwachte uitbreiding. Eén paard had hij gehouden om daarmee weer naar het gezelschap te rijden. Het ongelukkige dier was door de helse rit, die twee dagen en twee nachten had geduurd, zo uitgeput dat het bewusteloos op de grond zakte zodra Kleist uit het zadel was gestapt. Een ingeving volgend had Kleist zich vlak naast de weg verborgen en na verloop van een uur galoppeerden er inderdaad een paar ruiters langs; het waren er echter maar twee, en het was zeker dat Santing zich niet onder hen bevond. Maar toen Kleist de beide mannen beschreef, die volgens hem tot de tanden waren bewapend, kon Humboldt de ene ruiter identificeren als de man met wie de capitaine voor de herberg in Eisenach had gesproken. Het viel dus nauwelijks te betwijfelen dat hun achtervolgers zich hadden opgesplitst en dat er slechts twee het valse spoor waren gevolgd. Maar waar de anderen zich bevonden, met name Santing, was een raadsel. Het enige wat met zekerheid viel te zeggen, was dat ze nog altijd niet veilig waren.

Omdat ze niet eeuwig wilden vluchten en omdat in deze eenzame streek geen steden van betekenis voorkwamen waar ze om hulp konden vragen, stelde Goethe voor naar onherbergzaam, onbewoond gebied te gaan, desnoods hoog de Brocken op, om Santing definitief af te schudden of hem, mocht hij hen blijven volgen, met kruit en lood op te wachten. Hij vouwde de veel geraadpleegde kaart nog eens uit. Onder zijn handen viel deze in vier gedeelten uiteen, en hij moest de stukken eerst op de grond bij elkaar leggen. Drie bergruggen leken zich bij uitstek te lenen voor hun doel: de Hainleite, de Harz en de Kyffhäuser. Ze kozen voor de laatste, die tussen de twee andere in lag. Dertig jaar eerder was Goethe met de hertog door de heuvels van het Kyffhäusergebergte gereisd, en het was niet uitgesloten dat Carl August zich dat zou herinneren en hem daar zou gaan zoeken. Bovendien hoopten ze dat de Fransen hen daar niet zouden vinden en dat hun achtervolgers, omdat ze zich niet eeuwig in het Pruisische koninkrijk konden verbergen, of liever in het vorstendom Schwarzburg, waarin zich het Kyffhäusergebergte bevond, met lege handen zouden vertrekken. Mocht het nodig zijn dan konden ze nog altijd iemand uit de groep als koerier naar de hertog in Weimar sturen.

Het was nog ruim een dag reizen naar de Kyffhäuser, en de vrienden moesten nog een nacht in de openlucht doorbrengen op de harde, bevroren bosgrond, wat tot gevolg had dat niet alleen Schillers hoest erger werd, maar ook de neuzen van Bettine en Goethe verstopt raakten. Kleist had in een ongemakkelijke positie op een ruwe steen gelegen, zodat zijn nek de ochtend daarop zo stijf was dat hij zijn hoofd maar één kant op kon draaien, en Arnim had zich zo ongelukkig verstapt dat zijn enkel dik werd en de anderen zijn laars snel open moesten snijden om zijn rode, gezwollen voet te bevrijden. Toen hij op zijn sokken verder strompelde, sprak hij zijn verwijt aan Bettine niet uit, maar het stond duidelijk op zijn gezicht te lezen.

Het geluk liet hen echter niet in de steek. Aan de voet van de heuvels van de Hainleite vond een ontmoeting plaats die iedereen in een beter humeur bracht: ze kruisten het pad van een reizende koopman, die over de slechte weg met paard en wagen van dorp naar dorp trok. Toen hij het zwaarbewapende gezelschap zag, dacht de arme man aanvankelijk dat hij in een hinderlaag van rovers was gelopen. Des te groter was zijn opluchting toen bleek dat hij met bemiddelde klanten te maken had. Snel opende hij de luiken van zijn wagen en stalde zijn inventaris voor de zeven klanten uit, en die namen alles mee wat hun rugzakken konden dragen en wat de komende dagen in de wildernis van pas kon komen: twee solide linnen tenten, vilten dekens, tondel, kaarsen, lampen, pektoortsen, een bijl, zeep, een paar pannen, borden en bestek; brood, meel, gort, aardappelen, ham, worsten, kaas, appels, rijkelijk cichorei, evenals een groot aantal flessen wijn en brandewijn; verder nieuwe kleren voor de dauphin en nieuwe laarzen voor Arnim. Ook Bettine stond erop haar haveloze jurk, die zo vaak aan het kreupelhout was blijven hangen dat de zoom aan flarden hing, eindelijk door een broek te vervangen. Ze kocht een grijze broek, een geel vestje en een bruine overjas. Ze kleedde zich achter de wagen om. Maar omdat ze klein van stuk was, was alles te lang en te wijd, alsof ze de kleren op een rommelmarkt had aangeschaft. De koopman lachte en zei dat ze eruitzag als een jongetje uit Savoye en als zodanig goede diensten kon bewijzen. Humboldt deed haar een muts van vossenbont cadeau met een vossenstaart aan de achterkant, en verzekerde haar dat ze met deze uitrusting niet alleen tegen de Duitse maar ook tegen de Amerikaanse wildernis was opgewassen. Bij het afscheid wilde de dankbare handelaar de reisgenoten allerlei snuisterijen als bonus meegeven, maar Schiller weigerde beleefd en verzocht alleen om geheimhouding.

's Avonds ontvouwde de reusachtige Kyffhäuser zich voor hen in de schemering; hij rustte op de avondnevel in het dal als een slapende zwarte kater, opgerold op een witte deken. De bergen waren lager dan die van de Hunsrück, en het gebied was veel kleiner dan het Thüringer Woud, maar toch was het beklemmender; een woeste, ongastvrije bergrug, die de mensen slechts aan zijn voet duldde. De zeven reizigers hielden halt en bekeken de berg. Hoewel ze het op dat moment niet konden vermoeden, was dit de plaats die gedurende de komende vierentwintig dagen hun toevlucht en thuisbasis zou zijn, een oord waarvan zij niet zouden terugkeren zoals zij erheen waren gegaan. Niemand sprak, maar menigeen huiverde, en weet het aan de kille avond.

Boven hun hoofden vloog een zwerm raven naar de Kyffhäuser, en het gezelschap volgde hen.

8

De Kyffhäuser

Met zijn snuit wroette het wilde zwijn in de grond, op zoek naar zijn ontbijt. Toen hij een paar eikels van vorig jaar had gevonden, zijn kop ophief en kauwend om zich heen keek, haalde Bettine de trekker van de kruisboog over. De pijl kwam in de kop van het dier terecht en bleef achter zijn oor steken. Een stuiptrekking trok door zijn lichaam en hij krijste luid. Versuft keek de keiler om zich heen, maar hoe wild hij ook met zijn ogen rolde, hij kon de pijl niet zien, dus rende hij rond, heftig met zijn kop schuddend alsof hij aan een lastig insect in zijn nek wilde ontsnappen. Bettine was zo gefascineerd door het tafereel dat Schiller de kruisboog uit haar handen trok om snel de pees te spannen voor het volgende schot.

Maar nu hoorde het everzwijn het knarsen van het spanmechanisme en het rende onmiddellijk op de struiken af waarin Schiller, Bettine en Karl zich hadden verborgen, met een woedende blik en de slagtanden gereed om toe te slaan. Schiller wierp de kruisboog weg en greep naar zijn wandelstok om de aanval te pareren. Bettine sprong opzij. Schiller liet het dikste eind van de stok op de schedel van het dier neerdalen, maar de slag had geen enkel effect. Schiller vluchtte achter de stam van een eik. Het razende dier achtervolgde hem en rende de ene keer links, de andere keer rechts om de boom heen, maar het kreeg Schiller niet te pakken. Bettine had haar hartsvanger getrokken en naast Schiller op de grond gegooid, en ze had zelf de haan van het pistool gespannen en aangelegd, hoewel het de afspraak was dat er alleen in het uiterste geval mocht worden geschoten.

Tijdens de genadeloze rondedans om de eik kwam Karl naderbij geslopen, een zelfgesneden speer van berkenhout in de hand, en met een aanvalskreet dreef hij het hout in de flank van het everzwijn. Het beest draaide zich om naar zijn nieuwe tegenstander, maar Karl liet zijn speer niet los en hield het zwijn ermee op afstand, terwijl de wond steeds verder inscheurde. Maar het dier was zo sterk dat de speer ten slotte brak. Het langste stuk bleef in de romp van het everzwijn achter, net als voordien de pijl. Nu rende het dier Karl omver, maar die stond meteen weer op zijn benen en ging ervandoor. Tot zijn geluk kreeg hij een laaghangende tak te pakken en kon zich eraan omhoogtrekken, buiten reikwijdte van het briesende, moordlustige beest.

Schiller had Bettines hartsvanger opgeraapt. Met één sprong was hij achter het beest, zette de kling op zijn keel en haalde deze omhoog. Schillers arm werd gegrepen door een slagtand van het everzwijn, zodat zijn hemd scheurde en het mes uit zijn hand werd geslagen, maar de strijd was gestreden: toen Schiller opnieuw wegrende, kwam het dier hem niet meer achterna. Uit de hals van de ever spoot het warme bloed op de koude bosgrond, tot hij geheel in opstijgende nevelen was gehuld. Hij keek naar Schiller, vervolgens nog eens zwaar ademend naar Bettine, zette nog een paar wankele stappen vooruit en achteruit, en zakte toen op de dorre bladeren ineen en blies zijn laatste adem uit.

Bettine hield tot het laatste moment haar pistool op het beest gericht. Nu ontspande ze de haan en liet het wapen zakken. Karl sprong van zijn veilige tak naar beneden. Schiller inspecteerde de scheur in zijn hemd en de blauwe plek aan de binnenkant van zijn elleboog.

'De volgende keer jagen we op konijnen,' zei hij. 'Een aangeschoten ever is tot heel wat in staat! Aan dit zwijn zit meer vlees dan we ooit op kunnen.'

Karl liep naar het dier toe. In het egale grijs van de ochtendschemering lichtte de bloedplas onwerkelijk purper op. Met enige moeite trok Karl de pijl van de kruisboog uit de schedel van het dier. 'Dat was een goed schot.'

'Goed? Goed, noem je dat schot?' vroeg Schiller lachend. 'Meesterlijk was het! Daarover zal men in de verre toekomst nog spreken! Alle respect, Bettine. Je bent waarlijk een moderne Atalante.' Met deze woorden gaf hij haar een klopje op de rug. 'En net als Atalante zul je als ereprijs de kop en de huid van dit wilde zwijn ontvangen als we ermee klaar zijn. Waar is mijn klopstok?'

Ze raapten bij elkaar wat ze tijdens het gevecht op het slagveld hadden verloren – Schillers knoestige stok, de kruisboog, de bebloede hartsvanger en Bettines muts van vossenbont – en bonden daarna de voor- en achterpoten van het zwijn om een dode tak. Toen aanvaardden ze de terugtocht naar het kampement. Aanvankelijk floot Schiller nog een jagersliedje, maar algauw had hij daar geen lucht meer voor. Zelfs over twee schouders verdeeld was het gewicht van de leeggebloede keiler zo enorm, dat ze hun tocht meer dan eens moesten onderbreken voor een pauze – de laatste op een heuveltop boven het kamp, vanwaar ze een overweldigend uitzicht hadden over bergen en dalen.

'Wees gegroet, berg, met je rood oplichtende top!' riep Schiller het ochtendgloren toe. 'En wees gegroet, zon, die hem zo lieflijk beschijnt!'

'Ik heb mijn hele leven nog nooit zoiets moois gezien.' Bettine zette haar bontmuts af en ademde diep in. 'Wat een heerlijke lucht! Als de dauw op de grashalmen ligt, als je de ochtendmist inademt en de geur van verse kruiden opsnuift... zo'n lucht, daar kan voor mij geen wijsheid tegenop.'

'En je zou hem voor geen parfum ter wereld willen ruilen, al is die nog zo knap samengesteld,' zei Karl instemmend.

Schiller knikte. 'Ach, het is goed om weer in de armen van de natuur te liggen en haar hart te voelen! Dat maakt me gelukkig.'

'En hongerig.'

'Dat klopt. Dus niet getreuzeld, laten we onze groep verrassen met dit enorme *petit-déjeuner*.'

[*189*]

Het kampement van de koningsrovers bevond zich op de zuidelijke helling van de Kyffhäuser, ongeveer halverwege dal en top in een kleine kom. Als een amfitheater was deze kom aan drie zijden omgeven door hellingen die zo stijl en rotsachtig waren, dat hij slechts via een enkel pad van bovenaf te bereiken was. Maar naar het dal toe liep de berghelling geleidelijk af en je hoefde maar een klein stukje te lopen om een indrukwekkend uitzicht te hebben op het dal en de Hainleite erachter, en natuurlijk op de weg ertussenin. Mochten hun achtervolgers daarover komen aanrijden, dan zouden de vrienden hen gemakkelijk op tijd kunnen ontdekken. Omgekeerd was het kamp van het dal uit niet te zien en naarmate de lente dichterbij kwam, zou de rijke natuur met haar bladerdak steeds betere bescherming bieden. Bij hun aankomst zaten er alleen nog knoppen aan de kale takken, nu, een week later, kwam hier en daar al het eerste groen tevoorschijn.

In het midden van het amfitheater, waar geen bomen groeiden, hadden ze de twee tenten opgezet. In de ene sliepen Bettine en Arnim, in de andere Schiller, de dauphin en Goethe. Kleist en Humboldt stonden erop onder de blote hemel te slapen, hoewel er eventueel nog plaats in de tenten zou zijn geweest, of onder een nabijgelegen overhangende rots die beschutting bood tegen de regen. Deze rots lag links van het kamp. Hij was ongeveer vier pas hoog en tweemaal zo breed. Je zou het bijna een grot kunnen noemen, als je niet na hooguit tien pas in het halfduister op de achterwand was gestuit. Er waren een paar gangetjes en spleten waar zich misschien een dier doorheen had kunnen wringen, maar een mens niet. Goethe had de spelonk vanwege het witte kalksteen schertsend de muzentempel genoemd, een benaming die algauw door de anderen werd overgenomen. Hier hadden ze hun wapens en het leeuwendeel van de voorraad opgeslagen, en hier was ook de plek voor het vuur, zodat het vuur en het brandhout niet nat zouden worden als het regende. Bovendien zou de rook op de open plek bij windstilte mijlenver te zien zijn geweest, maar onder de overhangende rots trok hij de scheuren van het kalksteen in en verdween daar, en bleef alleen het roet op het witte plafond achter.

Humboldt, die de muzentempel aan een diepgaand onderzoek had onderworpen, raadde hun af er langer dan nodig te blijven, want het kalksteen was bros en zat los, en een paar brokken steen op de grond en talloze kiezels getuigden van eerdere instortingen. Toen het jagerstrio terugkeerde, zat Arnim bij het vuur. Hij zette koffie en kookte een paar eieren die hij die ochtend bij een verkenningstocht uit vogelnesten had geroofd. Wanneer hij de eieren weer uit het kokende water moest halen, bepaalde hij door een vast aantal Onzevaders te bidden. Er werden nog een paar blokken hout extra op het vuur gegooid met het oog op het zwijn, dat Humboldt vakkundig vilde, van de ingewanden ontdeed en in stukken sneed. Een tijdlang was hij enigszins ontstemd over de lichtzinnigheid van de drie jagers, in het bijzonder over hun aanvoerder, Schiller. 'Kennelijk wisten jullie niet waarmee je je inliet,' sprak hij op berispende toon. 'Een volwassen keiler! Zo'n tegenstander is duidelijk een maatje te groot voor jullie, en jullie mogen van geluk spreken dat je er met een paar blauwe plekken van af bent gekomen.'

Arnim schudde alleen maar voortdurend zijn hoofd. 'Bettine gespietst door een wild zwijn! Goeie god, Clemens had me gevierendeeld.'

Maar de anderen waren, zeker na hun eerste hap wildbraad, vol lof over de gewaagde zwijnenjacht waarbij Bettine en de jonge prins zich zo kranig hadden geweerd. Ze zaten op twee omgevallen boomstammen die als bank fungeerden en Arnim sleepte voortdurend nieuwe stukken gebraden vlees aan van het vuur. Ze aten er brood bij en dronken koffie en water dat ze onder een van de rotsen hadden opgevangen.

Ten slotte begon de zon hen ook te verwarmen en Goethe rekte zich behaaglijk uit. 'Hier ben ik graag, en hier wil ik graag blijven,' zei hij. 'Hier zijn we net zo moeilijk te vangen als een muis op een graanzolder, en ik voel me hier al net zo goed. De opera, het toneel, de partijtjes, de banketten… dat alles zinkt in het niet vergeleken bij één enkele mooie dag onder de blote hemel op onze berg.'

Ze waren het allemaal met hem eens dat ze geen mooier toevluchtsoord hadden kunnen vinden. Vooral Bettine en Arnim genoten van het leven in de vrije natuur, en ook Schiller verlangde geen seconde terug naar zijn bed in de Esplanade. Hij was zelfs gestopt met zich scheren, evenals Arnim en Karl, en met hun baarden – die van Arnim zwart, die van Schiller rood en die van Karl blond – zagen de drie er zonder meer als rovers uit. Schiller beloofde ook zijn haar te laten groeien als adelaarsveren en zijn nagels als vogelklauwen, om zich geheel en al aan de wildernis aan te passen. Kleist stelde zich al voor dat ze een leven zouden leiden als edele wilden, zoals hun heldhaftige barbaarse voorouders uit Tacitus' tijd.

Weliswaar kon het best zijn dat capitaine Santing allang niet meer naar hen op zoek was en naar Frankrijk was teruggekeerd, maar het was net zo goed mogelijk dat hij nog altijd de vorstendommen uitkamde, en daarom waren de zeven het erover eens voor onbepaalde tijd in hun lieflijke toevluchtsoord op de Kyffhäuser te blijven.

Na het ontbijt trokken Schiller en Karl zich terug, zoals ze de laatste ochtenden steeds hadden gedaan. Op een klein stukje lopen van hun kom bevond zich boven een weiland aan de rand van het bos een donkere rots, die in de zon snel warm werd en vanwaar je een prachtig uitzicht had over het dal, tot aan Frankenhausen. Daar probeerde Schiller in dagelijkse gesprekken de dauphin voor te bereiden op het regentschap over Frankrijk. Het vooruitzicht de toekomstige heerser van het machtigste rijk ter wereld op te kunnen voeden had voor Schiller de doorslag gegeven bij zijn beslissing zich bij Goethes reis naar Mainz aan te sluiten, en nu kon hij dan eindelijk een eerste aanzet geven tot wat hij zag als de ideale, vooruitstrevende staat. Louis-Charles bleek een leergierige pupil te zijn en wat meer was: de jongeman aanbad Schiller, en hij volgde hem en hield van hem als een hond van zijn baasje, als een zoon van zijn vader. Karl was de koning van Frankrijk, maar Schiller was de koning van Karl.

Na die ongelukkige eerste ontmoeting werden de gevoelens van de anderen voor Karl steeds gekenmerkt door een hoffelijke distantie. Hoewel ze in het bos dicht op elkaar leefden, bleef die bestaan, want Karl was niet een van de hunnen: geen burger, geen dichter, geen Duitser. Achter hun rug staken ze mild de draak met de koning zonder kroon en zijn schoolmeester Schiller, hoewel ze wisten dat zijn invloed op Karl alleen maar van voordeel kon zijn en dat Karl na zijn ontberingen alle genegenheid van de wereld verdiende.

Terwijl Schiller op de rots hoog opgaf van de leer van Kant en Fichte en de parlementaire monarchie in Engeland, of van de democratie in de Amerikaanse staten, vroeg Karl onverwacht: 'Hoe moet ik ooit op de Franse troon terechtkomen? Wie wil me daar hebben?'

'Je vraag verbaast me. Alle volkeren van Europa willen je daar hebben.'

'Met uitzondering van de Fransen.'

'Met uitzondering van een páár Fransen, misschien.'

'De meerderheid zou me afwijzen.'

'De meerderheid? Wat weet de meerderheid? De meerderheid weet niets. Verstand tref je maar bij enkelen aan. Overschat de steun niet die Napoleon bij het volk geniet! De meerderheid is voor hem omdat de meerderheid altijd voor de heerser is. De meerderheid was voor je vader toen hij regeerde, ze was voor Robespierre, ze was voor Napoleon, en zal voor jou zijn.'

'Kan ik geen leuker koninkrijk dan Frankrijk regeren?'

Schiller glimlachte. 'Wel, het is heel wat gemakkelijker een koning voor een staat te vinden dan een staat voor een koning. Maar het moet Frankrijk zijn, Karl. Alleen Frankrijk kan Frankrijk overwinnen. Alleen Louis XVII kan Napoleon I ten val brengen.'

'Ik moet hem ten val brengen, maar hoe? Moet ik oorlog tegen mijn eigen volk voeren en met vreemde wapens mijn eigen land binnenvallen?'

'Er zal weinig bloed vloeien, misschien dat van een enkele man, een slachter die, God moge me mijn oordeel vergeven, niet beter verdiend heeft. Daar zullen je vrienden in Weimar en elders wel

voor zorgen.' Schiller legde zijn hand op de nek van de dauphin.
'Karl, ze zullen van je houden. De grootste koning worden van een
groot land, je hebt het zelf in de hand: als je leert van de successen
en de fouten van je voorgangers, als je het beste van de monarchie
met het beste van de republiek verenigt, als je het geluk van de
burgers met een groot koningschap kunt combineren, als je een
verlichte staat opricht, een werkelijk grote natie waarbij zelfs Engeland, het meest vrije volk ter wereld, afsteekt als een dictatuur...
als de naam Frankrijk afgunst en bewondering oproept, en geen
angst en vijandigheid. Word koning van miljoenen koningen,
want als je je onderdanen als koningen behandelt, wat kunnen ze
dan anders doen dan van jou houden? Dan zal Frankrijk slechts
één enkele koning erkennen.'
'Ik vrees alleen dat jouw prachtige ideeën hun tijd ver vooruit
zijn.'
'In de vorige eeuw was de tijd nog niet rijp voor mijn ideaal. Maar
in deze eeuw wel.'
'Je bent een optimist.'
'Inderdaad, en mijn optimisme stopt niet bij de grenzen van
Frankrijk!' zei Schiller. 'Nooit, nooit had een sterveling zoveel in
de hand, zo veel om er zo goddelijk gebruik van te maken, als jij.
Alle koningen van Europa hebben respect voor Frankrijks naam.
Wees een voorbeeld voor de Europese koningen, en naar jouw
voorbeeld wordt de aarde opnieuw geschapen!'
'Friedrich, je enthousiasme maakt me bang. Ik ben een jongen van
bijna twintig zonder ervaring met regeren, alleen met vluchten, en
ik moet de aarde opnieuw scheppen?'
'Neem me niet kwalijk. Als gewoonlijk ga ik weer veel te snel.'
Karl pakte een paar steentjes die op de rots lagen en gooide ze naar
een raaf die naar hen zat te kijken.
'Ben ik niet te licht voor deze taak?' vroeg Karl na een tijdje, zonder zijn ogen van de raaf af te wenden.
'O Karl, Karl toch! Alleen al het feit dat je die vraag stelt, bewijst
dat dat niet zo is,' antwoordde Schiller zacht. 'Wil je het? Wil je dit
nieuwe koninkrijk oprichten en het regeren?'

'Van ganser harte.'

'Dan hoef je nergens bang voor te zijn. Een mens is net zo groot of klein als zijn wilskracht hem maakt.'

De twee zwegen opnieuw. Ten slotte zei Karl: 'Je bent erg aardig voor me. Ik hoop dat ik op een dag mijn erkentelijkheid kan tonen.'

'Het koninkrijk is je beroep. Me voor jou inzetten is op dit moment het mijne.'

'Maar waarom doe je al deze moeite, waarom trotseer je al die gevaren? Alleen vanwege het idee dat er een betere tijd voor Frankrijk is aangebroken? Je bent niet eens een Fransman. Of doe je het om Duitsland tegen Napoleon te beschermen?'

'Allebei, en nog iets,' zei Schiller. 'Ik heb nog een reden, die ik tot nu toe niet eens Goethe heb toevertrouwd. Ja, zal ik het je bekennen, Karl? Goed, jij zult het weten. In 1793 wilde ik naar Parijs, want hoewel ik de revolutie aanvankelijk toejuichte, was ik geschokt dat de sansculotten hun eigen koning voor de rechtbank sleepten. Ik had al een verweerschrift opgesteld ter verdediging van Louis en hoopte dat de Fransen mij als Frans ereburger in deze zaak zouden aanhoren. En toen ontving ik de jobstijding van zijn executie. Ik ben destijds niet snel genoeg geweest en ik ben dankbaar dat ik door jou te redden kan goedmaken wat ik tegenover je vader tekortschoot.'

Uit de schaduw van het bladerdak en de wuivende boomtoppen kwam een gestalte tevoorschijn die de weide onder de ravenrots op liep. Het was Goethe, die niet naar hen keek maar aandachtig met zijn handen op zijn rug het weiland bestudeerde. Hij leek op een van de vele ooievaars die rond die tijd vanuit het zuiden terugkeerden, op zoek naar kikkers in het hoge gras.

'Zullen we ons gesprek morgen voortzetten?' vroeg Karl.

'Graag. Dan zal ik de geachte heer geheimraad helpen met zoeken. Misschien is hij op zoek naar kiezelstenen voor zijn verzameling thuis.'

De twee mannen daalden van de rots af en terwijl Karl terugliep naar het kamp, voegde Schiller zich bij Goethe, juist toen deze zich vooroverboog om een krokus te plukken. Klaarblijkelijk verzamelde hij bloemen voor een boeket.

'Wat wordt dat?' vroeg Schiller. 'Voor wie is dat boeket?'

'Wat een vraag. Voor Humboldt, natuurlijk.'

Schiller fronste zijn wenkbrauwen. 'Zodat hij het op sterk water kan zetten? Of er een indiaans medicijn voor ons van kan brouwen?'

'Grapje, mijn vriend. Vanzelfsprekend zijn die bloemen níét voor Humboldt, maar voor de enige dame die onze *société* rijk is.'

'Voor Bettine? Schitterend. Zelfs in de wildernis bent u nog een gentleman.'

'Meer nog dan uw ongevraagde commentaar zou ik nochtans uw krachtdadige hulp op prijs stellen. Wees zo goed me bij mijn zoektocht naar enkele fraaie bloemen terzijde te staan. Bloemen zijn in maart moeilijker te vinden dan spek in een joodse keuken.'

Zij aan zij doorkruisten ze de weide en plukten elke bloem die ze konden vinden.

'Hoe vordert de politieke opvoeding van de vorst?' vroeg Goethe.

'Het ziet er veelbelovend uit. Met veel van onze ideeën is hij nog niet vertrouwd, en soms twijfelt hij over zijn toekomst als heerser – Karl erft het grootste rijk van de christelijke wereld – maar hij is leergierig als geen ander.'

'Welnu, heersen is gemakkelijker te leren dan regeren.'

'Als hij geen prins was, zou hij het verdienen er een te zijn, en als ik maar half zoveel invloed op hem zou hebben als u destijds op Carl August, dan breekt voor Europa met deze jongeman een stralende, nieuwe ochtend aan. Is dit bescheiden narcisje hier goed genoeg voor uw boeket?'

'Geef maar op, maar haal eerst de wortel eraf,' zei Goethe, en hij pakte het bloempje aan. 'Als je bedenkt dat Louis-Charles door zijn vader onderwezen werd toen hij in de Temple gevangenzat, dan treedt u deze dagen met uw lessen in de voetstappen van Louis XVI. Verbazingwekkend, niet?'

'Ja. Mijn leven is net een roman. Maar daar zal ik niet over klagen.'

Toen ze klaar waren met oogsten, hadden ze drie krokussen, een sterhyacint, vier narcissen en een paar bosanemonen verzameld.

Daarmee liepen ze via het smalle wildpaadje terug naar het kamp. Over een paar zwarte stenen passeerden ze een beekje, dat de gesmolten sneeuw van de hogergelegen gebieden vrolijk klaterend naar het dal voerde. In de boomtoppen klonk het gekwinkeleer van de vogels.

Toen Goethe nog een sleutelbloem van de kant van de weg aan zijn boeket toevoegde, zei Schiller: 'En zoals ik vooruitgang zoek in de politiek, lijkt u die te zoeken in de kwesties van het hart.'

'Waar hebt u het over?'

'Al kom ik dan uit Zwaben, ik ben niet op mijn achterhoofd gevallen,' zei Schiller glimlachend. 'Iedereen die twee gezonde ogen in zijn hoofd heeft kan zien dat Bettine aan u verslingerd is, ofwel zo goed als – behalve Achim natuurlijk, de arme stakker, want hij wil het niet zien – en u hebt tot dusver niets gedaan om Bettines voortdurende geflirt en geflikflooi te ontkrachten.'

'Maar ik moedig haar ook niet aan.'

'Onbewust wel.'

'Dat zou ik moeten weten.'

'Juist niet. Daarom is het onbewust, mijn dierbare vriend.'

'Noemt u eens een voorbeeld, met uw kennis van de ziel.'

'O, u houdt het in uw handen: een lentegroet. *C'est l'amour qui a fait ça.*'

'U klinkt als een fransoos.'

'Wilt u mijn argument ontkrachten?'

'Nee. Maar mag ik u eraan herinneren dat ik ongetrouwd ben.'

'En ik wil geenszins de moraalridder uithangen. Moet ik twee harten die elkaar hebben gevonden, scheiden? Ik vraag u alleen eraan te denken dat de heer Von Arnim deel uitmaakt van deze groep, en dat ik niet zou willen meemaken wat er gebeurt als die tobber ontdekt dat hij een machtige mededinger heeft. En nu zeg ik niets meer.'

'Maar waarom niet? Spreekt u toch verder.'

'Nee, want uw pseudomignonne komt ons juist door het bos tegemoet.'

Zonder haar jas en haar muts van vossenbont had Bettine minder weg van een jager en meer van een dame, en de twee mannen groetten haar beleefd, zoals men een dame op een boulevard zou groeten. Goethe verborg de hand met de bloemen achter zijn rug tot Schiller in zijn eentje terugging naar het kamp om daar, naar hij zei, te onderzoeken of het wilde zwijn 's middags nog net zo lekker smaakte als bij het ontbijt. Bettine was meer dan ingenomen met het kleurige bosje voorjaarsbloemen.

'Bloemen zijn de liefdesgevoelens van de natuur,' zei ze terwijl ze opkeek.

Goethe bood haar zijn arm aan. 'Schone juffrouw, staat u mij toe?' Galant haakte Bettine haar arm in de zijne en samen wandelden ze weg van het kamp. Terwijl Goethe het bos op zich liet inwerken, keek Bettine afwisselend van haar boeket naar haar begeleider, die boven haar uittorende. Bij het beekje bleven ze staan. Ze gingen op een bemoste steen zitten en gooiden takjes en dorre bladeren in het water, om te zien wie van hun favorieten het snelst door de golven zou worden weggedragen.

Midden in het spel barstte Goethe in lachen uit. 'Wat zijn we toch kinderlijk!'

'Voel je je niet weer geweldig jong bij mij?'

'Ja. Maar moet ik je nu prijzen of je er een standje voor geven dat je weer een kind van me maakt?'

Bettine haalde de sterrenbloem uit het boeket en mompelend trok ze er een van de blauwe bloemblaadjes uit.

'Wat heeft dat te betekenen?' vroeg Goethe.

'Een spelletje,' zei Bettine, en ze plukte mompelend verder.

'Wat mompel je daar?'

Zachtjes zei Bettine: 'Hij houdt van me, hij houdt niet van me.' Goethe glimlachte mild en Bettine ging door met haar spelletje tot ze het laatste blaadje van de steel trok, terwijl ze hem met onverholen blijdschap aankeek: 'Hij houdt van me.'

Goethe zei niets, maar nam haar handen in de zijne. Ze waren koud. 'Liefje, je rilt!' Met die woorden sloeg hij zijn jas om haar heen. Ze trok de jas stevig om zich heen en hield zijn warme handen vast, en zo verstreek de tijd. Ten slotte stonden ze alle twee tegelijk op en keerden zwijgend terug naar de anderen.

[*198*]

Arnim had er een gewoonte van gemaakt de belangrijkste gebeurtenissen van elke dag die ze in het bos doorbrachten schriftelijk vast te leggen. Hij deed dat tijdens de vele ledige uurtjes in het kamp op enkele bladzijden uit het notitieboekje van Schiller, die zo vriendelijk was geweest het aan hem te geven. Na het avondeten las hij de artikelen van zijn 'Koerier voor Kluizenaars' aan zijn vrienden voor, een voordracht die vanwege de mateloze overdrijving en de vriendelijke manier waarop hij de draak stak met de anderen veel hilariteit en waardering oogstte. Vandaag waren de thema's van de dag: Humboldts inzicht in de geologische ontstaansgeschiedenis van hun toevluchtsoord, en het verwerpen van diezelfde inzichten door Goethe; de heldhaftige jacht op het Kyffhäuser-everzwijn door Atalante, Amphiaraüs en Meleager, alias Bettine, Schiller en Karl; en ten slotte nog een tirade van Kleist tegen Napoleon, waarin eerstgenoemde de laatste bestempelde – en Arnim citeerde hem letterlijk – als een 'weerzinwekkend mens, het begin van alle kwaad en het einde van al het goede; een zo'n vreselijke zondaar, dat de taal van de mensen niet toereikend is om hem aan te klagen, iets waarvoor het de engelen eens, op de jongste dag, aan adem zal ontbreken'.

Deze smaad vond Goethe ietwat overdreven. Hij wilde er met Kleist over praten, maar Kleist was de enige die aan het gezelschap ontbrak. Hij zat in het zicht onder een eik, half wakend en half slapend, en vlocht een krans van bladeren.

'Hé!' riep Bettine. 'Heinrich, betoverde dromer! Kom bij ons zitten!' Kleist ontwaakte uit zijn verstrooidheid, verliet zijn plek onder de eik en ging bij de anderen zitten.

'De hele avond al lijkt u alleen nog fysiek aanwezig te zijn,' zei Goethe. 'Wat hebt u daar?'

'Een zegekrans van eikenbladeren voor het onversaagde vellen van het beest,' verklaarde Kleist, en hij zette Bettine de krans op het hoofd.

'Als loon een Duitse lauwerkrans!' riep Schiller uit.

Vrolijk bekeek Kleist Bettines hoofdtooi. 'Ziet ze er niet uit als Germania in hoogsteigen persoon?' zei hij. 'Jij bent Duitsland!'

'Mijnheer Von Kleist,' begon Goethe, 'u hebt de keizer der franso

zen in het Kyffhäuser-periodiek een paar boosaardige verwensingen toegevoegd.'

'Nee toch? Ik heb mij ten doel gesteld me daar elke dag verder in
te bekwamen, zodat mijn rubriek ook in de toekomst een hoogte-
punt van Achims koerier blijft, die ondanks zijn bescheiden oplage
uitmuntend is. Ik heb trouwens naar aanleiding van de zwijnenjacht een hekeldicht op de fransozen geschreven. Luister maar.'
Kleist schraapte zijn keel, en met veel pathos gaf hij zijn gedicht
ten beste:

Een everzwijn wordt omgelegd.
De grond kleurt rood van bloed.
Aan 't met zijn spek bereid gerecht
doen we ons straks te goed.

Ook panter en beer Isegrim
zijn door een pijl achterhaald.
Hun jongen zijn in een kooi te zien
als je maar entree betaalt.

Op de kop van de wolf
staat een prijs, naar verluidt.
Duikt hij ergens bloeddorstig op
dan rukken de jagers uit.

Slangen ziet men nergens meer,
adders of soortgelijke.
Noch het leger draken van weleer
met hun opgezwollen buiken.

Alleen de Fransman is er nog
in onze Duitse streken.
Broeders, sla hem met uw knots
tot ook hij is geweken.

'Bah, wat een akelig lied,' riep Goethe boven het applaus van de anderen uit, 'een politiek lied!'

'Precies! En ik zou willen dat ik een stem had die klinkt als een klok en dat ik het vanaf de Kyffhäuser alle Duitsers kon toezingen! Dood aan de beulsknecht van Germanië, zeg ik, en zolang hij hun keizer is, dood aan de Fransen!'

'Ook slaafse zielen zijn in staat tirannen te haten. Alleen hij die de tirannie haat, is edel en groot van gemoed.' Goethe schonk voor Kleist wat rode falerner in een beker. 'Hier is het echte tirannen-bloed. U kunt beter daarvan genieten dan van uw moordlustige gedachten.'

Kleist bedankte hem en pakte de beker aan. 'U haat de fransozen zeker niet, Uwe Excellentie?'

'Hoe zou ik ook een natie kunnen haten die tot de beschaafdste ter wereld behoort, en waaraan ik zo'n groot deel van mijn eigen ont-wikkeling te danken heb? Hoewel ik God zal danken als we later weer van ze af zijn, de Franse natie is de meest gecultiveerde van alle.'

'Uw gecultiveerde Fransen onderwerpen de wereld – gecultiveerd en gewelddadig, hoe gaat dat samen?'

'Ach, mijnheer Von Kleist, de Fransen hebben al lang voor Bona-parte de wereld veroverd. De taal, de cultuur, hun keuken, de kooplieden enzovoort; wij Duitsers zijn nu al heel wat Franser dan we onszelf willen bekennen. En met permissie, mij stoort dat niet in het minst.'

'Dus u houdt niet van Germanië?'

'Duits zus, Germanië zo, daar word je geen wijs uit!' zei Goethe glimlachend. 'Natuurlijk draag ik Duitsland ook een warm hart toe. Ik wil alleen zeggen dat ik van Duitsland kan houden zonder Frankrijk te haten.'

'Dat zou ik nooit kunnen; misschien komt dat omdat ik een Pruis ben of jong. Laten we dus maar weer over de Fransen praten als we ze hebben verdreven.'

Nu mengde een aangeschoten en vrolijke Arnim zich in de vastge-lopen discussie. 'Om de fransozen te verdrijven is dit misschien de juiste plaats. Kennen jullie de sage van keizer Roodbaard?'

De bekers werden bijgevuld en Arnim vertelde het gezelschap het verhaal van Barbarossa. 'Men zegt dat keizer Friedrich toentertijd op kruistocht naar het Heilige Land niet werkelijk stierf toen hij in de Saleph viel, maar door geheimzinnige tovenarij naar een onderaards slot werd gebracht; en dat onderaardse slot is nergens anders dan hier, in het hart van het Kyffhäusergebergte. Hier rust de grootste aller Duitse keizers, hij slaapt op een troon van ivoor aan een tafel van marmer, de gouden rijkskroon op het hoofd, en zijn vuurrode baard is door de eeuwen zo lang geworden dat hij dwars door het marmeren tafelblad heen tot aan zijn voeten reikt en bijna de hele tafel omgeeft.

Eens in de honderd jaar ontwaakt Barbarossa uit zijn sluimer en wenkt hij een knaap naderbij, die hem dient. De knaap moet dan naar de top klimmen en kijken of de raven nog om de berg vliegen. Als de zwarte vogels in de lucht boven de Kyffhäuser rondcirkelen, dan moet de treurige keizer opnieuw honderd jaar slapen. Maar er wordt verteld dat als zijn rode baard zo ver gegroeid is dat deze driemaal om de marmeren tafel is gegaan, er een eind aan het wachten is gekomen. Dan verjaagt een trotse adelaar de raven, en Barbarossa zal opstaan en zijn getrouwen om zich heen verzamelen die net als hij al die eeuwen betoverd waren. De ridders zullen de onderaardse wapenkamer leeghalen en zich bewapenen met zwaarden, schilden en helmen, uit het hart van de berg tevoorschijn komen en de grootste veldslag leveren die Europa ooit heeft gezien. En de volkeren zullen zich buigen voor de oude keizer in zijn palts in Aken, en hij zal het Sacrum Imperium tot nieuwe, ongekende glorie verheffen.

En wie weet?' vroeg Arnim, waarbij het licht van de olielamp hem spookachtig van onderen bescheen, 'misschien slaapt hij wel recht onder ons kamp en was het geheimzinnige geknars van afgelopen nacht dat sommigen van ons uit hun slaap heeft gehouden, helemaal niet afkomstig van twee boomstammen die door de wind tegen elkaar aan werden geschuurd, zoals Alexander beweert, maar was het het gesnurk van de Rooms-Duitse keizer.'

Daarop kraste in het donker een raaf, en even later zochten de metgezellen hun slaapplaatsen op met het geruststellende idee dat Barbarossa deze nacht tenminste niet zou opstaan.

De volgende dag besloten Arnim, Humboldt en Kleist een tocht door de bergen te maken, want Arnim verlangde ernaar een paar uurtjes onder Pruisische landgenoten te zijn. Het Zwaabse dialect van Schiller deed hem op den duur pijn aan de oren, maar vooral het Frankfurtse gebabbel van Goethe, dat klonk als lauwwarme gortepap. Door dit slechte voorbeeld verviel Bettine er helaas ook meer en meer in, zodat de twee elkaar ook nog animeerden tot het spreken van hun streektaal. Maar terwijl de drie Pruisen nog bezig waren hun proviand voor overdag klaar te maken, vroeg Bettine Arnim haar op haar wandeling te vergezellen, waarin hij grif toestemde. En dus vertrokken de andere twee mannen zonder hem.

De twee volgden een pad dat vanaf hun kamp bij de muzentempel over heuvels en langs ravijnen naar het noordoosten liep. De hele tijd liepen ze in de schaduw van hoge bomen, en de lente was alomtegenwoordig, in elke spruit en elke knop. In plaats van te praten genoten ze beiden van de natuur: Kleist van haar schoonheid, Humboldt van haar perfectie. Op de kam die de Kyffhäuser ooit van het oosten naar het westen doorsneed, pauzeerden ze, om daarna, vertrouwend op hun kompas, via een andere weg terug te keren.

Onderweg stuitten ze op het meest idyllische plekje dat je je kunt voorstellen: tussen de rotsen kwam een waterval tevoorschijn, die in een twee passen lager gelegen bekken stroomde, waarin het water zo helder was dat je de rotsbodem kon zien. Vlak ernaast lag een kleine weide die door het maartzonnetje werd beschenen, en daar en overal elders botte het groen uit: op de hellingen, op de rotsen; zelfs in de kleinste spleetjes van de stenen hadden planten wortel geschoten, en dit lieflijke tafereel werd door hoge dennen omlijst. Kleist slaakte onwillekeurig een zucht.

Omdat hun laatste bad in herberg De Zon al meer dan twee weken achter hen lag, besloten ze onmiddellijk een bad te nemen. Ze trokken al hun kleren uit en stapten het bekken in. Het ijskoude water stond hun alleen toe even kopje-onder te gaan en zich luid

proestend te wassen, maar nadat ze zich met hun hemd hadden af-
gedroogd, waren ze vanbinnen zo warm dat ze geen haast hadden
zich aan te kleden.

Op de weide gebeurde het dat Humboldt met zijn linkervoet op
een doorn stapte en hij ging, nog altijd naakt, op een rots zitten
met zijn linkerbeen op zijn rechter- om de doorn uit zijn voetzool
te trekken. Kleist, die juist zijn broek vastmaakte, stopte even om
dit verstilde beeld van natuurlijke gratie gade te slaan. Pas toen
Humboldt weer opkeek en glimlachend de verwijderde doorn tussen duim en wijsvinger toonde, schrok Kleist uit zijn mijmering
op en kleedde zich verder aan. Het hart klopte hem in de keel,
maar dat was na het verfrissende bad ook al zo geweest.

Door de wandeling en het baden waren de twee mannen moe geworden. Humboldt ging in de weide liggen, Kleist leunde met zijn
rug tegen een rots met verdroogd mos. De waterval murmelde
zachtjes, en de wind streek als een veertje over hen heen. Humboldt sloot zijn ogen.

Kleist mompelde:

> *Zo stil zijn de eiken die over de bergen verspreid staan.*
> *Onder alle twijgen heerst rust,*
> *in alle boomtoppen hoor je*
> *geen geluid.*
> *De vogeltjes slapen in het woud,*
> *wacht maar, spoedig*
> *rust ook jij uit.*

'Dat is van Goethe.'

'Geen Goethe, alsjeblieft niet, vraag ik je,' zei Humboldt zonder
zijn ogen op te slaan. 'Niet hier.'

'Wat? Hou je niet van hem?'

'Ik hou van hem zoals je van een zonderlinge grootvader houdt die
ooit iets groots tot stand heeft gebracht. Maar dat hij de revolutie
in Frankrijk driemaal heeft verwenst – de vernietiging van het feo-
dale stelsel en van alle vooroordelen van de aristocratie, waar-

onder armere en nobeler mensenklassen zo lang hebben geleden – neem ik hem kwalijk. Nog afgezien van zijn onhoudbare neptunische stellingen.'

'Nee maar! Waarom spreek je deze kritiek nooit hardop uit?'

'Omdat er in deze groep al genoeg meningen worden verkondigd.'

'En ik dacht dat ik de enige was die niet altijd op Goethes koers ligt.'

'Dat is niet zo, en dat is ook nooit zo geweest. Maar nu niets meer over Goethe, mijn vriend, en vooral ook niets over de Corsicaan.'

Kleist legde zijn hoofd in zijn nek, keek langs de dennen naar de lucht en zei: 'Vertel me dan over Amerika.'

En Humboldt vertelde over zijn reis van de Kaapverdische Eilanden naar Zuid-Amerika, via de Orinoko en de Amazone tot in de Andes, naar Cuba, Mexico en de Verenigde Staten; over de gevaren, de nederlagen en de successen, over de mineralen, planten en dieren die hij had bestudeerd, over de sterren die hij had geobserveerd, over de mensen die hij was tegengekomen, over zijn instrumentarium en over Bonpland, zijn trouwe Franse kameraad. Maar na een uur bracht hij Kleists reizen door Europa ter sprake, en ten slotte diens werken, en vrolijk en vol vuur vertelde Kleist over zijn werk. Tijdens het gesprek trok Kleist zijn jasje weer uit.

'Wat doe je?' vroeg Humboldt.

'Het is erg warm.'

'Helemaal niet. Het is maart en Boreas giert door het bos. Je zult kouvatten.'

'Ik denk dat het van binnenuit komt.'

'Voel je je niet goed?'

'Jawel hoor. Ik voel me prima. Alleen mijn tong is uitgedroogd.'

Humboldt vulde zijn veldfles onder de cascade en gaf hem aan Kleist. Deze nam hem dankbaar aan.

'Als je aan je volgende wereldreis begint,' zei hij nadat hij had gedronken, 'wil ik jouw Bonpland zijn.'

Humboldt glimlachte en stak zijn hand uit naar Kleist om hem omhoog te helpen. Een uur later waren ze terug in het kamp.

Diezelfde nacht kon Kleist niet slapen. Rusteloos speelde hij met de ijzeren armband om zijn pols. In zijn buik rommelde het. Humboldt had al het vermoeden uitgesproken dat hij met de voeding uit de natuur wellicht ook een lintworm naar binnen had gewerkt. Humboldt sliep niet ver van hem vandaan, en boven de overhangende rots knarsten de sparren, net zoals Arnim had verteld. De volle maan stond helder aan de hemel en wierp scherp afgetekende schaduwen op de bosgrond en alles, op de laatste gloed van het vuur na, lichtte blauw op.

Hij hoorde een geluid in het kamp en keek op. Bettine sloeg juist het zeil van haar tent opzij en deed enkele passen met een deken om haar schouders. Kleist wendde zijn blik af en hoorde hoe ze in de schaduw van wat struiken haar gevoeg deed. Maar ze ging niet naar haar tent terug. Kleist zocht in de duisternis naar haar, tot hij haar ten slotte ontdekte. Op de plek waar de kom eindigde en de helling begon, vanwaar je het uitzicht had over het dal, stond een dode boom, half omgevallen, half overeind, en alleen de rots ernaast verhinderde dat hij helemaal zou omvallen. Een groot deel van de wortels stak al boven de aarde uit. Naast die boom stond Bettine, een zwart silhouet voor de maan.

Kleist kwam naast haar staan, eveneens met zijn deken om zich heen. 'Kun je niet slapen, Atalante?'

'Het zal de maan wel zijn,' antwoordde ze zacht.

Kleist keek omhoog naar de bijplaneet, waarvan de groeven duidelijk te zien waren.

'Wat is er met je?' vroeg ze. 'Je ziet eruit alsof iets je uit je evenwicht heeft gebracht.'

Kleist glimlachte. 'Ben ik zo'n open boek?'

'Wat heeft je van streek gemaakt? Heb je een vervelende droom gehad?'

'Van streek? Ik maak het uitstekend! Ik ben zo vrolijk als een eekhoorntje in een dennenboom,' antwoordde Kleist, en iets zachter: 'en zo verliefd als een jonge meid.'

'Wel allemachtig. Wie is de gelukkige?'

'Dat kan ik je niet vertellen; ik durf het mezelf nauwelijks te bekennen.'

Kleist ging op een van de uitstekende wortels zitten. Bettine nam vlak naast hem plaats en hij sloeg zijn arm om haar heen, zodat ze elkaar warm hielden. Geen van beiden kon de ogen van de lieflijke wachter van de aarde boven hen afhouden.

'Het is Alexander, niet?' vroeg ze.

'Grote goden! Meisje, hoe kun jij dat nou weten?'

'Ik bestudeer de mensen en ik weet van mezelf hoe ogen eruitzien waaruit liefde spreekt. Maar wees niet bang; ik kan zwijgen.'

Kleist knikte. 'Ja, het is Alexander. Ik hou van hem zoals ik nog nooit van iemand gehouden heb. Hoe curieus en dwaas dat ook klinkt.'

'De liefde is steeds curieus, maar nimmer dwaas.'

'Vandaag hebben we gebaad en ik heb zijn mooie lijf met waarachtig... meisjesachtige gevoelens bekeken: die prachtige krullenkop, de brede schouders, het gespierde lichaam; het geheel een toonbeeld van kracht. Hij is zonder meer geschikt voor een figuurstudie van een kunstenaar. Lieve god, hij roept het Griekse tijdperk weer tot leven in mijn hart! Door de gevoelens die hij in mij heeft gewekt, is het idee van de liefde tussen jongelingen me eindelijk duidelijk geworden.'

'Alexander is inderdaad erg aantrekkelijk.'

'En hij is intelligent, en kent de wereld, en is nergens bang voor, hij is een held in hart en ziel... en heeft een mannenlichaam. Was hij maar een vrouw – o god, wat zou ik dat graag willen! – was hij maar een vrouw, of ik, dan hoefde ik mijn hersens niet te pijnigen.'

Bettine schudde haar hoofd. 'Wat heb je in dit geval aan hersens? Die weten alles beter en kunnen je dan toch niet helpen, en op het laatst leg je het hoofd in de schoot.'

'Dan... help me, mijn dierbare vriendin, zusje, Bettine. Wat kan, wat moet ik doen?'

'Is iemand die zijn ogen eenmaal heeft geopend in het leven te helpen? Het verlangen heeft het grootste gelijk van de wereld. Probeer uit te vinden of hij net zo denkt als jij. Als dat zo is, jubel dan; zo

niet, laat je hartstocht je dan voldoende zijn. Ook als je liefde onbeantwoord blijft, kan ze een onzelfzuchtig hart verblijden.'
Kleist dacht over haar woorden na en zei toen: 'Bedankt voor je
raad. En ik ben blij dat ik niet bang hoef te zijn dat je mijn rivale
bent, hoe knap je Alexander ook vindt.' Hij sloeg zijn arm om Bettine alsof ze zijn kleine zusje was en glimlachte fijntjes. 'Jij hebt het
gemakkelijk, mijn meisje; jij houdt van je brave Achim en weet dat
je je liefde in twee-, drie- en viervoud van hem terugkrijgt.'
'Ja,' echode Bettine, 'ik heb het gemakkelijk.'

Alles was grijs, van de berg blies een waterkoude avondwind en
grauwe regenwolken trokken het dal in, maar de vrienden lieten
de stemming niet door het onaangename weer bederven. Met z'n
zevenen zaten ze in de muzentempel dicht bij elkaar rond het
vuur, door de overhangende rots beschut tegen de regen; ze gaven
verhaaltjes en liedjes ten beste en lieten de fles rondgaan. Hier was
het dat een ondoordachte uitspraak van de dauphin een scheuring
binnen de groep veroorzaakte die tot het eind van hun verblijf in
de heuvels van dag tot dag alleen maar groter werd, tot alles ten
slotte kapot was.
Karl had, door de wijn beneveld en door de wereldwijsheid van zijn
metgezellen in vervoering gebracht, gezegd: 'Als ik eenmaal terug
ben in Versailles, vrienden, benoem ik jullie allemaal tot minister.'
Net als de anderen had Kleist hartelijk gelachen, maar hij had direct aan de bedrukte gezichten van Goethe en Schiller gezien dat
er achter het grapje iets ongemakkelijks schuilging.
'Wat bedoel je daarmee, Karl?' vroeg hij.
'Ach, niets,' antwoordde Karl, en hij verborg zijn gezicht achter zijn
beker.
'Uwe Excellentie,' vroeg Kleist nu aan Goethe, 'wat bedoelt Karl
daarmee, "als ik terug ben in Versailles"?'
Goethe keek een ogenblik naar Schiller en zuchtte. 'Laat er tussen
ons waarheid zijn,' zei hij. 'Het betekent dat men voornemens is
Karl op een dag zijn rechtmatige positie als koning van Frankrijk
terug te geven.'

Nu was het stil in de kring, en aller ogen waren op de geheimraad gericht.

'Hoe zal dat in zijn werk gaan? Wat gebeurt er met Napoleon?'

'Die zal zich, als alles volgens plan verloopt, op dat moment niet meer onder de levenden bevinden.'

'Dan was de bevrijding van de dauphin in Mainz alleen maar het begin van een operatie, die eindigt met zijn terugkeer op de Franse troon?'

'Ja. Maar die tweede fase, die heel wat moeilijker is, behoort niet tot onze taak maar tot die van onze opdrachtgevers.'

'Wist jij daarvan, Friedrich?' vroeg Humboldt, en toen Schiller knikte, merkte Arnim zijdelings op: 'Vandaar de gesprekken op de kraaienrots... Lessen in staatsbestuur voor de tijd na de usurpatie!'

Nu nam ook Bettine het woord. 'Hoe lang waren jullie drieën van plan dit detail voor ons te verzwijgen?'

'Ik weet het niet,' zei Goethe.

'"Laat er tussen ons waarheid zijn."'

'Welnu, we zouden het waarschijnlijk nooit hebben vermeld. En om de hele waarheid te zeggen, we hadden Karl op het hart gedrukt om erover te zwijgen.'

'Het spijt me,' zei Karl. 'Ik wilde geen onenigheid zaaien.'

Schiller legde zijn hand op de rug van zijn pupil. 'Jou treft geen blaam, Karl.'

'Ik ben sprakeloos,' zei Bettine.

'Wat had het uitgemaakt als we er niet over hadden gezwegen?'

'Wat het had uitgemaakt? Zo'n beetje alles! Ik ben erop uitgetrokken om een wees uit de Temple te bevrijden, en niet de koning van Frankrijk! Zonder het te weten ben ik voorvechter van het ancien régime geworden en ik heb mijn leven gewaagd om de nazaat van een middeleeuws geslacht van onderdrukkers – vergeef me, Karl – een opstapje naar de troon te bezorgen! Nu begrijp ik pas waarom we door het halve rijk worden nagejaagd: omdat Napoleon vermoedt wat jullie van plan zijn en de dauphin en zijn helpers liever dood ziet!'

'Willen jullie dan dat die tiran keizer van Frankrijk blijft, en zich opwerkt tot keizer van Europa?'

'We willen het een noch het ander,' zei Arnim. 'Geen keizer Napoleon I en geen koning Louis de Zoveelste, maar een regering van het volk door het volk! Het hele volk moet uit zijn toestand van onderdrukking worden verlost.'

Goethe schudde zijn hoofd bij het horen van Arnims stoutmoedige droom. 'Als Napoleon ten val is gebracht, moet een ander zijn plaats innemen, want zodra de tirannie is opgeheven, laait de strijd tussen de aristocratie en de democratische machten onmiddellijk op. Het land heeft een koning nodig om het te besturen.'

'Alle burgers moeten koningen zijn!' zei Bettine.

'Zeker, maar dat is een vrome wens die nooit in vervulling zal gaan. Want als alle burgers koningen zijn, zijn alle burgers al snel tirannen. Wie lang leeft, heeft veel ervaren: u bent allen te jong om de gruweldaden van een verwilderde en tegelijkertijd in een overwinningsroes verkerende natie te hebben meegemaakt: de septembermoorden, het bloedbad in de Vendée, de immer hongerige guillotine... Toen ik zo oud was als u, was mijn blijdschap over de Franse revolutie net zo groot als uw huidige spijt dat hij voorbij is, maar geloof me: zonder leider zou Frankrijk binnenkort weer een bloedig pandemonium zijn. Elke revolutie loopt uit op de natuurstaat, op wetteloosheid en schaamteloosheid, en revolutionairen die in één adem vrijheid en gelijkheid beloven, zijn fantasten of charlatans. In geen enkel land op aarde, het antieke Athene niet uitgezonderd, is er ooit een democratie geweest die niet in de ellende van anderen was geworteld.'

'U vergeet Amerika,' protesteerde Arnim hoorbaar geïrriteerd.

'Dat zijn rijkdom aan de Afrikaanse slaven heeft te danken. Vraagt u het aan Humboldt.'

'Wilt u zo vriendelijk zijn mij niet in deze discussie te betrekken,' merkte Humboldt koeltjes op.

'Zo gemakkelijk laat ik me niet door uw levenswijsheid imponeren, mijnheer Von Goethe,' zei Arnim. 'En als ik moest kiezen tussen een middeleeuwse en een moderne tiran, dan viel mijn keus op Napoleon, hoewel ik een hekel aan hem heb.' Op dit punt keek Kleist op, maar Arnim ging onverstoorbaar verder: 'Ik meen het. Sinds Frederik de Grote is er geen heerser geweest die zo verlicht was, een voorvechter van vrijheid en gelijkheid, en net als de grote Frederik heeft Napoleon maar één fout, en dat is dat hij zijn doel met geweld probeert te bereiken in plaats van met argumenten, ook in landen die niet aan hem onderworpen zijn. Maar Napoleon is gegrepen door de geest van de Franse revolutie en zo lang hij deze volgt, zal hij overwinnen. Het is me overigens een raadsel met welke zwarte magie uw royalistische vrienden in Weimar denken Napoleon te kunnen vermoorden. Dat zal hun niet lukken, en zelfs als ze erin zouden slagen: op Napoleon zal een nieuwe Napoleon volgen.'

Na die ongezouten repliek pakte Bettine onwillekeurig Arnims hand, en Humboldt knikte nauwelijks merkbaar terwijl hij in het vuur staarde.

'Als het dan toch niet zal lukken,' zei Goethe nonchalant, 'dan zie ik ook geen reden tot opwinding. Dan blijft alles in Frankrijk bij het oude.'

'Niet dat u iets gelegen ligt aan het lot van Frankrijk. In opdracht van de hertog die u dient, wilt u in de eerste plaats verhinderen dat Napoleon ooit naar Thüringen zal komen. Heb ik gelijk of niet?'

Goethe bleef het antwoord schuldig en ontweek Arnims strenge blik. Tussen Humboldt en Bettine zat Louis-Charles, de twist-appel, als een hoopje ellende.

Terwijl iedereen zweeg, nam Schiller het woord en hij sprak met een kalmerende stem: 'Sta me toe dat ik bemiddelend optreed. Jij, beste Arnim, bent terecht verontwaardigd over het idee dat je de kroon voor een majesteit van de oude stempel aan het veroveren bent. Maar dat is onze Karl niet. Hij deelt de naam van zijn vader zaliger, en zijn bloed stroomt in zijn aderen, maar zijn idealen deelt hij niet. Karl zal de tiran ten val brengen, zoveel is zeker! Maar zelf zal hij geen tiran worden, en dat is nog veel zekerder. De gedachten van de prins zijn edel en goed, en hij heeft geen reden Frankrijk terug te voeren naar de vorige eeuw. Hij zal, nadat het juk van het despotisme is afgeworpen en het land van de tirannen is bevrijd, de ideeën van Napoleon die goed en vooruitstrevend waren niet opgeven, integendeel, hij zal er nieuwe aan toevoegen. Allen die hier zitten, zijn van harte uitgenodigd deel te nemen aan onze gesprekken – want het zijn gesprékken, onder gelijken, en in geen geval lessen in staatsbestuur – gesprekken waarin we beiden een vrolijk droombeeld ontwerpen. En Karl zal, dat beloof ik jullie als hij het zelf niet durft, Karl zal dat droombeeld werkelijkheid laten worden: het moedige droombeeld van een nieuwe staat, een monarchie die door de revolutie is gelouterd, bij wijze van spreken, een monarchie waarom de wereld Frankrijk zal benijden en die men zal proberen na te volgen.'

'En een droombeeld zal het, met permissie, altijd blijven,' zei Arnim, en hij kwam overeind. 'Goedenacht. Goedenacht, hoogheid.'

Ze keken hoe Arnim de muzentempel verliet en door de motregen naar zijn tent liep. Goethe stootte met zijn voet tegen een brandend houtblok, en een regen van vonken steeg op naar het plafond van de grot. De dauphin keek om zich heen als een verstokte zondaar.

'Ik beloof plechtig dat ik een goed regeerder zal zijn,' zei hij met zwakke stem, 'die het voorbeeld van andere goede regeerders en de grote idealen van mijnheer Von Schiller zal navolgen.'

'Dat is mijn koning!' zei Schiller trots, en Goethe zei daarop tegen de aanwezigen: 'Hier en nu begint een nieuw tijdperk van de wereldgeschiedenis, en jullie kunnen zeggen: daar ben ik bij geweest!'

'Maar of we dat ook wíllen zeggen,' wierp Kleist tegen toen hij alleen was met Humboldt en Goethe reeds lang in zijn tent lag, 'de tijd zal het leren.'

De volgende ochtend, bij het eerste ochtendgloren, wekte Arnim – hij had zijn jas en laarzen al aan – Bettine met een kus op haar voorhoofd en fluisterde: 'Wakker worden, Bettine. We pakken onze spullen en nemen afscheid.'

'Wat is er gebeurd?' vroeg Bettine half slapend.

'We vertrekken. We maken niet langer gemene zaak met de monarchisten.'

'Achim, waar heb je het over?'

'Wil je je nog één minuut langer door de aanhangers van de Bourbons als instrument voor hun reactionaire plannen laten gebruiken en lijf en leden daarvoor riskeren? Ik niet, en jij ook niet. In dit kaartspel hebben wij een slechte hand waarmee niets valt te winnen, en daarom is nu het moment gekomen dat deze dame en haar boer moeten passen.'

Bettine ging overeind zitten op de huid die van het everzwijn was gestroopt en die dienstdeed als ondergrond, en wreef met beide handen over haar gezicht. Haar warrige zwarte haren stonden alle kanten op. 'En de Fransen?'

'Als je het mij vraagt zijn die allang terug in Frankrijk. Bovendien zoekt die capitaine Santing niet ons maar de dauphin.'

'En onze vrienden? En Goethe en Schiller?'

'Faust en zijn famulus? Ranzige boter op beschimmeld brood! Deze koningen der dichters zijn onze vrienden niet meer, Bettine, want ze hebben ons al vanaf Frankfurt belogen. Maar aan Heinrich en Alexander zal ik vragen of ze mee willen gaan, hoewel ik de laatste ervan verdenk dat hij Goethe nog tot in de hel volgt als daar onbekende mineralen te ontdekken zijn. Uit de veren, slaapkop.'

'Achim, ik ga niet.'

'Wat?'

'Ik kan niet gaan. Voor mij is de Kyffhäuser de magneetberg. Hier weggaan is hetzelfde als van de Olympus weggaan. Ik zal me er pas van kunnen losmaken als de anderen dat ook doen.'

Arnim liet zijn rugzak, die hij juist met zijn bezittingen aan het vullen was, zakken. 'Heb je daarnet wel naar me geluisterd? En gisteren bij het vuur, heb je toen geluisterd?'

'Jazeker. Maar niets van wat we kunnen doen of laten zal de loop der dingen veranderen, en mijn vrienden blijf ik trouw.'

Arnim liet zich slap op zijn deken vallen, ging zitten en trok er somber losse draadjes wol uit, die hij in het gras op een hoopje legde.

'Zeg het maar zoals het is,' zei hij na een tijdje. 'Je blijft hém trouw.'
'Hem ook, ja.'
'Soms denk ik dat hij een soort godheid voor je is.'
'Maar natuurlijk! Bevat het woord *Goettern*, de goden, niet ook "Goethe"?'
Arnim bekeek Bettine. Tranen welden op in zijn ogen. 'Dan ben ik verloren. Hoe kan ik ooit een gód uit je hart verdrijven?'
'Dat kun je niet, en dat hoef je niet! O, Achim! O, Goethe! Jullie namen zijn me dierbaar en het verlangen met jou samen te zijn is de tweelingbroer van het verlangen bij Goethe te zijn. Mijn gevoelens kun je niet beïnvloeden, Achim, net zomin als ik. Maar zie hem niet als rivaal, want evenmin als een god kun je Goethe bereiken, en evenmin als een god hoef je Goethe ooit te vrezen. Ik hou van de god in hem, maar van de mens in jou.'
'Je woorden doen me pijn.'
Bettine legde haar hand, warm van de slaap, op Arnims koude wang. 'Kan ik je pijn met kussen verzachten?'
Hij schudde zijn hoofd. Toen stond hij op, tilde zijn rugzak aan de onderkant op en liet achteloos alles eruit vallen wat hij net nog zorgvuldig had ingepakt. Daarna liet hij de rugzak zelf vallen en liep de tent uit. 'Als iemand me zoekt, ben ik in het bos,' zei hij zonder zich om te draaien. 'Daar ben ik natuurlijk ook als iemand me niet zoekt, wat veel waarschijnlijker is.'
Zonder kompas, veldfles of proviand en zonder in het minst op de richting te letten ging Arnim het bos in en liep tot zijn voeten zeer deden. Aanvankelijk volgde hij nog de paden, maar toen hij in zijn haast van het pad raakte, deed hij geen moeite om het terug te vinden, maar liep verder door het kreupelhout. Hoe meer twijgen hem daarbij in het gezicht sloegen, hoe meer spinnenwebben hij vernielde, hoe meer struiken en doornen aan zijn broek trokken en hoe harder het dode hout onder zijn zolen kraakte, des te liever het hem was. Wild en vogels sloegen voor hem op de vlucht terwijl hij met veel lawaai door het bos marcheerde. Als hij struikelde, stond hij direct weer op, en als hij over steile hellingen liep, gleed hij achteloos op zijn zitvlak en handpalmen naar beneden zonder

op zijn kleren te letten. Algauw droop zijn lichaam van het zweet, en zijn blonde haar plakte tegen zijn natte voorhoofd.

Na ruim een uur bleef hij ineens staan, haalde diep adem en brulde als een dodelijk gewond dier zo luid door het donkere bos, dat zijn kreet tegen de berghellingen weerkaatste. In het kamp had hij ten overstaan van iedereen gezwegen, maar hier, in diepe eenzaamheid, schreeuwde hij zijn wanhoop uit. Voor een omgevallen boom zakte hij door zijn knieën. In zijn radeloosheid zocht hij als een wijnrank houvast aan de stam, en toen hij het dode hout omarmde, liet zijn pijn zich niet langer beteugelen. Terwijl Achim huilde, wenste hij dat hij als een paddenstoel met de boom kon vergroeien, of zelf wortel zou schieten, of gewoon weg zou rotten als een dode plant. Intussen schoof hij langzaam, nauwelijks merkbaar, langs de stam omlaag. Vermolmde schors viel op zijn gezicht. Ten slotte lag hij in de droge bladeren in de schaduw van de stam; hij wentelde zich rond, zodat het in zijn oren ruiste alsof het stormde, tot zijn jas en zijn gezicht, nat van zweet en tranen, van boven tot onder waren overdekt met molm en natte aarde. De troostende geur van verrotting omgaf hem. Hij had zijn vermoeide ledematen uitgestrekt, bleef op de bosgrond liggen en staarde langs de zwarte stammen omhoog naar de lichte ochtendhemel. De bewegingen daarboven – het zwaaien van de boomtoppen tegen de achtergrond van de gestaag voorbijdrijvende wolken – benevelden zijn zinnen en hij dacht dat hij zou flauwvallen, maar langzamerhand werd zijn ademhaling rustiger en bedaarde zijn hart. Ergens koerde een duif.

Er kriebelde iets op zijn vingers en toen hij zijn hand voor zijn gezicht hield, zag hij dat er een kevertje over zijn huid liep. Arnim glimlachte. Hij was dus niet de enige met weltschmerz. Hij draaide zijn hand steeds zodanig om dat de kever, die van plan was omhoog te kruipen, zijn doel nooit bereikte en in plaats daarvan een eeuwige rondgang over de rug van zijn hand, zijn handpalm en zijn vijf vingers volbracht. 'Ik mag blij zijn dat Maria Stuart, Helena en Cleopatra dood zijn,' fluisterde Achim tegen het insect, 'dan kan ik op hen tenminste niet meer verliefd worden.' Met de wijs-

vinger van zijn andere hand wilde Arnim de kever over zijn zwarte
schild aaien, maar die reageerde afwijzend op het hartelijke gebaar
en kneep in een adertje op de rug van zijn hand, waarop Arnim
zijn hand tegen de dode boomstam achter zich sloeg om het insect
te vermorzelen. Toen hij zijn hand met wat dode bladeren schoon-
maakte, realiseerde hij zich dat híj die kever was, en de reusachtige
hand was Bettine, want waar hij ook heen liep, hij kwam nooit aan
en Bettine kon met hem spelen en hem aan het lijntje houden
zolang ze wilde, gewoon door haar hand te draaien en Arnim, die
kortzichtige, beklagenswaardige kever, voor te spiegelen dat hij
zijn doel weldra zou bereiken.

Hij werd opgeschrikt door het signaal van een verre posthoorn.
Hij richtte zich op, wachtte tot het bloed uit zijn hoofd was getrokken en bad vervolgens dat God hem de kracht mocht geven
zijn pijn te boven te komen en zijn vertwijfeling te betwijfelen, of
hem te genezen van zijn liefde voor Bettine Brentano. De wens dat
de oude man uit Weimar over niet al te lange tijd zou sterven,
maar in elk geval voor hem, sprak Arnim niet uit.

Terwijl hij stond klopte hij het vuil van zijn kleren, zo goed en zo
kwaad als het ging, en in een bron waste hij zijn gezicht en baard,
en schrobde de hars van zijn handen. Op de terugweg sprokkelde
hij zo veel brandhout als hij dragen kon, waarvan hij, meteen
nadat hij was teruggekomen, meer op het vuur gooide dan nodig
was. In de muzentempel trof hij alleen Schiller aan.

'Zo'n vuur bezit grote aantrekkingskracht,' merkte Arnim op. 'Het
lijkt of de knetterende vlammen zijn vervlochten met de groene
bladeren, die er zo half brandend en half ontloken uitzien als verliefde harten.'

Ook de rest van de dag bleef Arnim bij het vuur en legde met een
zonderlinge opgewektheid duidelijk meer hout in de vlammen
dan hij zelf had verzameld.

Ook de dagen daarna bracht Arnim hoofdzakelijk in zijn eentje in
het bos door, naar hij zei op zoek naar brandhout. Van een van zijn
tochten keerde hij zonder hout, maar euforisch gestemd terug en

hij vertelde meteen aan Bettine, Kleist en Goethe, die hij voor de tenten aantrof, wat hem was overkomen. Ten westen van hun kamp was hij op de restanten van een middeleeuwse burcht van roofridders gestuit – een paar muren, kelders en de schacht van een put, reeds lang overwoekerd door mos, klimop en berken – en toen hij bij de oude put stond, waren er ineens twee verliefde zwaluwen door hem, welnu, door hem héén gevlogen, en dat uitgerekend op deze dag, Maria-Boodschap. Arnim verzekerde plechtig dat hij zich niet eerder zo één had gevoeld met de natuur, de geschiedenis en de religie. Bettine klapte verrukt in haar handen en beneed Arnim om zijn ervaring, maar Kleist informeerde wat Arnim precies bedoelde toen hij zei dat de zwaluwen 'door hem heen gevlogen' waren. Deze aarzelde lang met zijn antwoord, tot hij ten slotte toegaf dat de zwaluwen niet werkelijk door hem heen waren gevlogen, maar dat hij op de muren van de ruïne gehoor had gegeven aan een maar al te menselijke behoefte en de allesbehalve schuwe zwaluwen onder de daaropvolgende waterstraal door waren gevlogen – een nuance die niets aan de gebeurtenis af hoefde te doen.

Over dat detail had hij beter kunnen zwijgen, want nu moest Goethe onbedaarlijk lachen. 'Als dat jullie romantiek is – op een christelijke feestdag op een vervallen Duitse burcht te staan met verliefde vogels onder de urinestraal – ik kan me geen treffender beeld voorstellen.'

'Van u had ik geen applaus verwacht,' zei Arnim koeltjes, 'en uw hoon raakt me al evenmin. Maar wees ervan verzekerd dat ik dat ogenblik in de ruïne voor niets ter wereld zou willen ruilen voor een eeuwigheid in de gladde, koude marmeren Griekse tempels die uw oeuvre kenmerken. Want wat u nooit zult begrijpen, is dat uw classicisme een en al hoofd is. Onze romantiek is echter het hart.'

'Het hart? De lever, zou ik zeggen, als ik denk aan de sloten wijn die u en uw romantici naar binnen werken om uw bizarre, verwrongen hersenspinsels te bezweren – meer dan genoeg om elk molenrad van het Heilige Roomse Rijk aan te drijven!'

'Zo scheldt een oude man die jaloers is op het bruisende bloed van
de jeugd.'

'Dat koortsige, overkokende bloed moet ik benijden? Ik dank u
feestelijk. Het is als jullie vormloze, karakterloze werk: een vat
waarvan de kuiper is vergeten de duigen vast te slaan, waar alles
overal uit loopt. En verwart u mijn leeftijd niet met de ouderdom
van mijn werk: aan het patina herkent men de waarde. Het oude
is niet klassiek omdat het oud is, maar omdat het sterk, fris, vrolijk en gezond is; en het meeste wat nieuw is, is niet romantisch
omdat het nieuw is, maar omdat het zwak en ziek is. Het klassieke
noem ik het gezonde en het romantische het zieke. Als we het
classicisme en de romantiek volgens die criteria indelen, zullen we
het snel eens zijn.'

'Zo slaat u onbekommerd om zich heen en merkt niet eens dat u
zichzelf tegenspreekt. Want mijn *Knaben Wunderhorn* hebt u toch
hemelhoog geprezen.'

'Zeker, want de *Wunderhorn* was ook klassiek; een selectie van liederen die de tijd zullen trotseren. Let wel, liederen die u niet zelf
hebt geschreven, maar alleen hebt verzameld. Na de *Wunderhorn*
heb ik niets meer van u gelezen wat me beviel.'

'Mij is het na uw *Werther* precies zo vergaan. Ik val pas sinds een
jaar niet in de smaak, u daarentegen al dertig jaar.'

'Ik kan niet klagen over de afzet van mijn literatuur.'

'O, uw afzet is vast uitstekend in de welgestelde kringen waar u
voor schrijft. De geparfumeerde vorsten met hun oude pruiken
die de Zonnekoning graag terug zouden willen zien en van wie de
dorheid pijnlijk zichtbaar is in uw werk, zullen u ongetwijfeld
dankbaar zijn dat u over de onbeduidende zorgen van een ko-
ningsdochter op het strand van een Grieks eiland schrijft, lang
voor onze tijd en lang voor die lastige revoluties, en niet over de
werkelijke zorgen van ons volk vandaag de dag. Goethe, de rijmelaar van Zijne Doorluchtige Hoogheid, die schrijft wat de hoge
heren tussen de thee van vijf uur en het gemaskerde bal in de sa-
lons van hun ivoren torens wensen te lezen.'

'En u daarentegen ziet zichzelf als een vertegenwoordiger van het volk? Toon me één boer, marktvrouw of handwerksman die uw grollen kent, of beter nog, de moeite waard vindt en niet alleen naar uw verzen grijpt om er vis in te verpakken. U zult er geen vinden. Hoogstens een paar in gedachten verzonken studenten die in de maneschijn bij uw ridder-, rovers- en spookverhalen dromen over de dingen waartoe het hun in het echte leven aan moed ontbreekt. Ik maak honderd keer liever deel uit van mijn tijdloze, staatloze torengezelschap dan van uw al te vergankelijke Duitse tafelgezelschap.'

'Ook uw dagen zijn geteld. U kunt de nieuwe ontwikkelingen in de literatuur niet eeuwig blijven tegenhouden.'

'Ah! Er bestaat toch geen grotere troost voor de middelmatigheid dan de wetenschap dat een genie niet onsterfelijk is. Ongetwijfeld zal ik sterven, mijnheer Von Arnim, maar of u het wilt of niet, mijn werk zal voortleven, evenals het Griekse marmer dat u zojuist aanhaalde. De studentikoze dichtkunst van uw romantici, nieuwe christenen en nieuw patriottische fantasten echter zal in verval raken, overwoekerd worden en in vergetelheid verzinken, net als de burcht waar u uw zonderlinge tête-à-tête met de zwaluwen had. Was er in uw sage eigenlijk niet sprake van raven?'

'Ik waag het uw voorspelling te weerspreken. Maar gelukkig zijn we niet alleen.' Met deze woorden betrok Arnim voor het eerst sinds het begin van de discussie de rest van het gezelschap erbij. Bettine en Kleist hadden hun speelkaarten allang neergelegd om de retorische woordenwisseling te volgen. 'Het is niet geoorloofd het Bettine te vragen, want van haar weet ik dat ze de mening van de romantici onderschrijft. Maar Kleist volgt geen enkele school. Dus Heinrich, voor de dag ermee, wat denk je: zal marmer of metselwerk zegevieren?'

Kleist, die anders altijd zijn oordeel paraat had, speelde in dit debat graag de rol van buitenstaander. Hij knipperde met zijn ogen, keek naar Bettine en nam de tijd voor het antwoord dat zo onverwacht van hem werd verlangd.

'Wieland zegt dat ik de geest van Aeschylus, Sophocles en Shakespeare in mij verenig,' zei hij ten slotte. 'Wat betreft het punt dat literatuur tijdloos dient te zijn, ben ik het met de heer Von Goethe eens. Anderzijds heb ik een Duits hart van de oude stempel, en als hij mij met dezelfde starheid bejegent als de klassieke oudheid, moet ik hem teleurstellen. Want dat is inderdaad harteloos.'

Daarop wist geen van de opponenten wat te zeggen. Uiteindelijk vroeg Bettine: 'Dus?'

'Ik kan geen oordeel vellen. Ik kan alleen zeggen dat het werk van beiden me bevalt, en wat me er niet aan bevalt: mijnheer Von Goethe zoekt zijn heil in de klassieken, Achim in de middeleeuwen; waarom, vraag ik me af, zoekt geen van beiden het in het heden?' Op die vraag kon de classicist noch de romanticus antwoord geven, en Kleist kon zich tooien met de lauwerkrans van de lachende derde; een genoegen dat echter niet langer dan een dag zou duren.

Schillers gezondheid was in de eerste dagen na hun aankomst op de Kyffhäuser duidelijk vooruitgegaan, en de hoestbuien en koude rillingen die hij na zijn val in de Rijn een paar maal had gehad, leken vergeten. Maar het vochtige kampement in de kom en de ijskoude nachten hadden zo veel van zijn krachten gevergd, dat hij de volgende ochtend bibberend van de kou met zweet op zijn voorhoofd wakker werd. In die toestand trof Karl hem aan. Ten einde raad legde de jongeman alle dekens die hij in de tent kon vinden op de zieke en rende naar buiten om hulp te halen. Kleist en Humboldt waren gaan jagen en Arnim liet Bettine de locatie van zijn ervaring in de natuur zien. Alleen Goethe was dus aanwezig.

Toen de geheimraad zijn zieke vriend ontwaarde, trok hij zulke diepe rimpels in zijn voorhoofd, dat Karl vreesde voor het leven van zijn leermeester en bijna in tranen uitbrak. 'We moeten een vuur naast hem aanleggen,' zei Goethe.

Direct rende de dauphin naar de muzentempel om brandhout naar de kom te brengen. Daar stapelde hij het hout voor de tent op alsof alleen zijn haast al kon bijdragen aan Schillers genezing.

Intussen pakte Goethe de hand van zijn vriend en sprak zacht met hem. 'Als u sterft, zal ik dat mezelf nooit vergeven. En u ook niet.'

'Het is maar een aanval,' antwoordde Schiller. Maar hij beefde zo erg dat zijn tanden klapperden. 'Ik ga niet dood.'

'Dat is snel gezegd, en nog sneller gedaan! Als u uw lichaam kon zien, zou u wel anders praten. Want het ziet er behoorlijk verzwakt uit.'

'Het is de geest die het lichaam schept.'

'Dan is het uw geest die verzwakt is.'

Schiller lachte en zijn gelach ontaardde in hoesten. Karl riep van buiten: 'Het is zover, heer geheimraad!'

Samen met alle dekens en zijn mat legden de twee mannen Schiller voor de tent. Het vuur brandde nog niet, want 's nachts waren de sintels van het vuur onder de kalkrots uitgegaan, en Karl had weliswaar een doos met vuursteen, vuurslag en tondel, maar het ontbrak hem aan droge spanen waarop het vuur zou kunnen gedijen.

'Zoek in de tent naar papier,' droeg Goethe hem op.

Karl doorzocht hun tent, schudde alle rugzakken op de grond leeg en keerde alle kleren om, en ten slotte had hij twee bundels in zijn hand: Schillers aantekeningen en Kleists blijspel.

'Verder niets?'

Karl schudde zijn hoofd. Goethe pakte de komedie.

'In het vuur met die troep,' lalde Schiller.

Goethe sloeg de map open en scheurde de eerste acht bladzijden eruit; hoewel hij haast had deed hij het zorgvuldig, bladzij voor bladzij. Daarna vormde hij een prop van de vijfvoetige jamben en schoof die onder het brandhout. Karl sloeg meteen tegen zijn vuursteen en niet veel later gingen Kleists dialogen in vlammen op, en daarmee ook het hout. Het was slecht papier, maar het brandde goed.

Algauw had Schiller het niet meer koud. Hij rilde niet meer en nadat hij het zweet met een lap van zijn gezicht had gewist, bleef het weg. Goethe zette thee en moedigde Schiller aan er veel van te drinken. Karl week alleen van Schillers zijde wanneer hij brandhout moest halen en hield onafgebroken zijn hand vast. Ook zijn bleke gezicht kreeg weer langzaam kleur.

[221]

Pas toen Schiller zijn pijp en zijn tabak verlangde, kon ook Goethe weer lachen. 'U hebt ons aardig laten schrikken, mijn dierbare vriend.'

'Ik ben van plan niet eerder en niet anders te sterven dan na tachtig lentes op het slagveld, en zelfs dan wil ik nog krachtig genoeg zijn om als goede mest te dienen voor de vruchten des velds. Op deze hobbelige wereld zou ik graag nog een paar sprongen maken waarover nog lang gesproken zal worden.'

'Ik hoop dat uw woorden bewaarheid worden,' zei Goethe, en hij nam Schillers andere hand in de zijne.

Schiller kneep in de handen van zijn buren en glimlachte mild. 'Mijn goede vrienden. Maak je geen zorgen.'

Toen keerden Humboldt en Kleist uit het bos terug. In een van Humboldts vallen was een konijn terechtgekomen, en hij droeg het dode dier aan zijn oren. Ontsteld hoorden ze het nieuws van Schillers koude koorts aan en nadat Humboldt zijn kruisboog van zijn rug had genomen ging hij er direct weer vandoor om kruiden te zoeken die de genezing van de zieke zouden bespoedigen. Kleist ging naast de anderen bij het vuur zitten en begon het konijn van de ingewanden te ontdoen om, naar hij zei, Friedrichs welzijn met een sappig stuk gebraden vlees te bevorderen. Een tijdlang was hij rustig in de weer met zijn mes en het vlees, maar toen viel zijn blik op een half verbrand hoekje van een bladzij, dat door de opstijgende hete lucht van het vuur was meegevoerd. Met bebloede vingers pakte Kleist het stukje papier op en hij schrok toen hij zijn eigen, deels verkoolde woorden ontwaarde. Voordat Goethe iets kon uitleggen, had hij zijn kopie gepakt en opengeslagen. Toen hij de restanten van de uitgescheurde pagina's zag, liet hij het vilmes vallen en verstarde alsof hij een Gorgoon gewaar werd.

Goethe hief sussend zijn handen op. 'Ik kan het uitleggen. We moesten snel de kou uit de heer Schillers ledematen verdrijven, en het vuur was uitgegaan, en we hadden geen aanmaakhout meer. We zijn naarstig op zoek gegaan en hebben alleen uw boek gevonden, en met de allergrootste terughoudendheid en een bezwaard hart hebben we, gelooft u ons alstublieft, besloten enige bladzijden op te offeren voor de gezondheid van de heer Schiller. Ik heb slechts woorden tot mijn beschikking om me bij u te verontschuldigen, maar ik hoop dat u mijn excuses kunt accepteren.'

'U hebt mijn werk verbrand!' riep Kleist uit.

'God beware! Nee, het zijn alleen de eerste acht bladzijden – de eerste scène en een deel van de tweede – die ik al heb gelezen.'

'De duivel hale u! U hebt mijn blijspel in de as gelegd, verdomme!'

'Bedaart u alstublieft, mijnheer Von Kleist, u maakt er een drama van. Het gaat alleen om de eerste acht pagina's van een kopie.'

'U hebt het verbrand!'

'Inderdaad, verdraaid nog aan toe, omdat we niets anders konden vinden!'

'En dit?' riep Kleist. Hij sprong overeind en hield Schillers notitieboekje aan het kaft omhoog, zodat de dichtbeschreven bladzijden, met daarop ook schetsen van mensen en paarden, te zien waren. 'En dit dan? En zijn notities dan? Het is ten slotte toch ook zíjn vuur!'

'In hemelsnaam, u kunt de handgeschreven notities, ideeën voor toekomstig werk, van een Friedrich Schiller toch nauwelijks vergelijken met de kopie van uw komedie. Weest u liever blij dat uw werk misschien de heer Schillers leven heeft gered.'

'Wilt u daarmee zeggen dat Friedrichs werk superieur is aan het mijne?'

'Lieve god, daarom gaat het hier toch helemaal niet.'

'Is het superieur? Zegt u het!'

'Mijnheer Von Kleist, kalmeert u alstublieft, die twee zaken laten zich toch niet met elkaar vergelijken.'

'Dan vraag ik het anders. Hebt u van mijn *Kruik* genoten? Las u het met plezier?'

'Ja, dat wil zeggen, af en toe. Ik heb het nog niet helemaal uit.'

'Wat?!'

'Ik heb nog slechts een paar bladzijden te gaan.'

'U bent al ruim een maand in het bezit van het boek, u weet hoe belangrijk het voor mij is en u hebt het hier niet eens...' Kleist brak zijn zin halverwege af, haalde zijn pistool uit zijn broekriem en legde aan op Goethe. De zittende mannen schrokken alle drie even erg. 'Daarvoor schiet ik u neer, God sta me bij!'

'Heinrich!' riep Goethe, 'alsjeblieft, kom tot jezelf!'

'Heer geheimraad, waar andere mensen een hart in hun lijf hebben, hebt u een… een worst! Maar ik laat me de spotternij van een betweterige oude man niet langer welgevallen. Ik ben te oud om voor afgoden als u te buigen en oud genoeg om u voor uw voortdurende beledigingen te straffen.'

Karl wilde verzoenend tussenbeide komen, maar Kleist richtte direct de loop op hem en siste: 'Je zult lood proeven, Capet, als je niet ogenblikkelijk gaat zitten.'

Karl gehoorzaamde en Schiller had de kracht niet om op te staan. 'Godallemachtig, Heinrich,' zei hij, 'ongelukkig ben je al, wil je het ook nog verdienen?'

'Lang zal ik het niet meer zijn, bij Jupiter,' zei Kleist, en hij trok ook zijn andere zakpistool. 'De tweede kogel is voor mij.'

'Wat een vreemde gedachten heeft die knaap,' zei Goethe tegen zijn kameraden. 'Ik verzeker u, mijnheer Von Kleist, niemand wil u kwaad doen. Zoals u anders fantaseert tot vreugde van anderen, spint u in dit geval een merkwaardig verhaal om als voedsel te dienen voor uw verontwaardiging. Het was me werkelijk alleen om het papier te doen, bij de hemelse Vader en zijn heerscharen!'

'Als dat zo is, zeg me dan oprecht wat u van mijn blijspel denkt!'

Goethe slaakte een diepe zucht. Hij keek naar Schiller, die naar hem knikte. 'Wel, er is veel voor deze *Kruik* te zeggen; maar het is een soort onzichtbaar theater, als het ware een leesdrama, dat naar mijn mening niet zonder problemen op de planken kan worden gebracht. En het verhaal van de schurk die zich zonder hulp en zonder uitzicht op succes tegen zijn ontmaskering verzet, lijkt me wat voorspelbaar, als u het me niet kwalijk neemt.'

'Dus u wilt het niet in het theater van Weimar laten opvoeren?'

'Niet direct. Het spijt me, maar de eerste afwijzing is altijd nog beter dan de laatste, nietwaar?'

'Alleen zal deze eerste afwijzing ook meteen uw laatste zijn,' zei Kleist, en hij spande de haan.

'U wilt hem toch niet vermoorden?' vroeg Schiller.

'Ik ben het ernstig van plan.'

Vol onbegrip schudde Goethe zijn hoofd. 'Heinrich, je doet me huiveren.'

'Op deze wereld is niet genoeg plaats voor u en mij,' zei Kleist, en hij gooide Goethe het andere wapen in de schoot. De kolf was rood van het konijnenbloed. 'Daar, pak dat pistool.'

'Waarom?'

'In een duel zullen we uitmaken wie van ons het niet langer verdient op deze aarde rond te lopen.'

'Uw gevoelens zijn u de baas.'

'Pak dat pistool, zeg ik!'

'Goeie genade, wees toch niet zo Tasso-achtig gevoelig als uw argumenten geen gehoor vinden.'

'Moet ik het u tien keer en nog eens tien keer voorkauwen? Pak het pistool, brandstichter!'

'Als iets me dwarszit, maak ik er een gedicht van. Sapperloot, als ik op iedereen zou schieten die kritiek op me heeft, zou Weimar al snel ontvolkt zijn.'

Opnieuw tilde Kleist zijn pistool op, zodat Goethe direct in de loop keek. 'Neem het pistool en volg mij, als ik u niet voor immer evenzeer moet verachten als ik u haat!'

Goethe pakte het wapen. Hij spande de haan en schoot meteen in de lucht. De knal weerkaatste tussen de berghellingen en deed de raven opvliegen. Terwijl de loop nog rookte, gooide Goethe het pistool achteloos achter zich in het gras en deed zijn armen over elkaar. Kleist was radeloos, maar liet zijn pistooltje niet zakken. Karl en Schiller zwegen.

Gealarmeerd door het schot kwam Humboldt door het struikgewas aangerend. Met één enkele, scherpzinnige blik overzag hij de weerbarstige situatie. Met een sprong was hij bij Kleist en trok het pistool uit zijn hand.

'Het zou noodweer zijn geweest,' mompelde Kleist. Humboldt knikte, pakte zijn hand en leidde zijn kameraad, die hem gedwee volgde, het kamp uit.

[225]

Een tijdje liepen ze doelloos door het bos, tot ze uiteindelijk een kleine open plek bereikten. Daar liet Humboldt Kleists hand los en draaide zich naar hem om. Hij keek woedender uit zijn ogen dan Kleist ooit had gezien, en zijn ademhaling ging zwaar.

'Sinds ik Goethe ken, heb ik hem gehaat,' jammerde Kleist, 'maar vandaag weet ik pas waarom.'

Daarop gaf Humboldt hem met zijn rechterhand een oorvijg die zo krachtig was dat Kleist de tranen in de ogen sprongen. Ontdaan legde Kleist zijn hand op zijn getroffen wang.

'Alexander! Wat doe je?' riep hij.

'Wat ik doe, vraag je? Wat ík doe? Waarom vraag je het niet aan jezelf, oliedomme hansworst die je bent? Wie anders dan jij wilde daarnet de schepper van de *Werther*, de *Meister* en de *Egmont* kokend lood in de schedel pompen? Ik zou willen dat je wat minder onbezonnen was!'

'Je was er niet bij… hij heeft mijn…'

'En ik ben er blij om dat ik er niet bij was! Het maakt me niet uit wat hij heeft gedaan, veel is er niet voor nodig om jou tot razernij te brengen! Toen ik je nog niet kende heb ik niets gezegd, maar als je vriend kan ik niet langer zwijgen.'

Nu stroomden de tranen over Kleists wangen. 'Je neemt hem in bescherming.'

'Niet hem, jou neem ik in bescherming, Heinrich, tegen jezelf! Kijk eens naar jezelf, jij van bloed druipende griezel.'

Kleist keek omlaag. Nog steeds kleefde het opgedroogde konijnen-bloed aan zijn handen, en ook op de plekken waar hij zijn gezicht had aangeraakt. Nu drong zijn ontzettende daad in volle omvang tot hem door en hij viel als een zoutzak op de grond.

'Je spreekt de waarheid,' jammerde hij terwijl zijn lichaam schokte van het snikken, en nadat hij zijn gezicht geheel achter zijn handen had verborgen, zei hij: 'De vlammen slaan uit mijn gezicht! Mijn geest wankelt boven de grauwe afgrond van de waanzin. Ik ben de armzaligste van alle mensen. Het is… alsof er een vreemd klokkenspel in mijn hersenen klinkt. God zij me genadig, ik word gek.'

Toen ging Humboldt naast hem op het gras zitten, hij legde zijn hand op Kleists schouder en zei zacht: 'Ik help je, als je het toelaat.' Kleist schudde zijn hoofd. 'De waarheid is, vrees ik, dat ik op deze aarde niet meer te helpen ben.'

Humboldt liet zijn vriend huilen. Zijn troostende hand rustte op de schouder van de ander. Toen Kleist geen tranen meer overhad, streek Humboldt de haarslierten van zijn voorhoofd. Kleist keek omhoog en met rode ogen glimlachte hij. Met de rug van zijn hand streek Humboldt over de getroffen wang. Kleist liet zijn handen zakken. Toen boog Humboldt zich voorover om hem ter verzachting van de pijn een broederlijke kus op zijn huid te drukken. Kleist sloot zijn ogen. Maar toen Humboldt hem weer losliet, bewoog Kleist met hem mee en drukte zijn lippen op die van de ander. Humboldt reageerde niet. Pas toen Kleist zijn handen tegen zijn hals en achter zijn nek legde, beantwoordde hij de kus. Kussend lieten de twee zich in het gras zakken en hun handen graaiden naar hun kleren en hun lichamen om de ander nog dichterbij te voelen. Kleist snakte naar adem en hij dacht dat hij buiten zinnen raakte, en toen hij onder Humboldt lag en diens prachtige gezicht, nog steeds door een waas van tranen, zag afsteken tegen de hemel boven hem, fluisterde hij: 'Met hart en ziel hou ik van je, onuitsprekelijk, voor altijd.' En hij kuste zijn haren en zijn hals – het liefst had hij hem gebeten, zozeer verlangde hij naar hem. 'Mijn jonge hart is door de giftigste pijl van Amor getroffen, want ik hou van je boven alles en ik ben bereid mijn hele leven te vergooien om in de ban van jouw blik te kunnen blijven.'

Hij wilde doorgaan met zijn ontboezemingen, maar praten en kussen tegelijk ging niet, en daarom zweeg hij en liet zijn kussen spreken.

De onenigheid die de laatste paar dagen in de groep was ontstaan en die was geculmineerd in Kleists bedreiging met moord, was aanleiding voor Goethe en Schiller om dezelfde dag nog een algemene vergadering te beleggen waarin de in de toekomst te nemen stappen zouden worden besproken. Behalve Kleist, die zich bij monde van Humboldt liet verontschuldigen, was het hele gezelschap aanwezig. Goethe recapituleerde dat er tweeënhalve week was verstreken sinds ze in het Kyffhäusergebergte waren gearriveerd en dat ze er wel van uit konden gaan dat noch capitaine Santing noch de hertog van Weimar hen hier zou vinden. Hij, Goethe, wilde er geen dag langer blijven dan nodig was en hoffelijk noemde hij andere redenen dan de voor de hand liggende, zoals het barre weer, het algemene onbehagen en natuurlijk Schillers slechte gezondheid. Omdat men er in meerderheid nog altijd tegen gekant was gezamenlijk zonder bescherming te vertrekken, werd overeengekomen de volgende dag iemand uit de groep naar hertog Carl August te sturen en hem te vragen om een escorte dat hen onder hun hoede kon nemen, zodat ze de Kyffhäuser zonder angst voor de bonapartisten zouden kunnen verlaten. Zoals zo vaak viel de keus daarbij op Humboldt, die werd beschouwd als de snelste en betrouwbaarste van allen. De metgezellen waren ontsteld over de abruptheid waarmee hun oponthoud in de natuur na al die dagen van wachten zou worden beëindigd.

Op de vergadering volgde een somber avondmaal, waarbij Kleist ook weer van de partij was. Ten overstaan van iedereen bood hij zijn excuses aan omdat hij Goethe tot een duel had uitgedaagd en hij voerde als reden aan dat hij vaak handelde voordat hij goed had nagedacht en dat hij door de wildernis waarin ze leefden blijkbaar ook was verwilderd. Deze beleefde, zij het enigszins koele verklaring hoorde Goethe knikkend aan, en hij vroeg op zijn beurt om vergeving voor het ondoordachte verbranden van de tekst. De anderen wisten nu dat alles was bijgelegd, en niets.

's Nachts hadden Kleist en Humboldt geen vuur meer nodig om warm te blijven, want dicht tegen elkaar aan liggend warmden ze elkaar. In de veilige afzondering van de muzentempel beloofde Humboldt dat hij Kleist op zijn volgende reis zou meenemen, en deze zwoer nooit te zullen trouwen en dat Humboldt zijn vrouw, zijn kinderen en kleinkinderen zou zijn in één persoon, en hij herinnerde hem aan hun eminente landgenoot, de grote Frederik, in wiens hart meer plaats was voor zijn boezemvriend en vertrouweling luitenant Katte dan voor welke vrouw dan ook. Kleist knipte een lok van Humboldts haar af als aandenken. Hij bond er een lintje om en borg de lok op in zijn vestzak, boven zijn hart, en Humboldt moest beloven dat hij heelhuids met de mannen van de hertog van Weimar zou terugkeren. 'Want als je dat niet doet, mijn oogappel, mijn liefste Humboldt van mijn hart,' fluisterde Kleist, 'denk ik dat er in de hele wereld niemand van mij houdt.' Humboldt gaf zijn woord en bezegelde het met veel hartstochtelijke kussen. Op de ochtend van de volgende dag begaf hij zich met de beste wensen van allen op weg naar Weimar.

9

De onderwereld

De dag van Humboldts vertrek, de 27e maart, was ook de twintigste verjaardag van Louis-Charles de Bourbon, hoewel deze hem zelf totaal was vergeten, na al die jaren dat hij hem had overgeslagen. Schiller moest hem er eerst aan herinneren en om de dag te vieren maakte hij 's middags een uitstapje met de jarige naar het door Humboldt en Kleist zo geroemde waterbekken. Ze hadden een stuk zeep meegenomen en hoewel het water koud was en er bovendien een onaangename wind stond, waste Karl zich grondig. Terwijl de dauphin zijn natte lijf afdroogde, viel Schillers blik onwillekeurig op zijn dijbeen, waar de door madame De Rambaud beschreven moedervlek in de vorm van een duif zich zou moeten bevinden. Maar de huid was wit en blank, en ook op de rest van zijn bovenbeen, en het andere, was geen moedervlek te bekennen. Schiller schrok, maar onderdrukte zijn impuls Karl er meteen naar te vragen. In plaats daarvan zei hij even later, toen ze hun vuile was met de zeep op de stenen schoonwreven: 'Agathe de Rambaud heeft me over mademoiselle Dunois verteld, die je als kleine jongen altijd waste, en ze zei dat het je lievelingsspelletje was de zeep over de natte tegels te zien glijden.'

Karl glimlachte en zei: 'Ja, dat weet ik nog goed. Dat was leuk.'

Dat antwoord verontrustte Schiller nog meer, maar hij deed zijn uiterste best om niets te laten merken. Op de terugweg naar het kamp zei hij niet veel. Daar aangekomen las hij zijn aantekeningen uit de Hunsrück, en bij de eerste de beste gelegenheid vroeg hij Goethe om een gesprek onder vier ogen. Ze liepen een eindje, tot de plek waar de beek het pad naar de ravenrots kruiste.

'Spreek vrijuit,' zei Goethe. 'Wat zit u dwars?'

Schiller zette eerst zijn wandelstok tegen een boom en zei toen: 'Hoe moet ik die tegenstrijdheden met elkaar rijmen? Ik kan het zelf niet. Luister: anderhalf uur geleden heb ik Karl zien baden en de moedervlek die het kindermeisje me zo uitgebreid heeft beschreven, was niet te zien. Weg, alsof hij er nooit was geweest. Ik heb nog eens in mijn notities gekeken, maar madame De Rambauds beschrijving was overduidelijk: een moedervlek op het dijbeen in de vorm van een duif. En dat nadat ík het was die Karl er vanochtend op wees dat hij jarig was. Ik begin me ongemakkelijk te voelen bij die knaap.'

'Hij zal het vergeten zijn. Verdraaid! Ik zou na al die tijd in afzondering ook niet meer weten welke dag van de week het vandaag is.'

'Luistert u verder, want ten slotte had ik het met hem over een gebeurtenis uit zijn jeugd – bij het in bad gaan, met een zekere mademoiselle Dunois. Zegt hij: "Ja, dat weet ik nog goed."'

'En?'

'Er bestaat geen mademoiselle Dunois!' zei Schiller nadrukkelijk. 'Ik heb haar verzonnen, net zoals ik de gebeurtenis bij het bad heb verzonnen, waarvan hij zei dat hij het zich herinnerde!'

Goethe knipperde met zijn ogen. 'En u wilt daarmee zeggen...'

'... dat als De Rambaud niet tegen ons gelogen heeft, Karl níét de dauphin is!'

Lange tijd was het beekje naast hen het enige wat te horen was. Goethe staarde in de verte. Toen slaakte hij een diepe zucht.

'Wat is er?' vroeg Schiller. 'Spreek!'

'Welnu... ik heb het al die tijd vermoed.'

'Verduiveld! U wist...?'

'Ik vermóédde het. Van het begin af aan, moet ik bekennen.'

'Sinds Mainz?'

Goethe schudde zijn hoofd. 'Sinds Weimar.'

'Sinds Weimar? Maar hoe…'

'Ik merk het wanneer Carl August me de waarheid niet vertelt. Er moet iets in een vriendschap zijn dat alle leugens ontmaskert.'

'Bij de negende cirkel van de hel, man! Vertel me in hemelsnaam niet dat u tijdens onze hachelijke omzwervingen steeds hebt geweten dat we ons leven voor een bedrieger op het spel zetten! Dat u ons hebt gerekruteerd terwijl u al vermoedde dat we voor een leugen zouden vechten!'

Hun gesprek kreeg het karakter van een tribunaal en als het Goethe niet was geweest maar iemand anders, had Schiller hem ongetwijfeld met zijn wild gebarende handen bij zijn revers gepakt om zijn verwijten kracht bij te zetten.

'Maar Karl is een goed mens,' voerde de geheimraad aan. 'Juist u zou dat toch moeten hebben gezien.'

'In de eerste plaats is hij een goede acteur! In hoeverre zijn menselijkheid ook is gespeeld, wie zal het zeggen? Hij heeft toch de hand in deze hele schijnvertoning! Of niet soms?'

'Zoals ik de gesluierde madame Botta inschat, is hij slechts haar instrument.'

'Dus ze spelen allemaal onder één hoedje? Karl, Botta, de Hollander, de dode Engelsman? En wie is die Karl eigenlijk, die me nu ineens zo vreemd is geworden?'

'Wie hij is en waar hij vandaan komt, weet ik niet, maar hij is ongetwijfeld hier omdat hij als twee druppels water op de dauphin lijkt.'

'O god, de dauphin,' kreunde Schiller, omdat hij aan de echte Louis-Charles werd herinnerd, en als een gevangen dier ijsbeerde hij over het smalle pad, terwijl hij met beide handen door zijn rode baard streek. 'Die is dood, allang tot stof vergaan, is dan toch gestorven, eenzaam in zijn toren ten onder gegaan, die ongelukkige, beklagenswaardige jonge ziel.'

'Maar Karl is gered!' zei Goethe. 'En heiligt het doel de middelen niet? Is het niet het voornaamste dat de tiran Napoleon ten val wordt gebracht en dat de lappendeken van het Duitse Rijk niet definitief door hem aan stukken wordt gescheurd? En dat een verlichte, vooruitstrevende koning de Franse scepter zwaait?'

'Vooruitstrevend, ja, vooruitstrevend en verkeerd.'

'Hebt u niet zelf gezegd dat we naar het gehalte moeten kijken, en niet naar het keurmerk? Is, en wordt, Karl niet alles wat we wensten? Misschien is ook dat vooruitgang, dat een naamloze zonder blauw bloed koning wordt en de gelijkheid van alle mensen dichterbij brengt!'

Op dat moment bleef Schiller staan. 'Genoeg, genoeg spitsvondigheden, u begeeft zich op glad ijs, want aangenomen dat Karl Frankrijk en Duitsland redt, dan nog doet hij dat door middel van een leugen. Hoe kan het tijdperk van de waarheid beginnen met een leugen? "Hij is weliswaar geen prins, maar hij verdient het er een te zijn"? Dat zijn kronkelwegen die ik niet wil volgen. En als onze kameraden ervan zouden weten, zouden ze ogenblikkelijk hun wapens neerleggen.' In Goethes blik lag een vraag besloten, die Schiller meteen beantwoordde: 'O, ik zal mijn mond houden, want u bent mijn vriend. Waarom zouden we elkaar nog in de haren vliegen, dat is nergens goed voor. Zwijgen zal ik, maar niet liegen; ik, de bedrogen bedrieger.'

'Ik dank u. U kunt voortaan alles van me verlangen, mijn dierbare vriend. Maar wat had het uitgemaakt als ik u destijds in mijn studeerkamer...'

'Spreek niet verder, vraag ik u, want hoe meer u zegt, des te meer verraadt u dat uw vermoeden omtrent Karls werkelijke aard van het begin af aan geen vermoeden maar een zekerheid was. En ik, zonderlinge dromer!' zei hij met een vreemd, bitter lachje. 'Was ik echt ijdel genoeg om te denken dat ik een echte koning zou onderwijzen?'

Zwijgend keek Schiller naar het bos, alsof hij een vervlogen droom nakeek, en intussen schudde hij keer op keer zijn hoofd. Toen hoestte hij in zijn vuist.

'Gaat het wel goed met u?' vroeg Goethe. 'Zullen we teruggaan?'

'Of het goed met me gaat? Met mij? Volstrekt niet, op geen stukken na,' zei Schiller zonder zich naar Goethe om te draaien. 'Als er gisteren een engel des Heren uit de hemel naar mij was nedergedaald die mij verkondigd had "Onder deze zeven mensen bevin-

den zich er twee voor wie je al het geluk van de wereld, alle gezondheid en een lang leven kunt wensen", dan zou ik mezelf niet
hebben gekozen, maar ú, u en Karl, de twee mensen die mij het
dierbaarst zijn. En nu hoor ik dat van al die mensen juist deze twee
mij hebben bedrogen. Nee. Nee, mijnheer Von Goethe, het gaat
niet goed met mij.'

Even keek hij Goethe in de ogen. Toen sloeg hij ze neer en liep terug naar het kamp, met slepende, korte passen, als een oude man.
Goethe waagde het niet hem te volgen, temeer omdat er bij zijn
weten in het kamp niemand meer over was die geen wrok tegen
hem koesterde. Zijn knoestige stok had Schiller vergeten. Goethe
pakte hem, stapte over de beek en zette koers naar de ravenrots.

Daar, op een hoge plek aan de rand van het bos, ging hij op de rots
staan, zijn rechterhand leunend op de stok. De wind, voorbode
van het naderende onweer, ging geweldig tekeer en woelde door
zijn haar, de plooien van zijn jas en de toppen van de dennen. Beneden in het dal joegen de wolken en de nevelslierten voort, en
van het ene moment op het andere werden de groene velden en de
rode daken van de dorpen erdoor verborgen, om meteen weer tevoorschijn te komen. Al zou er een storm opsteken, al zou het gaan
stromen van de regen, deze rots zou hij zo snel niet verlaten, dacht
Goethe.

Zo vond Bettine hem, roerloos en standvastig als een zuil boven
een zee van wolken, toen ze na een halve eeuwigheid uit het bos
kwam, onverwacht, ongevraagd. Bettine wachtte tot haar slapen
niet meer klopten en haar wangen niet meer gloeiden. Toen kwam
ze naast hem staan, zonder een woord, en staarde met hem naar
het met wolken bedekte dal.

'Vanaf deze heuvel overzie ik de wereld,' zei ze toen de stilte haar
te veel werd.

Hij hield zijn ogen gericht op het dal. 'Hoe heb je me gevonden?'

'Zoals een trouwe hond zijn baasje vindt,' gaf ze lachend ten antwoord. 'En net als zo'n hondje zou ik me aan je voeten willen op-
rollen en willen waken om je spoken te verjagen, of net zo lang bij

je te blijven tot ze zijn verdwenen. Want ik zie je niet graag lijden. Je had ruzie met Friedrich?'

Goethe knikte. Daarop legde Bettine haar hand op zijn borst, en haar andere op zijn arm. Eindelijk zag Goethe op haar neer.

'Een hondje? Nee, je lijkt meer op wilde hop. Waar ik ook sta, je schiet wortel, je slingert langs me omhoog en slingert je om me heen tot er op het laatst niets meer van me te zien is dan hop.'

Verlegen trok Bettine haar handen terug, want zijn woorden klonken niet plagerig, eerder als een standje. Maar Goethe pakte haar vast, zette haar voor zijn borst en sloeg zijn jas om haar heen. Het was zachtjes gaan regenen, en opnieuw zwegen ze.

'Goethe,' zuchtte ze, 'wat je blik zegt is voldoende, ook als hij niet op mij rust. Spreek met je ogen, ik begrijp alles.'

'Zo, lief kind? Wat zegt hij dan, mijn blik?'

'Dat je ook van mij houdt, omdat ik beter ben en aardiger dan alle vrouwen in je romans bij elkaar. Ik ben voor niemand anders geboren dan voor jou.'

Maar met haar woorden slaagde ze er niet in zijn hersenschimmen te verjagen, want hij trok steeds diepere rimpels in zijn voorhoofd. 'Kan er van liefde geen sprake zijn?' vroeg ze, en zonder zijn antwoord af te wachten vervolgde ze: 'Ik zou je lieve hand met beide handen tegen mijn borst willen drukken en willen zeggen dat ik altijd van je zal houden, en hoe vredig en rijk ik me voel sinds ik je ken. Geen boom biedt met zijn jonge bladeren zoveel verkoeling, geen bron is zo verfrissend voor een dorstige en het zon- en het maanlicht en duizend sterren schijnen niet zo helder in het aardse duister als jij straalt in mijn hart!'

'Hart! Hart van me!' zei Goethe verontrust. 'Wat moet dat worden? Blijf met beide benen op de grond, smeek ik je!'

'Teerbeminde!' riep Bettine uit. 'Als ik aan je denk, wil ik niet op de grond verwijlen! Dat kan ik niet! O, Goethe, wat denk je van mijn liefde? Wil je haar beantwoorden?'

'Beantwoorden? Eigenlijk kan niemand jou iets geven, omdat je alles zelf maakt of neemt.'

'Precies, ik hou je vast,' fluisterde ze, en ze omhelsde hem nu helemaal, en sprak tegen de stof van zijn jas terwijl ze zijn geur diep inhaleerde. 'Je zult flink moeten spartelen als je je wilt bevrijden!' Hij voelde haar warmte en haar boezem tegen zijn borst en sloot zijn ogen, en ineens was Schiller vergeten, want hij wilde hem vergeten, en Karl en Napoleon en Kleist, en Arnim al helemaal, en de regen ook, en hij legde zijn handen op haar rug. Toen Bettine zijn aanraking voelde, keek ze omhoog, en met tranen in haar ogen zei ze verlangend: 'Kus me, want we moeten dit paradijs binnenkort verlaten en dan zal alles anders zijn, en ga jij weg; kus me en omarm me, dan zal ik jou ook kussen, dat is zeker, en overlopen van vreugde.'

Niet haar lippen kuste hij echter, maar haar hals en oren, en intussen zuchtte hij diep en hield zijn ogen stevig dicht om niet te hoeven ontwaken uit deze streng verboden droom – en om dezelfde reden hield Bettine haar ogen open. Regendruppels stroomden over zijn voorhoofd, en zij zoog ze kussend op, ze kreeg waarachtig dorst en haar lippen dronken de regen van zijn wenkbrauwen, van zijn ogen en zijn gesloten mond. Hongerig was ze, en onstuimig beet ze hem heel zacht in zijn lip, en toen hij haar tegen zijn wang drukte liepen haar tranen over zijn gezicht en vermengden zich met de regen. Nu gooide hij zijn jas uit en ontkleedde haar, terwijl hij zijn best deed zijn ogen voortdurend gesloten te houden. Welhaast woedend rukte hij aan haar korset tot haar borsten blootlagen; hij begroef zijn droevige voorhoofd erin en drukte er vele heftige kussen op. Zwijgend hield ze zijn hoofd vast, in stomme gelukzaligheid omdat deze godheid voor haar boog, dat de grootste mens van allen haar borst kuste als een pasgeboren kind.

Maar voor Arnim von Achim, die toevallig getuige was van deze vereniging, was het alsof een bliksem vanuit de hemel rechtstreeks in zijn schedel sloeg en zijn lichaam in één klap tot zwarte kool verwerd. Hij had Goethes voorbeeld gevolgd en op de weiden van de heuvelrug een boeket prachtige blauwe bloemen geplukt, dat vele malen groter was dan dat van Goethe. Hij had daarvoor heel wat mijlen afgelegd, had zijn handen blootgesteld aan de kwellingen van doornen, brandnetels en insectenbeten, en was daarna op zoek gegaan naar zijn geliefde om haar dit blauwe boeket te overhandigen en de kleine ergernissen van de afgelopen dagen uit de wereld te helpen. Wat de ongelukkige aantrof was weliswaar Bettine, maar nog slechts half gekleed, het hoofd van zijn rivaal tussen haar ontblote borsten, haar naakte rug naar hem toe gekeerd. Zoals de twee daar op het grote stenen plateau van de ravenrots stonden, bijna onbeweeglijk, kwamen ze Arnim voor als een obsceen antiek standbeeld, een zonderlinge variatie op de *Caritas Romana* op de rotsen van het Duitse gebergte.

Eerst sloot Arnims hand zich in een ijzeren greep om de bloemen, zodat de stengels doormidden braken en het sap eruit werd geperst, toen opende zijn hand zich als in zijn slaap en de een na de ander regenden de blauwe bloemen rond zijn laarzen op de grond; in zijn handpalm bleef alleen het groene, kleverige sap van de planten achter. Geen van de twee geliefden nam notitie van hem en toen hij weer was vertrokken, herinnerden slechts de geknakte bloemen in de modder eraan dat hij getuige van de scène was geweest.

Arnim was vast van plan zijn tranen niet de vrije loop te laten voordat hij de groep en de Kyffhäuser vaarwel had gezegd, en keerde terug in het kamp, waar Kleist, Karl en Schiller in de beschutting van de muzentempel bij het vuur een partijtje omber zaten te spelen. Arnim beantwoordde hun begroeting kort maar niet onvriendelijk en ging daarna direct naar zijn tent om daar zijn boeltje te pakken voor de terugreis. Elke keer als hij iets van Bettine in handen kreeg liet hij het ogenblikkelijk vallen, alsof het met bijtend zuur was bedekt.

Zijn kameraden waren niet weinig verbaasd toen Arnim met zijn hoed op zijn hoofd, zijn rugzak op zijn rug en een vastbesloten uitdrukking op zijn gezicht uit de tent stapte en onder de overhangende rots afscheid van hen nam. 'Adieu, mijn wapenbroeders,' zei hij weemoedig, 'ik vertrek.'

'Drommels! Achim!' riep Kleist. 'Waar wil je nog heen, zo laat op de dag? Wanneer kom je terug?'

'Ik kom nooit meer terug. Een kogel zal nog eerder in zijn baan omkeren dan dat ik weer naar deze vervloekte berg kom. Ik ga terug naar Heidelberg en ieder van jullie zal een plekje in mijn hart hebben, zelfs jij, vriend Karl. Het was me een eer met jullie te mogen strijden, maar ik kan godsonmogelijk blijven. Vraag me niet naar de reden.'

Meteen stonden ze alle drie op, Karl zelfs met zijn kaarten in zijn hand; ze bestookten Arnim ondanks zijn verzoek met vragen en deden hun uiterste best hem over te halen te blijven, want tenslotte zou Humboldt binnenkort terugkomen met de hertog en het triomfantelijke einde van hun avontuur was binnen handbereik. Maar Arnim was doof voor hun argumenten en toen hij merkte dat er tranen in zijn ogen opwelden, maakte hij zich van hen los en zette de eerste stappen op weg naar huis. Maar van alle mensen kwam uitgerekend Goethe hem tegemoet.

'Salve,' groette de geheimraad zo opgeruimd alsof het incident op de ravenrots nooit had plaatsgevonden. En toen hij de consternatie opmerkte, vroeg hij: 'Wat is er aan de hand?'

Hoewel alle ogen nu op hem waren gericht, antwoordde niemand. Arnim wilde het niet, de anderen konden het niet. Arnims handen klemden zich vaster om de riemen van zijn rugzak.

'Waarheen wilt u…' begon Goethe zijn vraag, maar hij kon zijn zin niet afmaken, want er viel een schot. Als door een onzichtbare hand werden de speelkaarten die Karl vasthield weggerukt en door de lucht geslingerd. Verbluft keek Karl naar zijn lege hand en vervolgens naar de andere, alsof hij zojuist het slachtoffer was geworden van een zakkenrollerstruc. Een van de kaarten op de grond was doorboord, en de kogel had de boer te paard die erop stond ternauwernood gemist. Maar niemand reageerde, met uitzondering van Kleist. 'Dekking!' riep hij, en hij sprong achter een van de grote rotsblokken die voor de ingang van de muzentempel verspreid lagen.

De anderen volgden zijn voorbeeld, Schiller als eerste. Karl had zich nog maar nauwelijks in een kuil achter een steen laten vallen, of een tweede kogel boorde zich erin.

'Ha!' riep Schiller. 'Voor wie was die bestemd?'

'Ik denk... voor mij,' antwoordde Karl, en hij maakte zich nog kleiner.

Kleist had inmiddels beide pistolen van zijn slaapplaats gehaald. Hij richtte zich op, vuurde eerst met links en dan met rechts op een verborgen doel in het bos ertegenover. Een van de kogels trof hun onzichtbare aanvaller. Hout versplinterende toen er een lichaam van een of twee vadems hoogte uit een boom viel. Pas toen weerklonk er een schreeuw.

'Verga tot stof! En moge je graf voor eeuwig in vergetelheid verzinken!' tierde Kleist.

'Hebt u hem te pakken?' vroeg Goethe.

Kleist schudde zijn hoofd, en hij herlaadde vliegensvlug zijn wapens. 'Er zijn er meer.'

'De man uit Ingolstadt?'

Het volgende schot leek zijn vraag te beantwoorden. Het belandde in de bovenkant van de grot.

'Hoe in de naam van de Heilige Drie-eenheid heeft hij ons na al die weken...'

'Dat is om het even! Hij zal het veld niet ruimen voordat er bloed is gevloeid,' bromde Schiller. 'Kinderen, nu is het menens! We zijn verloren, tenzij we vechten als aangeschoten everzwijnen!'

Als een salamander kroop hij over de grond naar hun pistolen en de Franse musketten en deelde de vuurwapens uit, samen met de patronen, kruithoorns en zakjes lood. Bij elkaar waren het voldoende wapens, iedere man had er twee tot zijn beschikking – een enorm voordeel, want dan zou er steeds één loop kunnen afkoelen terwijl de andere geladen werd. Zelf nam Schiller de kruisboog en een pistool. Al snel had ieder een patroon in de hand; ze scheurden de papieren zakjes open, deden het kruit in de loop en vervolgens het papier en het lood, en stampten alles aan. Schiller spande intussen met de lier de pees van zijn kruisboog. Arnim ontdeed zich van zijn rugzak en zijn hoed. Op aanraden van Kleist doofde Karl het kampvuur door er zand op te gooien. Ieder zocht naar een verschansing die hem tegen de kogels van de anderen beschermde zonder het eigen schootsveld te beperken. Van voordeel bij hun gevecht was de goede dekking die de muzentempel bood.

Er vielen geen schoten meer, maar naar de geluiden te oordelen die uit de bosjes kwamen, de gefluisterde instructies en het kraken van dode twijgen, verzamelden hun tegenstanders zich nu aan de andere kant van de kom.

Midden in een stil schietgebedje sloeg Arnim zijn ogen op. 'Bettine!' riep hij. 'Ze is nog altijd daar buiten!'

'Daar kun je niets aan veranderen,' zei Schiller. 'Hier kom je niet weg.'

'Ik móét hier weg! Ze is volkomen onbeschermd! Clemens zal me...'

'De pot op met je Clemens, Bettine weet zichzelf te redden!'

Zonder op Schillers woorden te letten hing Arnim een musket om zijn schouder, pakte een andere in zijn hand en stond op. 'Ik moet haar vinden. Dood, kom maar op, ik vrees je niet!'

'Dat de zwavelregens van Sodom...! Omlaag!'

Niet Schillers bevel, maar een volgend schot van de vijand dwong Arnim weer in dekking te gaan. Er volgde een donderend salvo van schoten, en een moordende regen van ijzer kletterde omlaag. De meeste kogels kwamen in het plafond van hun onderkomen terecht, en het witte kalksteen barstte open door de inslagen en dwarrelde als sneeuw op de metgezellen neer. Weldra waren ieders kleren overdekt met een dunne laag wit stof. Maar nu konden ze het mondingsvuur van hun tegenstanders zien en wisten ze waar hun doelen achter de bladeren waren verscholen.

'Het gewei verraadt het hert,' zei Kleist nadat hij de schoten had geteld. 'Acht of negen man.' In zijn mondhoek kleefde nog papier en kruit van het openscheuren van de patronen.

Schiller legde zijn kruisboog aan. 'Mars regeert!' riep hij tegen zijn kameraden. 'Als er ook maar één druppel Duits heldenbloed in jullie aderen stroomt, vuur dan!'

Schiller sprong op en schoot zijn pijl af, en de anderen volgden zijn voorbeeld. Nu ontaardde het vuurgevecht in een dodelijke dialoog, en kriskras floten de kogels over de kom; ze troffen hier een steen, daar een boom, maar zelden hun doel. Onafgebroken werd er geschoten en herladen; kruit, loden kogels en laadstokken lagen in wilde wanorde over de bodem van de tempel verspreid en onder het rotsdek hing kruitdamp. De lucht stonk zo naar zwavel dat het leek of de hele garderobe van de moloch onder het firmament werd gelucht.

Schiller had het vijandelijke vuur geobserveerd en kwam tot de conclusie dat de tegenstander een breed kordon rond de grot had geformeerd, van de rotswand aan de ene kant tot de rand van de kom aan de andere. 'Hel en verdoemenis! We zitten klem,' verkondigde hij tegen de anderen. 'Hele volksstammen zijn daar in de struiken om zich heen aan het schieten.'

'We moeten hier weg!' riep Karl, die er met zijn trillende handen nauwelijks in slaagde de laadstok in de loop van zijn geweer te krijgen.

'Alleen, we zitten aardig in de puree. Ze blokkeren alle uitwegen.'

'We zijn omsingeld,' beaamde Kleist.

'En al zou de hel ons negenmaal omsingelen, laten we die duivels terugsturen naar waar ze vandaan komen!'

Plichtsgetrouw gaf Kleist aan de oproep gehoor, en met een tweevoudig schot beroofde hij een volgende vijand van het levenslicht. Geleidelijk aan ebden de schoten van hun tegenstanders weg en ten slotte zwegen hun wapens geheel. Ook de metgezellen staakten het vuren, dankbaar voor een pauze waarin het oververhitte metaal van hun geweerlopen kon afkoelen. Karl liet een fles water rondgaan, waaruit met gretige slokken werd gedronken.

Ineens klonk er geroep uit het struikgewas. 'Hé daar! We willen een wapenstilstand, en overleg!'

'Laat je in een pastei bakken, valse bruidegom!' antwoordde Kleist. 'Vechten of inrukken, en als je wilt converseren, ga je maar naar moeder thuis!'

'Grote woorden voor iemand die als een rat in de val zit. Maar wees niet bang, we zullen jullie ongedeerd laten gaan. We willen alleen de zoon van Capet.'

Karl kromp ineen. Hij klampte zich vast aan zijn musket en keek hulpeloos naar Schiller. Schiller schudde zijn hoofd.

'Zullen we deze arrogante landverrader ons antwoord in lood doen toekomen?' vroeg Kleist, die de haan van zijn pistolen alweer had gespannen. Maar Goethe hief zijn hand op.

De oproep werd herhaald. 'Lever Capet uit, en jullie krijgen een vrije aftocht. Jullie zal niets overkomen, bij het leven van de keizer en mijn eer als officier.'

'Loop naar de hel, smerige fransoos!'

Goethe hief opnieuw zijn hand om Kleist de mond te snoeren, en antwoordde: 'We zullen hem noch enig ander lid van ons gezelschap uitleveren. Maar ik raad u aan: maak dat u hier wegkomt met uw handlangers en wel terstond, voordat we u in de pan hakken.'

'Kijk eens aan! En welk leger brengt u daarvoor mee?'

'Dat van de hertog van Saksen-Weimar-Eisenach.'

Een moment was het stil. Toen kwam het antwoord: 'Dat deze man hierheen had moeten brengen?'

En nu kwamen er twee mannen uit het bos. De achterste was capitaine Santing, die gewone reiskleding droeg en wiens rechteroog door een zwarte ooglap was bedekt. De voorste was Alexander von Humboldt, een prop in zijn mond, zijn handen achter zijn rug gebonden, zijn voeten geketend, en Santings pistool tegen zijn slaap. Een godslasterlijke vloek bleef Kleist in de keel steken. Hij werd wit als het kalksteen dat hem omringde. Ook de andere kameraden kwamen achter hun dekking vandaan om zich ervan te vergewissen dat hun ogen hen niet bedrogen in de schemering.

'Almachtige god,' mompelde Arnim.

De capitaine voerde zijn gevangene naar het midden van de kom, tot voor de tenten van hun kamp, met een boosaardig lachje op zijn lippen. Wat er uit Humboldts ogen sprak, kon niemand doorgronden.

'Niemand ontsnapt aan de grote Napoleon,' zei Santing, 'noch in zijn rijk, noch ergens anders. U hebt een weliswaar indrukwekkende, maar ijdele vluchtpoging ondernomen, die nu is gestrand.

Ik moet toegeven dat ik wel eens voor mijn rang heb gevreesd, want zonder de dauphin had ik me hoe dan ook niet meer in Frankrijk kunnen vertonen. Genoeg gepraat, geef me Capet en u krijgt uw vriend terug. Des te sneller kunnen we met z'n allen naar huis.'

De klap kwam aan. Geen van de vijf wist nog iets te zeggen. Een paar maal maakte Goethe aanstalten om te spreken, maar toen gaf hij het definitief op. Kleist knarste hoorbaar met zijn tanden. Het zweet stroomde in brede banen over Karls voorhoofd en vermengde zich met het meelachtige stof van de grot. Hij beefde en de musket in zijn hand beefde mee. Schiller meed zijn blik. Arnim bad nu voor alle twee: Bettine en Humboldt.

'Wat mankeert u?' vroeg de capitaine. 'Hebt u uw tong verloren?'

'Een ogenblikje geduld,' riep Goethe.

'Ik heb geen geduld meer. Ik achtervolg u al zowat een maand en heb daarbij een van mijn ogen verloren. In Mayence worden Capet en ik reeds lang verwacht. Vijf minuten, niet meer, dan jaag ik deze onfortuinlijke koerier een kogel door de kop.'

Kleist wendde zijn ogen af van Humboldt en richtte zich tot Schiller en Karl. 'Nu is het dan zover, Karl,' sprak hij niet zonder moeite, 'nu is het aan jou om Alexanders leven te redden.'

'Niet zo snel,' zei Schiller, en tegelijkertijd zei Goethe: 'Een ogenblik!'

'We hebben geen ogenblik,' zei Kleist, en hij legde zijn hand op Karls schouder. 'Aan de oever van de Rijn zwoer Karl dat hij zijn laatste druppel bloed voor ons zou geven als we ooit in gevaar zouden komen. Vandaag kun je je dappere belofte gestand doen.'

'Ze zullen me vermoorden als ik naar ze toe ga,' jammerde Karl.

'Dat weet je niet. Maar je weet dat ze Alexander zullen vermoorden als je niet gaat.'

'En daarna ons,' voegde Arnim eraan toe, en Kleist maakte een instemmend gebaar.

Goethe verliet zijn dekking. 'Staat u mij toe dat ik *en privé* met de heer Schiller van gedachten wissel.'

Schiller volgde hem en samen kropen ze langs het gedoofde vuur naar het achterste gedeelte van de muzentempel om ongestoord te kunnen praten.

'Vervloekt,' bromde Schiller, 'driemaal vervloekt zij deze reis!'

'Hij ís de dauphin niet,' stelde Goethe vast.

'Dat is me om het even. Dauphin of niet, zelfs als hij een bedrieger is, hou ik van hem als van een eigen zoon, en wil ik dat hij blijft leven.'

'Mijn hart draait om in mijn lijf bij die gedachte! Maar aan het begin van de reis heb ik besloten het leven van de redders boven dat van de geredde te stellen. De dood van de heer Von Humboldt wil ik niet op mijn geweten hebben, ook al gaat het om Frankrijk – zelfs niet als het om heel Europa gaat. De hertog zal dat, de hertog móét dat begrijpen.'

Schiller knikte. 'Karl zal gaan. Heinrich spreekt de waarheid: ze zullen hem niet doden. Hier niet tenminste. Maar ik zou willen dat Karl uit eigen beweging gaat. Ik wil niet dat hij zich alleen onder dwang voor Alexander opoffert.'

'Zal hij vrijwillig gaan?'

'Dat zal hij. Zoals ik hem heb leren kennen en zoals ik hem heb opgevoed, is hij edelmoedig genoeg om het grootste offer van alle te brengen.'

Goethe legde beide handen op Schillers arm en keerde daarna terug naar de anderen. Karl stuurde hij naar Schiller. Uit het kamp klonk Santings mededeling dat twee van de vijf minuten waren verstreken.

'Jullie willen op het voorstel ingaan,' zei Karl met zwakke stem. 'Ik zie het aan je ogen, Friedrich. Je wilt dat ik ga.'

'Nee. Ik wil dat jíj dat wilt. Maar die beslissing laten we helemaal aan jou over, hoe Heinrich ook tekeergaat. Als je wenst te blijven, blijf dan; wij zullen samen met jou strijden, en samen met jou sterven.'

Karl legde beide handen op zijn gezicht en wreef erover. In zijn handpalmen kregen zijn zuchten een holle klank.

'Als ze je naar Mainz brengen, zul je ongedeerd blijven. We hebben je al eens bevrijd, het zal ons ook een volgende keer lukken. Je kunt bogen op een ware waslijst van geslaagde ontsnappingen. Ik beloof dat ik je niet in de steek zal laten.'

'Ik ben bang.'

'Ik ook, Karl. Maar als een mens hoge doelen nastreeft, groeit hij. Denk aan je ouders, die hun zware gang met opgeheven hoofd zijn gegaan. Het hart van een man wordt gestaald door een goede gedachte.'

Karl haalde zijn handen van zijn gezicht en keek Schiller aan alsof hij hem wilde tegenspreken. Op zijn gezicht waren wonderlijke patronen van wit stof en zwart kruit ontstaan.

'Wat heb je besloten?'

Karl antwoordde niet, maar knikte alleen.

'Dat is mijn koning!' riep Schiller uit, en glimlachend sloot hij hem in zijn armen. 'Ik ben trots op je, Karl. Aan zijn daden zullen ze Louis' zoon herkennen!'

'Kan ik mijn spullen nog snel even pakken?' vroeg Karl met een blik op zijn ransel en wat van zijn bezittingen, die door elkaar naast het vuur lagen.

'Zeker. We hebben geen haast meer.'

Schiller liet zijn pupil alleen in de wetenschap dat deze de kostbare minuten zou benutten om nog eens bij zichzelf te rade te gaan en zich voor te bereiden op de ontberingen van de tijd die komen ging. Aan Schillers gezicht zagen de drie anderen dat het hem was gelukt Karl te overtuigen. Kleist slaakte een zucht van verlichting.

'De laatste minuut is ingegaan!' riep de eenogige capitaine.

'Goed, goed, u krijgt uw man,' antwoordde Goethe. 'Hij komt zo meteen naar u toe.' Tot zijn kameraden zei Goethe: 'Laad alle wapens en hou ze onder handbereik. Als deze schelmen ons in de luren willen leggen, zal hun dat duur komen te staan. Mijnheer Von Kleist, uw doelwit is...'

'... de stier uit Ingolstadt? Met alle plezier. Eén loop heb ik op zijn hart, de andere op zijn goede oog gericht.'

De vier bereidden zich achter hun verschansingen op de aanstaande confrontatie voor, toen Arnim ineens vroeg: 'Waar is Karl?'

Allen draaiden zich om. Inderdaad was er van Karl geen spoor te bekennen, en ook de rugzak die hij had willen inpakken, was verdwenen. Schiller riep hem.

'Hel, dood en duivel!' vloekte Kleist. 'Waar zit die lamstraal?'

Als een opgejaagd roofdier zocht Kleist met zijn ogen het halfduister van de muzentempel af, en vervolgens het aangrenzende stuk bos, maar Karl had de overhangende rots onmogelijk kunnen verlaten zonder door de vier mannen te worden opgemerkt, nog afgezien van het feit dat de Fransen het vuur ongetwijfeld zouden hebben geopend op iedereen die zou vluchten. Het was gewoon alsof Karl nooit had bestaan. Schiller riep opnieuw, en een derde keer, en elke keer luider, maar tevergeefs.

'Heilige moeder Gods,' zei Arnim. 'Hij is in rook opgegaan.'

'Gekheid!'

'De tijd is om!' riep Santing.

'Hoor eens,' antwoordde Goethe hakkelend, 'de dauphin is... weg, we kunnen hem niet uitleveren... hoewel we het hadden besloten, komt hij voorlopig niet, naar het schijnt.'

Verbluft door dit antwoord liet Santing zijn wapen een moment zakken. 'Weg? Hoezo weg? Wilt u de draak met mij steken? Waar is hij naartoe?'

'Dat weten we zelf niet.'

'Nu, dan zal ik u een handje helpen,' zei hij, en hij spande de haan van het pistool dat hij tegen Humboldts slaap hield.

Kleist kon het niet langer aanzien. Hij richtte zich in zijn volle lengte op, legde beide pistolen op Santing aan en zei: 'Waag het eens, bloedhond, en je danst een quadrille met de dood!'

Humboldt probeerde iets te zeggen, maar de prop in zijn mond smoorde zijn woorden. Om geen doelwit voor Kleist te vormen, ging de capitaine meteen achter Humboldt staan, en in deze positie trok hij Humboldt achter zich aan het bos in.

Tot ontzetting van zijn kameraden maakte Kleist nu aanstalten de man te volgen en de beschutting van de muzentempel te verlaten. 'Voorwaarts! Het bloed van de beste Duitsers vloeit in het stof!' riep hij om de anderen aan te sporen, maar in de bosjes weerklonk nu een Franse kreet van Santing, waarop alle geweren van zijn handlangers tegelijkertijd leken af te gaan. Kleist dook weg voor het dodelijke salvo en kwam pijnlijk neer, maar ging meteen weer in dekking om de schoten van de Fransen drie- en viervoudig te vergelden. Elk van zijn kogels ging gepaard met een giftige verwensing en algauw stroomden er tranen van woede en wanhoop over zijn wangen.

'Dat wordt een bloedige avond,' verzuchtte Schiller, en hij schoot pijl na pijl naar de plekken waar hij de vuurstenen boven de kruitpannen zag oplichten. In de schemering waren mensen niet meer te onderscheiden.

Die tweede aanval was duidelijk heftiger dan de eerste. Onder dekking van de duisternis en het vuur van hun kameraden rukten de Fransen op en van minuut tot minuut sloot het kordon rond de muzentempel zich meer. Maar hoe dichter de vijand naderde, des te kwetsbaarder werd hij, en zo trof een van Schillers pijlen een man in het been terwijl Arnim en Kleist een ander met kruisvuur elimineerden.

Goethe had helemaal vooraan in de grot positie gekozen, en hij stampte juist het kruit in zijn zakpistool aan toen er vlak voor hem een Fransman opdook met de musket in de aanslag. Goethe schoot meteen, zodat niet het lood maar de laadstok werd afgevuurd, direct in de rechterhand van zijn tegenstander, waarvan de stok de duim verbrijzelde. De kogel van de onthutste Fransman raakte slechts de rots en nog voor de gewonde man kon vluchten, had Kleist hem door het hoofd geschoten. Het lijk van de aanvaller bleef vlak voor hun tempel liggen en tijdens het gevecht kwamen er heel wat verdwaalde Franse kogels in het levenloze vlees terecht. Na deze mislukte aanval van hun kameraad durfden de vijandelijke soldaten hun dekking niet meer op te geven. Goethe was echter zo aangeslagen door het incident, dat hij vanaf dat moment niet meer zelf schoot maar in de achterhoede de wapens van de anderen herlaadde.

Al snel waren hun patronen op en moesten ze, wat een veel lastiger opgave was, hun lopen met het kruit uit de kruithoorn vullen.

Ook ontbrak het hun aan het papier waarmee ze het kruit in de loop op zijn plaats hielden. Nu offerde Kleist het restant van zijn blijspel vrijwillig op; de kameraden scheurden de pagina's doormidden, duwden zijn gedrukte woorden met de laadstok in hun wapens en vuurden ze met het kruit en het lood op hun tegenstanders af.

Nadat de schemering had plaatsgemaakt voor de nacht verstomden de Franse salvo's. Vriend en vijand waren in het donker niet meer te onderscheiden en elke verdere kogel zou verspild zijn geweest. Nauwelijks waren de schoten weggestorven, of een paar raven zetten met hun zwarte zeilen koers naar de bomen bij het kamp, waar na het verwoede gevecht rond de rots een rijk avondmaal voor hen stond opgediend. De kameraden dronken en wisten zich het zweet van het voorhoofd, terwijl Kleist de wapenkamer inventariseerde. Niemand sprak over de drie verdwenen vrienden, Bettine, Humboldt en Karl, maar ieder van hen vroeg zich af wie de volgende was die de groep zou verlaten, en onder welke omstandigheden.

'Wat is het rustig buiten,' zei Arnim.

'De rust van het kerkhof,' zei Schiller. 'Ze bereiden een volgende aanval voor.'

'Een derde maal houden we niet stand,' zei Kleist nadat hij de wapenschouw had gehouden. 'Vervloekt zij deze noodlottige dag!'

'We hebben toch genoeg kruit?'

'Genoeg kruit om de aarde naar de maan te blazen. Maar het lood zal snel opraken. Twee dozijn schoten *tout au plus*, dan zullen onze wapens honger moeten lijden.'

Goethe wierp een blik in het duister. 'En buiten wachten de Fransen, als wolven rond een boom waarin een reiziger zich in veiligheid heeft gebracht.'

De metgezellen zwegen. Arnim trof een worst in de voorraden aan, waar hij lusteloos op kauwde. Kleist stofte zijn pistolen af. '"Door Franse honden in Germanië verscheurd", dat zal de inscriptie op mijn grafsteen zijn.'

'Mijne heren,' zei Goethe toen, 'hoor eens naar wat ik te zeggen heb, want ik zou u een voorstel willen doen: we volgen mijnheer Von Arnims voorbeeld en gebruiken de avondmaaltijd. Vervolgens gorden wij onze sabels om, plaatsen de bajonetten, bidden een Onzevader en doen frank en vrij met frisse moed een uitval onder de dekmantel van de duisternis.'

De anderen gaven niet direct antwoord. Toen zei Schiller, terwijl hij zijn sabel ontblootte: 'Laat het dan maar snel en bloedig gaan. Laten we onze pennen in hun lichamen stoten en de rode inkt uit het vat zuigen. Dood of vrijheid! In elk geval mogen ze niemand levend in handen krijgen!'

'Dood of vrijheid!' herhaalde Arnim. 'Hij die wordt geveld door de hand van de vijand, sterft de gelukkigste dood ter wereld! Kom-aan, mijn Duitse broeders!'

Opeens rolde er een steen van de overhangende rots en viel voor de muzentempel op de grond. De metgezellen hielden hun adem in. De steen werd gevolgd door andere steentjes en kiezels en boven het plafond van de grot waren geluiden te horen.

'Ze staan op de rots,' fluisterde Schiller.

Onmiddellijk grepen de vier naar hun wapens, hun vinger aan de trekker, de kolf tegen de schouder, in de veronderstelling dat hun aanvallers zich dadelijk van de rand van de rots zouden laten zakken. Maar de ingang bleef leeg. Even later klonken er hamerslagen door het steen.

'Verduiveld! Volgt dat addergebroed een cursus dakdekken?' siste Kleist.

Lijdzaam hoorden ze het geklop en geknars aan, maar ze konden er geen wijs uit worden. Niet veel later viel de raadselachtige activiteit stil en klonk het geluid van wegstervende voetstappen.

'Wat ter...' begon Goethe, maar Schiller gebaarde hem te zwijgen. Want nu was er een nieuw geluid te horen, een gesis dat aanvankelijk nauwelijks was te onderscheiden van de wind in de bomen. Maar in tegenstelling tot het ruisen van de bladeren was het gelijkmatig, als stoom die uit een fluitketel ontsnapt.

Opnieuw begreep Kleist het eerder dan alle anderen. 'Achteruit!' schreeuwde hij luidkeels, en zonder op zijn dekking te letten sprong hij op en rende naar de achterkant van de muzentempel. 'In godsnaam, hierheen!'

Met een traagheid die voortkwam uit onbegrip, volgden de drie hem naar de achterwand van de grot, waar Kleist zich uit alle macht tegenaan drukte, en nauwelijks waren ze daar aangekomen of er vond zo'n oorverdovende explosie plaats dat het leek of er een fakkel in het keizerlijke kruitmagazijn was gegooid. De aarde schudde zo heftig dat Goethe niet op de been kon blijven. Boven hen sprong een zwarte barst dwars door het kalksteen en met een klap brak het hele vooruitspringende gedeelte van de rots af; het verbrokkelde tijdens de val, brulde als een wild beest en stortte in een wolk van stof en stenen neer. De hongerige raven vlogen weer op en kozen krassend het luchtruim. Er kwamen nog meer rotsblokken naar beneden, die over de voormalige overkapping de kom in rolden, en bomen waarvan de grond onder de wortels was weggeslagen stortten krakend neer. Tot het laatst bleef het steentjes op de resten van de ingang van de grot regenen. Toen was het weer stil, en terwijl een wolk kruitdamp in de nachtelijke hemel opsteeg, daalde het stof als dichte mist over het verlaten kamp neer.

Aanvankelijk durfde Schiller niet eens te hoesten, omdat hij bang was dat elke trilling een nieuwe lawine zou kunnen veroorzaken. Maar hij kon zich niet lang tegen de hoestprikkel verzetten. Toen hij er eindelijk aan toegaf, hoestte er ook iemand naast hem, maar wie het was kon hij niet horen, laat staan zien, want het was aardedonker. Hij knielde en kroop tastend over de grond in de richting van de plek waar hij hun voormalige vuur vermoedde. Onder het puin en het stof kreeg hij ten slotte een verkoold stuk hout te pakken, en daarmee pookte hij rond in de as tot hij door het stof het eind van een droge tak rood zag opgloeien. Schiller blies net zo lang tot het hout weer ging branden, en met nog wat ongebruikt brandhout had hij algauw een vuurtje gemaakt.

De vier metgezellen stonden bij elkaar in de ruïne van de muzentempel, die door de explosie van de Fransen tot een klein kamertje was gereduceerd – niet geheel ongedeerd, maar in elk geval leefden ze nog. Arnim stond tegen de muur geleund en controleerde met zijn hand de toestand van zijn neus, die uit beide neusgaten bloedde. Kleist spuwde zo veel van het verpulverde kalksteen uit, dat zijn speeksel op gestremde melk leek. Goethe lag meer dan hij zat en drukte een doek op zijn hoofd op de plaats waar een vallende steen zijn eeuwige wond opnieuw had doen opengaan. Kleist hielp hem overeind.

Samen bekeken ze de schade, maar er was niet veel tijd of kennis van zaken voor nodig om te begrijpen dat hun tegenstanders er weliswaar niet in waren geslaagd om hen te doden, maar wel om hen levend te begraven. Het overhangende deel van de rots was finaal van de rest van de berg gescheiden en aan ontsnappen viel niet te denken. Voor elk rotsblok dat ze weghaalden, kwamen er twee andere naar beneden en het leek steeds waarschijnlijker dat de overgebleven ruimte eveneens zou instorten.

Niet alleen voor de grot, ook erachter had de explosie zijn sporen achtergelaten en zo ontdekte Goethe algauw dat de smalle spleet die Humboldt eerder in de achterwand van de grot had ontdekt door de beving breder was geworden; koele, kalkrijke lucht stroomde door de spleet hun bedompte kerker binnen. Niemand kon zeggen waar de scheur op uitkwam, maar desondanks was iedereen het er stilzwijgend over eens dat ze de muzentempel beter konden opgeven om dieper in de berg naar een uitweg te zoeken.

Het grootste deel van hun uitrusting was door het puin vernietigd en lag eronder bedolven, maar ze vonden nog een worst en wat stoffig wildbraad, een tondeldoos, een gedeukte pan, de dekens van Humboldt en Kleist, een fles brandewijn die de steenlawine als door een wonder had overleefd, een Franse musket en ten slotte de wapens die ze op hun lichaam hadden gedragen. Zoals tijdens een hagelbui de zon soms schijnt, zo was het nu een geluk bij een ongeluk dat de kameraden ook de zak met pektoortsen onder een paar stenen vandaan konden trekken, toortsen die voor hun verkenningstocht onontbeerlijk waren. Schiller stak meteen de eerste van de twaalf aan, en ging hun voor door de rotsspleet.

De eerste stappen waren bijzonder moeizaam, want de spleet was smal en de ondergrond zelden vlak, en hun kleren bleven aan de ruwe rots haken. Goethe kwam zo ongelukkig tussen twee rotswanden klem te zitten dat hij alleen uit de houdgreep van de berg kon worden bevrijd doordat Arnim trok terwijl Kleist duwde. Steeds verder omlaag voerde hun smalle pad, steeds verder het Kyffhäusermassief in, maar uiteindelijk werd de gang breder en doemde er in de grot een gewelf op, en daar hadden de kameraden op gehoopt. Het leek wel of ze over droge takken liepen, want de bodem was overdekt met grijze scherven, en met een blik naar boven werd duidelijk waar die vandaan kwamen: uit alle gaten en kieren van het plafond puilden plakken gips, sommige klein, andere groot als een uitgespreide zakdoek. De ruimte leek op een leerlooierij, waar talloze pasgelooide huiden waren opgehangen om te drogen. Goethe raakte een van de stenen doeken aan, die zich als druipsteen door de eeuwen heen hadden gevormd, en hij hield meteen het hele broze geval in zijn hand. In stilte wenste hij dat Humboldt bij hem was, zodat ze het natuurverschijnsel konden bespreken. De anderen duwden hem verder.

De gang leidde naar twee andere, kleinere holten, tot ze na een bocht in een ruimte terechtkwamen die weliswaar zeer laag was – en van boven tot onder met gips was behangen – maar zo ver doorliep in de berg dat Schillers fakkel de ruimte maar deels kon verlichten. Aan de linkerkant van de grot was een bassin met water, het oppervlak spiegelglad, en grote rotsblokken en leiplaten lagen over de grond verspreid. En op een van deze stukken leisteen zat Karl, een kaars naast zich in de rots vastgezet, zijn rugzak aan zijn voeten, treurig in elkaar gedoken als een dwerg uit een oud sprookje. Zíjn aanblik was het, niet die van de grot, die de adem van de vier mannen deed stokken.

Schiller was als eerste weer tot spreken in staat: 'Zo ontmoeten we elkaar weer.' En hij voegde eraan toe: 'In het schimmenrijk.' En inderdaad keek Karl naar de indringers alsof ze rechtstreeks uit de Hades waren gekomen.

Kleist liet de musket die hij droeg op de grond vallen. 'Dat de duistere schoot van de aarde je moge verslinden,' beet hij Karl toe. 'Lafaard! Jij… vreselijk… mens; de adem ontbreekt me om het uit te spreken!'

Met een sprong was Kleist bij Karl, en hij diende hem zo'n harde kaakslag toe dat de laatste van de rots op de grond viel. Kleist trok hem overeind aan zijn kraag, duwde hem met zijn rug tegen de rots, gaf hem een klap in zijn gezicht, en nog een door Karls afwerende armen heen, maar toen stonden Arnim en Goethe achter hem. Ze grepen ieder een van Kleists armen vast en trokken de tierende dichter van zijn slachtoffer af. Kleist probeerde zich aan hun greep te ontworstelen, maar de anderen waren sterker, en toen ze hem wegsleurden, trokken zijn hakken diepe sporen in het gips en de leisteen op de grond.

'Hoor eens, Capet, ik breek al je botten!' brulde hij, en zijn woorden weerkaatsten tegen de wanden van de grot. 'Al ben je vijf keer koning, hiervoor zul je boeten! Je ademt pest uit en je nabijheid betekent onheil! Slang, gifslang! Om jou hangt de stank van moordenaars!'

Plotseling vloeide alle woede en kracht uit zijn lichaam weg en als een levenloze pop zakte hij in de armen van de beide anderen in elkaar. 'Alexander!' snikte hij. Ze zetten hem zachtjes neer en bleven bij hem toen hij begon te huilen. Algauw had Kleist zijn gezicht in Arnims jas verborgen en huilde als een kind, en Arnim sloeg beide armen om het schokkende lichaam van de ander, en was door de tranen van zijn kameraad zelf ook tot tranen toe geroerd.

Ook Karl huilde nu, maar hem troostte niemand. Schiller stond nog altijd voor hem, de druipende fakkel in de hand, onbeweeglijk alsof de koude lucht in de grot hem het bloed in de aderen had doen stollen.

'Ik ben zo blij dat je leeft,' zei Karl, en hij probeerde te glimlachen, 'dat jíj leeft! Ik heb me zulke zorgen om je gemaakt.'

Onbeholpen stond Karl op en hij omhelsde Schiller. Deze liet het een ogenblik toe, maar duwde hem toen met zijn vrije hand van zich af.

'Heinrich spreekt de waarheid,' zei hij. 'Je riekt naar moord. Ik kan je niet omarmen.'

Deze afwijzing verraste Karl. 'Vergeef me, Friedrich,' zei hij ten slotte. 'Vergeef me dat ik ben gevlucht, vergeef me mijn angst, maar ik...'

'Niets meer, geen woord meer. Zeg niets meer, ik ben doof voor je woorden,' antwoordde Schiller. 'Alexander heeft zijn leven voor jou op het spel gezet en al je grote woorden ten spijt laat je de eerste de beste kans om het hem te vergelden, om hem en ons te redden, voorbijgaan om... Ja, om wat? Verdomme, wat? Om toevlucht te zoeken in een andere, nutteloze dood, om jezelf in de aarde te begraven als een... een laf konijn, de zevende scheppingsdag ten hoon. Arm, straatarm ben je geworden. Wat is er in je gevaren, dat je je koninklijke edelmoedigheid bent kwijtgeraakt?'

'Nee, Friedrich, je vergist je schromelijk,' jammerde Karl. 'Mijn gedachten zijn niet zo edel, op geen stukken na, als je me graag zou willen doen geloven. Ik ben geen koning.'

Schiller zweeg. Karl beantwoordde Schillers blik, tot hij die niet langer meer verdroeg. Hij wierp zich op de bodem van de grot en greep de enkels van zijn leermeester. 'Vergeef me! Ik smeek het je!'

'Sta op.'

'Ik weet dat je geen respect meer voor me hebt, maar ik verdraag niet dat je me verstoot!'

'Sta op en hou op me te ergeren!'

Maar Karl gehoorzaamde niet en dus maakte Schiller zich los door een stap achteruit te doen. De uitgestoten jongen bleef huilend liggen, gebroken als de scherven onder hem.

Zodra alle tranen waren opgedroogd, gingen ze op weg om te onderzoeken of de grot een uitgang had. Aan het einde van de lange hal lag een meer van de ene wand tot de andere, waar ze noodgedwongen doorheen moesten waden. Het groenachtige water was zo helder dat ze het gesteente op de bodem haarscherp konden zien, als door een vergrootglas. Arnim waadde er als eerste doorheen, en het verwonderde hun dat het ondergrondse meer veel dieper was dan het vanaf de kant leek. Het water stond tot aan

hun broekriem en Schiller vond het zelfs kouder dan bij zijn on-
vrijwillige bad in de Ilm en in de Rijn.

Aan de andere oever werd de grot naar beide kanten wijder en het
plafond was aanmerkelijk hoger; de ruimte was als een zaal van
een onderaards slot. Ook hier hingen er lappen gips boven hun
hoofd, waarvan de grootste ruim een vadem lang waren en daarbij plat als versteend papier; oude boekkorsten van een reus waarachter het dansende licht van de fakkels steeds wonderlijker scha-
duwbeelden deed ontstaan. Eenieder deed er goed aan niet onder
de gipsformaties te blijven staan, want als er een zou zijn afgebroken, zou deze de ongelukkige ongetwijfeld hebben geveld.

De spelonk links vormde een halve cirkel met hoge muren die er
niet naar uitzagen alsof er een doorgang was. Daarom zetten de
vijf hun zoektocht voort in de grotere grot rechts. Op deze grot
sloten weer twee andere aan: de ene liep omhoog over een helling
van grote keien, waarvan het einde niet te zien was, de andere was
laag en stond zover het oog reikte onder water. Na ruim vijfentwintig pas boog hij naar rechts en naar wat er zich achter de bocht
verborg kon men slechts gissen.

In de grote zaal in het midden hadden de leisteenplaten zich op-
gehoopt en was er een verhoging ontstaan, waar de metgezellen
hun kamp opsloegen. Ze staken een tweede fakkel aan met de eerste en splitsten zich in twee groepen om naar de uitgang van deze
donkere ruimte te zoeken. Tegenover de ongelukkige Karl gedroe-
gen de anderen zich alsof hij daadwerkelijk in rook was opgegaan,
zoals Arnim eerder had uitgeroepen. Niemand praatte meer met
hem, en toen de anderen zich verspreidden, bleef hij eenzaam achter in het schijnsel van zijn kaars.

Aan Kleist en Arnim werd de onaangename taak toebedeeld de
grot met het meer te onderzoeken en dus gingen ze, nadat ze zich
van enkele kledingstukken hadden ontdaan, opnieuw het water
in. Nu eens strompelend, dan weer zwemmend, drongen ze
steeds dieper door tot het inwendige van de grot, terwijl ze er
voortdurend op letten hun onmisbare fakkel uit de buurt van het
water te houden. Achter de bocht kregen ze weer vaste grond

onder de voeten en nu mondde de grot uit in een gang, die ze er veelbelovend vonden uitzien omdat hij omhoogliep. Maar anders dan bij hun entree werd de spleet die ze nu moesten passeren na veel bochtige, stijgende gedeelten steeds nauwer en uiteindelijk onbegaanbaar, zodat ze hun zoektocht ten slotte als mislukt moesten beschouwen. Op de terugweg ontdekten ze het skelet van een dier dat net als zij blijkbaar wel zijn weg naar binnen, maar niet naar buiten had gevonden. Arnim vermoedde dat het een reekalfje betrof en Kleist vond het jammer dat Humboldt er niet bij was, want die had de beenderen ongetwijfeld kunnen classificeren, zoals zijn gezelschap ook bij het onderzoeken van de grot van onschatbare waarde zou zijn geweest. Alleen al de gedachte aan hun vermiste vriend deed Kleist weer in diepe droefenis vervallen.

Minder ijzig, maar des te hachelijker was het uitstapje van Goethe en Schiller, want de uit keien bestaande helling die ze beklommen, was allesbehalve betrouwbaar. De leisteenplaten waren door de vochtige lucht glad geworden en wiebelden op de bodem, en de gevallen gipsplaten vormden een onbetrouwbare ondergrond waarop je gemakkelijk je benen kon breken als je niet uitkeek. Toen ze de helling eindelijk hadden beklommen, zochten ze het plafond af, waarbij de schaduwen van het bladerdeegplafond hun geregeld openingen voortoverden waar er geen waren. Uiteindelijk stond er maar één ding vast: boven hen, binnen bereik van hun armen, had ooit een opening in de leisteen gezeten, maar die werd nu door steenklompen afgesloten. Niemand zou kunnen zeggen hoe dik de laag erboven was, maar als je je een weg erdoorheen had willen banen, dan zou je eerst onder neerstortende rotsblokken zijn bedolven, alsof je in de onderste helft van een reusachtige zandloper stond.

'Vervloekte, bedompte krocht.' Goethe sloeg met zijn vuist tegen het plafond. 'Begraven in de koude aarde, zo benauwd, zo duister! Hier is geen uitweg, geen oplossing, vluchten is onmogelijk.'

'Kom, laten we gaan zitten,' zei Schiller. 'Ik voel me moe en krachteloos.'

Ze namen plaats op de rots en zwegen, het onuitsprekelijke tussen hen in. Beneden, onder aan de helling, was het nietige schijnsel van Karls kaars te zien, een motgaatje in het zwarte gewaad van de grot.

'We zien het licht van de zon nooit meer terug,' zei Schiller na geruime tijd. 'We zijn ten dode opgeschreven.'

'Dat zijn grote woorden, die u zo rustig uitspreekt,' zei Goethe. 'Opgesloten in een grot met Heinrich von Kleist, zo stel ik me de hel voor.' Hij lachte bitter. 'Wenste hij indertijd op het Frauenplan niet dat ik nooit van mijn reis zou terugkeren? Het ziet ernaar uit dat zijn wens nu op een vreselijke manier in vervulling zal gaan.'

'Laat ons tot het laatst in onze redding geloven.'

'Is daar aanleiding voor?'

'Geen enkele. Maar we moeten die jonge kerels beneden helpen de tijd door te komen.'

Toen begonnen ze aan de lastige afdaling. Terug in de grote zaal dronken ze aan het meer in de grot water uit hun holle hand, en het smaakte kostelijk. Van de dorst zouden ze dus niet omkomen. Even later kwamen ook Arnim en Kleist terug en hun hoop dat de andere partij een uitweg zou hebben ontdekt, werd de bodem ingeslagen. Om licht te sparen werden de twee fakkels gedoofd en Goethe besloot dat het gebraden vlees kon worden gegeten. Ze sloegen twee aan twee hun dekens om en in het licht van de kaars verorberden ze wat er van het wild over was, en spoelden het weg met water uit de gedeukte pan.

Het drama duurde heel lang. Als het vuur, dat de ene fakkel na de andere langzaam maar zeker verteerde, er niet was geweest, hadden ze niet kunnen zeggen of er dagen of uren waren verstreken, of dat de tijd stilstond, of de dag wel in de nacht overging op de plaats waar ze ook werkelijk bestonden. Het enige wat het verstrijken van de tijd markeerde was het gestage hoesten van Schiller, dat steeds hetzelfde klonk. Om de honger te temperen werd er veel gedronken en algauw was het water hoorbaar in de darmen van het kwintet aan het borrelen. Ten slotte gaf Goethe ook de worst vrij voor consumptie. Met zijn sabel hakte Arnim hem in vijf gelijke stukken en hij veegde daarna zelfs het spek van de kling om geen stukje, hoe klein ook, verloren te laten gaan. Na de eerste hap van zijn portie bood Karl degene die zijn stuk aan hem zou afstaan, voor het geval dat ze vrijkwamen en hij weer koning was, een vorstendom in Frankrijk aan en een titel erbij, waarbij hij Poitou als voorbeeld noemde. Arnim snauwde hem toe dat hij zijn Poitou in een plaats kon stoppen waar het nog donkerder was dan de grot, en Kleist merkte kauwend op dat hij liever graaf was van een stinkende poel dan van iets wat hij uit handen van Karl had ontvangen, en dat het afgezien daarvan een onvoorstelbaar idee was dat hij een kleinzoon van Maria Theresia en Frans I was. Schiller en Goethe deden er het zwijgen toe.

Arnim wilde opnieuw naar een uitgang zoeken en ondernam een tweede expeditie, terwijl de anderen de tijd benutten om op de koude leisteen te slapen. Af en toe hoorden ze geluiden die van hem afkomstig zouden kunnen zijn, of misschien ook niet – vallend water, brekend gips, meervoudig weerkaatst door de wanden van de grot – en toen hij terugkwam omdat zijn fakkel tot een stompje was opgebrand, was aan zijn ogen te zien dat hij gehuild had. Hij verweet Schiller dat hij bij Rheinstein de vervloekte daalder niet had begraven zoals de schipper hem had opgedragen. Schiller gaf geen antwoord en omdat hij niet langer wilde liggen, ging hij op een blok leisteen zitten dat voor een groter blok stond, als een kruk voor een tafel, en vlijde zijn hoofd op het laatste neer. Ten slotte waren alle kaarsen en fakkels opgebrand, op één na, en toen ze die aanstaken keek Goethe op zijn zakhorloge. Het was ongeveer tien uur, maar of het dag was of nacht, of het nog maart was of al april, viel allang niet meer uit te maken. Het enige wat zeker was, was dat die laatste fakkel na enkele uren zou zijn opgebrand en dat volslagen duisternis hen zou omringen.

Na een paar uur doorbrak Kleist de stilte en zei: 'Wij sterven.'

Na een diepe zucht zei Schiller: 'Het is helaas een feit dat de dichters als eerste het loodje leggen. Leg rekenschap af aan de hemel.'

'Eens zien wie als eerste de bittere wijn van de engel des doods moet proeven,' zei Arnim, maar hij keek intussen uitdrukkelijk naar Goethe.

'Ik,' antwoordde Kleist, en hij haalde zijn twee pistolen tevoorschijn. 'Zodra dit licht dooft, zal ik ook het mijne uitblazen. Want ik ben niet van plan in de aardedonkere nacht van deze graftombe af te wachten tot de waanzin over me komt.'

'Je wilt jezelf toch niet vermoorden?'

'Ik heb nog een zakpistool voor degene die me naar gene zijde wenst te begeleiden. Wat dacht u ervan, Uwe Hoogedelgeborene? Het leven is veel waard als je het veracht!' Kleist bood Karl zijn wapen aan, maar deze schrok ervoor terug.

'Doe het niet, Heinrich, ik smeek je op mijn blote knieën, het is een zonde.'

Maar Kleist was doof voor Arnims smeekbede en in alle rust controleerde hij de trekker en de loop, alsof hij op fazantenjacht ging. Omdat Kleist de pistolen voor het laatst in de hitte van de strijd met kruit had gevuld, vuurde hij ze alle twee in het donker van de grot af en laadde ze vervolgens zorgvuldig opnieuw voor het laatste schot.

Intussen nam Schiller Goethe terzijde. 'Tot ziens in een andere wereld,' zei hij zacht, en hij gaf hem een hand. 'Voor zo'n lange vriendschap is het afscheid kort.'

'Vergeeft u me mijn fouten?'

'Allemaal, vriend van mijn ziel. Allemaal.'

'Dat troost me. En ook dat we in dezelfde tombe begraven zullen liggen.'

Schiller knikte, trok de deken steviger om zijn schouders en ging weer aan zijn stenen tafel zitten.

Van hun voorraden was nu alleen nog de fles brandewijn over. Arnim ontkurkte de fles en bood hem aan het gezelschap aan, maar niemand anders wilde met het sterke spul een gat in zijn lege maag branden en dus dronk Arnim alleen. Na de eerste paar slokken was hij al dronken en algauw spookte de wijngeest door zijn zwakke bloed, maar die verdoofde de angst en de honger en heimelijk wenste Arnim dat als hij dan moest sterven, hij in een roes zou heengaan. Door de brandewijn sprongen hem de tranen in de ogen, daar was de herinnering aan de ontrouw van Bettine niet meer voor nodig.

Toen Arnim zich door twee derde van de fles heen had gewerkt, viel zijn blik op Schiller, die meer slapend dan wakend met zijn hoofd in zijn handen aan de stenen tafel zat. In het rode schijnsel van de fakkel leek de deken om zijn schouders op een purperen mantel, en de rode baard die tussen zijn vingers tevoorschijn kwam, lichtte op als gloeiend vuur. Hij prevelde in stilte een schietgebedje. Hij keek naar zijn metgezellen, maar die hadden allen hun ogen gesloten en ze kregen niets mee van zijn visioen. 'Keizer Friedrich,' fluisterde Arnim. 'Wel, rabarberkeizer, nietwaar, zit je lekker op je troon?' Het gelaat van de aangesprokene was ernstig en mild, en nu gaf hij nauwelijks merkbaar een kort knikje. Arnim nam nog een slok. 'Op je gezondheid, Friedrich!' Toen begon Friedrichs baard voor zijn ogen te groeien, zo snel dat je het kon zien; het rode haar kronkelde tussen zijn vingers door als een lekkende vlam en algauw had het zijn handen bedekt. Het groeide omlaag naar de tafel, als door toverkracht bewogen door de steen heen en steeds verder, over de grond en om de rots, zonder dat Friedrich ook maar met zijn ogen knipperde. De sabel die hij opzij droeg was in een zwaard veranderd en op zijn hoofd was een kroon verschenen.

Arnim probeerde naar de slapende toe te lopen om hem te wekken, maar hij viel voorover, sloeg in zijn val de fles aan stukken, verwondde zijn voorhoofd en bleef laveloos liggen. Goethe spreidde zijn deken over de geestenziener uit.

De vlam van de fakkel werd kleiner en kleiner en doofde ten slotte geheel. In de gloed van het smeulende vuur was het nog mogelijk schimmen te onderscheiden, en toen ook de laatste resten tot as waren vergaan, streek Kleist nog een laatste maal over Humboldts haarlok in zijn vestzak. Toen spande hij de haan van zijn pistool en sprak: 'Nu, o onsterfelijkheid, ben je geheel de mijne.'

Goethe hield zijn handen tegen zijn oren, maar het lawaai dat op Kleists laatste woorden volgde klonk veel doffer dan een pistoolschot en hield wat langer aan, zoals ver verwijderd onweer. Ergens in de grot moest iets zijn ingestort. Goethe hoorde hoe Kleist de haan van zijn pistool weer ontspande. Arnim riep iets onduidelijks in zijn slaap.

Ineens was er licht. Boven op de helling, op de plaats waar Goethe en Schiller naar een uitgang hadden gezocht, lag op de neergestorte rotsblokken een brandende fakkel waarvan het verre licht door stofwolken werd verduisterd, een licht dat desondanks oneindig veel feller was dan de eerdere duisternis. Met kloppend hart zagen de metgezellen hoe daarboven, uit het gat in het plafond dat door de instorting was ontstaan, het uiteinde van een touw in de grot viel en vlak naast de fakkel belandde, en langs dat touw omlaag klom...

'Bettine.'

'Bedriegen mijn ogen me niet?'

Zoals ze daar boven op de helling stond – zo hoog boven hen allen op een wolk van stof, haar zwarte lokken als door een stormwind verward, haar hartsvanger in haar riem en de brandende fakkel in haar hand – kwam ze de metgezellen voor als een halfgodin, als de eerste schikgodin, die aan de lijn van het lot naar hen was afgedaald, zoals de allegorie van de vrijheid, die licht in het vochtige duister van de kerker brengt.

Kleist was de laatste die via het touw uit de schacht kwam gekropen. De anderen hielpen hem het gat uit. Na een tijdje konden zijn ogen de middagzon verdragen en zag hij dat hij zich op de binnenplaats van een kleine burcht bevond die lang geleden in verval was geraakt en dat het gat waardoor ze waren bevrijd ooit de put van die burcht was geweest. Het was de ruïne in de buurt van hun kamp, waarover Arnim had verteld. Op de grond lagen Bettines rugzak en een paar fakkels. Het touw, dat ruim vijf vadem naar beneden hing, had ze aan de stam van een welig tierende berk vastgemaakt.

'Was er ooit een droom zo bont als deze werkelijkheid?' vroeg Kleist toen hij weer op adem was gekomen.

Bettine, die niet minder vermoeid en vermagerd leek dan de mannen, gaf hun het brood en de kaas die ze nog uit het kamp had kunnen redden. Ze vertelde dat ze op de avond van de aanval bij haar terugkeer van de ravenrots tijdig de schoten had gehoord. In plaats van meteen op de vlucht te slaan of zich tenminste te verbergen, sloop ze zo dicht mogelijk naar de aanvallers toe. Toen ze negen mannen telde, onder wie de gewetenloze capitaine Santing, besloot ze dat ze, ongewapend en alleen, haar vrienden in de muzentempel niet zou kunnen helpen. In een veilige schuilplaats bad ze voor het welzijn van haar kameraden en hield goede moed, tot het moment dat de explosie de Kyffhäuser deed beven. Na een slapeloze nacht waagde ze zich de volgende ochtend weer in het kamp. Santing was vertrokken, alleen de dode Fransen waren er nog. Uitgerust met hetgeen ze nog in het verwoeste kamp had kunnen vinden, ging Bettine op zoek naar haar bedolven metgezellen, want een leek kon zien dat het onmogelijk was zich een weg te banen door de ingestorte rots. Onvermoeibaar zocht ze de berg af en ze sliep alleen als de duisternis het haar onmogelijk maakte nog iets te zien. Maar op de derde dag na het gevecht – want dat was het al – gaf ze toen ze op de ruïne stuitte waar Arnim haar zo enthousiast over had verteld, haar vrienden eindelijk op. Tussen de verweerde muren weende ze bittere tranen om de gevallenen, toen er onder de aarde ineens een schot klonk, en niet veel later een tweede, waarvan de echo haar via de put bereikte. Blij met dit levensteken, maar ook vervuld van angst dat ze te laat zou kunnen komen, liet ze zich met een touw en een fakkel in de vervallen put zakken. Op de bodem trof ze rotsblokken aan die tegen elkaar vastgeklemd zaten. Deze barrière wist ze maar op één manier te overwinnen: door, eenmaal terug aan de oppervlakte, een van de zwaarste daar verspreid liggende metselstenen over het gras naar en vervolgens in de put te rollen, waar deze vijf vadem dieper met veel kabaal de dwarsliggende keien kapotsloeg en voor haar de weg vrijmaakte naar de grot.

Nog voor iemand hun reddende engel had kunnen bedanken, informeerde Kleist naar het lot van Humboldt, maar daarover kon Bettine hem niets vertellen. Omdat ze tijdens haar dagenlange zoektocht echter geen spoor van hem had kunnen ontdekken, en hem noch levend, noch – God verhoede – dood had aangetroffen, nam ze aan dat de man uit Ingolstadt, capitaine Santing, zijn gijzelaar had meegenomen. Kleist wist niet of hij God moest danken of vervloeken voor dat bericht.

Arnim stond opzij van de groep sinds hij uit het gat was gekropen. Nog altijd droop er water uit zijn baard en haren, want om hem uit zijn roes te doen ontwaken hadden de anderen hem met zijn hoofd in het ijskoude water van de grot gedompeld. Zijn maag smachtte naar een maaltijd, maar hij was te trots om het brood van Bettine te accepteren. Op een van de verweerde muren zat een raaf naar hem te kijken, wat bewees dat zijn ervaring in de grot inderdaad een hersenspinsel was geweest.

Toen Goethe zijn armen opnieuw om Bettine heen sloeg om haar voor de heldhaftige redding te bedanken, verliet Arnim de oude binnenplaats van de burcht, daalde een overwoekerde trap af die naar het bos voerde en liep over een pad naar het dal. Niemand leek van zijn geruisloze vertrek nota te hebben genomen, maar toen hij een minuut had gelopen hoorde hij gekraak in het struikgewas achter hem, en niet veel later stond Bettine voor hem.

'Waar ter wereld ga jij naar toe?' riep ze hijgend, haar gezicht hoogrood.

'Weg, naar Heidelberg. Heb een goed leven, Bettine, en bedankt voor je hulp.'

'Ben je gek? Nee, dronken ben je!'

'De wijn die mijn pijn kan wegnemen moet nog uitgevonden worden,' zei hij zo nadrukkelijk dat Bettine beschaamd haar ogen neersloeg. 'Je hart is een duiventil. De een vliegt erin, de ander eruit.'

'Achim…'

'Dat ik niets van je moest verwachten, niets van je moest verlangen, dat ik een man voor je ben als alle anderen en wat dies meer zij, heb ik net zo lang door mijn keel proberen te krijgen tot ik mijn portie slikte. Maar nu heb ik drie lange dagen moeten vasten, en wil ik dat niet meer.'

'Ik wil niet dat je gaat! Ik smeek je, blijf bij me!'

'Ik ga nog liever voor altijd terug naar die grot dan dat ik nog één dag langer je domme dansbeer speel. Alles wat ons beweegt, drijft ons uit elkaar. Ik wens je veel plezier met je grijsaard.'

Hij zette een stap vooruit, maar ze pakte zijn arm met beide handen vast. 'En hoe zit het met je liefde, Arnim?'

'Mijn liefde? Mijn liefde is vandaag gestorven, toen zij de vijand huwde.'

Hij wachtte tot ze zijn arm losliet en vervolgde toen zijn weg naar Heidelberg, met niets anders bij zich dan de kleren die hij droeg.

Toen ze het kamp aantroffen, zag het eruit zoals enigen onder hen zich vanbinnen voelden. De tenten waren gescheurd, omgevallen en doorzeefd met talloze kogels, en alle bruikbare spullen waren geroofd of vernield. Nagenoeg al het papier was verbrand, ook het aardige uitgeknipte silhouet van de dochter van de waard uit Spessart. De opgeblazen muzentempel was als een gapende witte wond in het lijf van de berg. Aan de rand van de kom hadden de Fransen hun doden begraven; vier eenvoudige houten kruisen verrezen achter evenzoveel bergen aarde uit de grond, een aanblik die nog onverdraaglijker werd door de daarin gekerfde voornamen van de doden. De metgezellen vonden nauwelijks voedsel dat niet in de modder getrapt of door de raven geroofd was, en ook de tabak hadden hun tegenstanders meegenomen. 'Misschien is dit een goed moment om te stoppen met roken,' zei Schiller toen hij zijn gebroken pijp tussen de rommel vond. En toen hij de restanten van zijn kostbare kruisboog onder het puin van de muzentempel vandaan trok, voegde hij eraan toe: 'Misschien is het ook een goed moment om te stoppen met schieten.'

Nog geen kwartier later had Kleist alles verzameld wat nog bruikbaar was, en spoorde hij de groep aan te vertrekken. Goethe vond dat er geen reden was tot haast, want hoe verder de bloedhond weg was, des te veiliger zou hun reis naar Weimar zijn. Maar Kleist zei met oprechte verbazing dat hij geenszins van plan was Karl naar Weimar te brengen, integendeel, hij wilde de gegijzelde Humboldt bevrijden. Karl zou zijn weg ook alleen kunnen vinden, maar Kleist wilde in het dal paarden kopen of stelen, om het even, en daarmee Santing achternagaan, terug naar Mainz als het moest, of naar Parijs. Goethe herinnerde hem eraan dat Humboldt de anderen zelf had gevraagd zich niet om hem te bekommeren als hij gevangengenomen zou worden, maar Kleist schonk geen gehoor aan deze vermaning. Toen hij begreep dat niemand hem bij zijn jacht op capitaine Santing zou vergezellen, werd hij woedend en foeterde dat als ze zo lafhartig waren uitgerekend Humboldt, die meer voor hun onderneming had betekend dan wie ook, aan zijn lot over te laten, ze even eer- en trouweloos zouden zijn als de Franse prins. Ten slotte verlangde hij van Goethe de beloofde honderdvijftig daalders, maar de Fransen hadden ook hun oorlogskas ontdekt en geplunderd, en dus kon de geheimraad slechts beloven dat hij hem het verlangde bedrag in Weimar zou uitbetalen. Kleist beloofde erop terug te zullen komen. 'Al moet ik u op uw kop zetten en het bedrag cent voor cent uit uw zakken schudden!'

Kleist nam hartelijk afscheid van Bettine, maar Schiller en Karl keurde hij geen blik waardig. Goethe bedacht hij echter met een verwensing die zijn gebruikelijke krachttermen nog overtrof. Daarop vertrok hij om zijn vriend en kameraad uit de klauwen van de vijand te bevrijden.

'Mijn hart is zwaar,' zei Bettine nadat Kleist was vertrokken. 'Wat moet er van Achim en Heinrich worden?'

'Onder ons gezegd ben ik dolblij dat ik van die psychopaten verlost ben,' antwoordde Goethe. 'En Heinrich' – hij spuugde de naam uit en trapte een beschadigde wijnfles definitief aan gruzelementen – 'Heinrich kan mijn reet likken.'

10

Weimar

Van Krautheim tot Buttelstedt konden de reizigers hun voeten rust gunnen, want een vriendelijke landman die met zijn os op weg was naar Buttelstedt, liet hen op zijn lege kar meerijden. Ze zaten tegenover elkaar in de bak, op een harde laag gedroogde mest en oud stro, en keken langs elkaar heen naar de velden, waarop het eerste groen ontluikte. Door hun hoofden spookten Humboldt, die ze verraden, Arnim, die ze bedrogen, en Kleist, die ze verlaten hadden, en het feit dat ze hun missie bijna hadden volbracht en dat Weimar nog maar een halve dagreis verwijderd was, kon geen van de vier metgezellen opmonteren.

Na Buttelstedt splitste de weg zich. Aan de ene kant ging hij verder naar Weimar, aan de andere naar Oßmannstedt, en op een grenssteen stond dat hun doel nog anderhalve Pruisische mijl verwijderd was. 'Denk je eens in,' zei Bettine, 'Weimar leek altijd zo ver weg, alsof het in een ander werelddeel lag, en nu ligt het voor de deur.'

Na een blik van Goethe vroeg Schiller aan Karl om een paar meter met hem voor de anderen uit te lopen. Toen de mannen buiten gehoorsafstand waren, zei Goethe: 'Bettine, ik wil graag dat je naar oom Wieland gaat. Zeg hem dat ik je heb gestuurd. In Oßmannstedt kun je op krachten komen en uitrusten zolang je wenst, en zodra je naar huis wilt, naar Frankfurt, stuur me dan een briefje,

dan zal ik een koetsier opdragen je onmiddellijk naar je grootmoeder en je broer terug te brengen.'

Het duurde even voordat Bettine zijn woorden begrepen had. Met
haar bruine ogen keek ze hem als een stervend dier aan.

'Dat is het verstandigst,' zei Goethe.

'Het verstand is wreed, het hart is beter. Als je naar Weimar gaat,
neem me dan mee.'

'Ik kan je niet meenemen. We zouden een enorme rel veroorzaken,
die ons beiden veel schade zou berokkenen. In het bos waren we
alleen, daar waren de sparren onze getuigen, maar in Weimar ligt
het anders.'

'Nee!' riep ze uit, en dikke tranen stroomden al over haar gezicht,
waar ze het stof van de wegen en de bergen van haar huid spoelden, 'je kunt niet zijn zoals je nu bent: koud en hard als steen! Ik
word verstoten door de hand die ik wilde kussen!' Met beide handen pakte ze hem beet en rukte aan zijn mouwen alsof ze hem omlaag wilde trekken, naar zich toe.

'Je zegt dat ik Wilhelm Meister ben en jij mijn mignon. Maar ik
ben allang geen Wilhelm meer. Luister toch, ik ben eerder de oude
Harfner! Ik ben te oud om alleen maar te spelen.' Goethe ondersteunde haar om te vermijden dat ze voor hem compleet in elkaar
zou zakken. 'Denk toch aan Achim: is het niet genoeg dat hij mij
haat? Moet hij jou ook nog uit zijn hart verbannen? Nee, een van
ons drieën moet vertrekken, en dat wil ik zijn!'

'Kan ik jullie niet allebei hebben? Waarom moet ik er een kiezen,
moet ik de voorkeur geven aan de een boven de ander? Ik wil het
niet en ik kan het niet; de ene helft van mijn hart is bij jou en de
andere bij hem, en als jullie worden gescheiden, dan breekt dat
mijn hart. Laten we teruggaan naar de Kyffhäuser, liefste, daar had
ik jullie allebei dicht bij me en moest ik jullie met niemand delen.'

'Dat waren mooie tijden, Bettine, maar nu zijn ze voorbij. We zullen elkaar terugzien. Maar geloof me en luister naar me, ik meen
het: beter niet in Weimar.'

'Ik heb een onverzadigbaar verlangen naar duizenden kussen van
jou…'

'… en uiteindelijk moeten we met ééntje uit elkaar gaan,' zei Goethe. Maar juist toen hij zijn lippen ten afscheid op de hare wilde drukken, maakte ze zich van hem los en zette een paar stappen terug.

'Nee,' zei ze kwaad. Haar tranen waren nu opgedroogd. 'Uit mijn ogen. Ik sta niet toe dat jij afscheid van mij neemt. Het is eerder zo dat ik jou verlaat. Ik ben niet zo gedwee als jij misschien denkt. Om van mij af te komen moet je heel wat harder spartelen. En je kus, die kus blijf je me schuldig tot ik hem bij je kom halen!'

Voordat Goethe iets terug kon zeggen had ze rechtsomkeert gemaakt, en zonder om te kijken sloeg ze met stramme passen de weg naar Oßmannstedt in. In haar wijde broek en haar gele Savooise vest zag ze eruit als een jongen die na het spelen naar huis loopt.

Toen Goethe zich weer bij zijn vriend had gevoegd – Karl liep verderop – zei hij: 'Dat was verkeerd van me.'

'Wat?'

'Alles. Maar vooral dat ik Bettine op deze expeditie heb meegenomen. Wel, de ouderdom heeft kennelijk toch een goede kant: al ontkom ik niet altijd aan een fout, toch zie ik hem op een gegeven moment wel in. Wat bezielde me? Wat heeft mijn blik vertroebeld?'

'Het eeuwig vrouwelijke?'

Goethe stootte een vreugdeloos lachje uit. 'Misschien. O jee, ik voel me elegisch.'

'Wees gerust, zij is niet het eerste meisje dat verlaten wordt.'

'En niet het eerste dat zich zal weten te troosten. Zeker. U hebt gelijk.'

Bij Obringen barstte een wolkbreuk los en algauw stond het water op de weg zo hoog, dat het zinloos was om op te letten waar je liep. Onaangedaan stapten de drie door het onweer; ze hielden zich warm door er flink de pas in te zetten. Het water trok aan hun jas, hun haar en hun baard, vulde de schede van hun sabel en stroomde als een waterval van Schillers driekante steek, tot het vilt ten slotte meegaf en omknikte. Hij slingerde de hoed de berm in. Als ze dorst hadden, voelden ze zich niet te goed om met hun hand regenwater uit de plassen te scheppen. Andere wandelaars hadden hen abusievelijk kunnen aanzien voor landlopers van het ergste slag, maar in dit noodweer waren er geen andere wandelaars onderweg. Toen ze de Ettersberg over waren en naar Weimar afdaalden, spoelde het water om hun enkels en wees hun de weg naar de Ilm.

Zonder dat ze erover hadden overlegd – want ze hadden inderdaad sinds Buttelstedt geen woord meer gewisseld – zetten ze noch naar de Esplanade koers, noch naar het Frauenplan, maar regelrecht naar het slot. Ze wilden zich zo snel mogelijk van Karl ontdoen. Op de Brühl werd Goethe, die de kortste baard had, door een burger herkend, maar zijn groet bleef de man in de keel steken, zo verwilderd zag de vorst der dichters eruit.

De wachtpost bij de poort van de residentie weigerde de drie mannen binnen te laten. Goethe noemde zijn naam en liet geheimraad Voigt halen, die even later zo snel de trap af gerend kwam dat hij bijna viel. De laatste keer dat hij op het slot was, had Goethe er gehavend uitgezien, maar dat viel in het niet vergeleken met de aanblik die hij nu bood. Voigt bleef op de laatste tree staan en sloeg zijn hand voor zijn mond.

'Heilige moeder Gods,' fluisterde hij, 'Goethe! Ik geloof mijn oude ogen niet. We vreesden al dat u dood was! Maar zo te zien scheelde het niet veel. En bent u dat, mijnheer Von Schiller, die zich achter die roversbaard verstopt? God zij geprezen, dat doet me plezier! U ziet eruit als een kluizenaar bij wie men na vele jaren de steen voor de grot... En deze jongeman is... goeie genade, u hebt het volbracht? Treed naderbij, verzoek ik u, Uwe Hoogheid, de dienstwilligste dienaar van Uwe Genade, Voigt is de naam, doorluchtige geheimraad. Lakei!' Hij klapte in zijn handen. 'Breng schone kleren, de heren zijn drijfnat, en dekens, en schiet een beetje op, en laat Zijne Doorluchtige Genade weten dat Goethe en de koning zijn gearriveerd, *vite, vite!*'

'En iets te eten,' voegde Goethe eraan toe.

'Heb je dat gehoord? Iets te eten en wijn voor onze helden, en vlug een beetje! Je staat erbij als een zoutzak!'

Niet veel later zaten de drie in de audiëntiezaal, op de plek waar hun avontuur zes weken geleden was begonnen, op verhaal te komen. Goethe had op een divan plaatsgenomen, Karl en Schiller zaten in stoelen. Ze hadden hun wapens afgelegd en hun natte jassen uitgedaan en bedienden zich van het eten dat hun werd gebracht, het meest van de hete bouillon. Even later kon Voigt mededelen dat niet alleen Carl August, maar ook de geachte madame Botta, die op dat moment in Weimar verbleef, zich met haar begeleider binnenkort bij hen zou voegen en of ze in de tussentijd misschien toch niet naar een barbier...? Maar hun hoofd stond niet naar lichaamsverzorging, nog niet. Omdat de anderen niet konden praten, vertelde Voigt wat er ondertussen in het hertogdom was gebeurd, dat ze hadden gehoord van een ongeluk op de brug tussen Mainz en Kastel en dat in verband hadden gebracht met Goethes onderneming; dat het bericht van de gruwelijke moorden op de Wartburg Weimar bereikte en de hertog manschappen had uitgezonden om naar de moordenaars en Goethes kleine gezelschap te zoeken; hoe ze tevergeefs het Thüringer Woud en de Hainich hadden doorzocht tot over de grens met Hessen en Beieren; dat ze uiteindelijk – toen hun vanuit het vorstendom Hannover het nieuws van de dood van de Russische koetsier Boris bereikte, die doodgestoken in zijn berline langs de kant van de weg was aangetroffen – het zoeken hadden moeten staken en welke verwijten de hertog zichzelf had gemaakt omdat zijn minister, hofdichter en vriend als vermist, misschien zelfs als dood moest worden beschouwd. Toen Schiller tussen twee lepels bouillon door alleen het woord 'Kyffhäuser' uitsprak, sloeg Voigt zich met de vlakke hand tegen het voorhoofd, herhaalde het woord, en maakte zich de rest van de middag in stilte voor onnozelaar uit, omdat ze in het Thüringer Woud weliswaar geen steen op de andere hadden gelaten, maar niet eens op het idee waren gekomen verder naar het noorden te zoeken.

Toen voegde Carl August, die vergezeld werd door de Française en de Hollander, zich bij hen, en al het ceremonieel ten spijt sloot hij Goethe stevig in zijn armen, en moest daarna met zijn mouw een traantje wegpinken. Madame Botta droeg net als bij hun laatste ontmoeting een zwarte jurk en voor haar gezicht een donkergroene sluier. Schiller verzocht de gesluierde vrouw af te zien van een handkus, want zijn eigen handen waren nog altijd vuil van de reis; maar hij hield de Française voortdurend in de gaten. Ten slotte was Karl aan de beurt, die tijdens de begroeting verlegen was blijven zitten.

'De koning is in uw handen,' verkondigde Schiller.

Daarop ging Karl staan. Graaf De Versay boog voor de jongen. 'Louis,' zei madame Botta, en men kon horen dat ze daarbij glimlachte.

Of het nu aan de ontberingen en verschrikkingen van de afgelopen dagen lag of aan het gevoel na dit alles eindelijk buiten gevaar te zijn, of misschien aan het glas wijn dat Karl onvoorzichtig genoeg bij zijn maaltijd had gedronken, opeens viel de jongeman in onmacht. Hij verdraaide zijn ogen, zijn benen droegen hem niet meer en bewusteloos viel hij terug in de stoel waaruit hij zojuist was opgestaan. Twee lakeien droegen Karl naar de slaapkamer ernaast en legden hem daar op bed. Schiller onderzocht de zieke en verklaarde vervolgens dat de heilzaamste medicijn tegen deze flauwte langdurige slaap was. Opgelucht begaven ze zich allen weer naar de audiëntiezaal, behalve geheimraad Voigt, die de troonopvolger in het oog diende te houden.

Op verzoek van de Hollandse graaf moest Goethe nu onmiddellijk verslag uitbrengen van de gebeurtenissen van de laatste zes weken. De dichter voerde zijn toehoorders mee op de reis van Frankfurt over de Rijn tot diep in de Hunsrück, van de vesting Mayence door Hessen naar de Kyffhäuser, en uiteindelijk zelfs de berg ín, waar de onderneming zo tragisch eindigde. Goethe berichtte over de genadeloze achtervolging door capitaine Santing, die naar het zich liet aanzien voor zowel Stanleys als Boris' dood verantwoordelijk was, en dat het Santing vermoedelijk was gelukt aan Alexander von Humboldt, het meest volhardende lid van hun groep, hun geheime verblijfplaats in de bergen te ontfutselen. Aan de veelvuldige uitroepen en de heftige bewegingen van de hertog was te merken hoezeer hij met het verhaal van zijn vriend meeleefde. Maar graaf De Versay en de madame bleven even roerloos zitten als Schiller. Goethe rondde af met het dringende verzoek aan de hertog om Humboldt, mocht deze nog altijd worden gegijzeld, uit Santings klauwen te redden. Carl August beloofde hemel en aarde te zullen bewegen om Humboldt, en zo nodig ook Kleist, te vinden en zette zijn belofte kracht bij door zijn hand op het bovenbeen van zijn vriend te leggen.

Eindelijk nam ook Sophie Botta het woord. 'U hebt het vertrouwen van uw hertog niet beschaamd, monsieur Goethe. Al is het een schrale troost, ik verzeker u dat de doden in naam der gerechtigheid zijn gestorven, en dat er nu veel minder bloed zal vloeien dan als Bonaparte aan de macht zou blijven. Ik dank u, en natuurlijk ook u, mijnheer Von Schiller, voor de redding van de koning.'

Schiller, zijn armen gekruist voor zijn borst, antwoordde met een glimlach op zijn lippen: 'Aan uw dank, mevrouw, heb ik geen behoefte.'

Zijn onverwacht zure toon irriteerde de gesluierde. 'U bent te bescheiden.'

'Ik ben helemaal niet bescheiden. Maar u hoeft mij niet voor de redding van de koning te bedanken, omdat ik de koning niet heb gered. Noch ik, noch iemand anders had de koning kunnen redden. Louis Dix-Sept is al tien jaar dood.'

Schiller bleef onverstoorbaar glimlachen, maar Goethes hand kneep krampachtig in de kussens van de divan en Carl August keek naar de grond. De Versay haalde diep adem.

'Pardon?' vroeg madame Botta.

'De jongeman in de kamer hiernaast, die we gemakshalve Karl hebben genoemd, is niet Louis-Charles de Bourbon, maar iemand die als twee druppels water op Louis-Charles de Bourbon lijkt en die werd aangeleerd hem verbluffend – zij het niet volmaakt – natuurgetrouw te imiteren. In hoeverre Karl een actieve rol in deze schertsvertoning speelt, of hij zelf ook een van de initiatiefnemers is of alleen hun instrument, heb ik hem niet durven vragen, omdat ik bang was voor zijn antwoord. Maar u, madame, weet het vast en zeker wel.'

Madame Botta schudde haar hoofd. 'Een dubbelganger van de koning? Dat is een ongehoord verhaal, wat u daar verzint. En ongeloofwaardig bovendien.'

'Ongeloofwaardiger dan de sprookjesachtige bevrijding van de doodzieke dauphin uit de Temple door keizerin Joséphine, en ongeloofwaardiger dan zijn tien jaar durende vlucht door Frankrijk, Europa en Amerika? De afgelopen dagen hebben we de dood in honderd verschillende gedaanten voor ogen gehad om jullie "dauphin" te redden. Laat daarom uw waardering blijken voor wat wij hebben gepresteerd en wees zo grootmoedig ons naar waarheid te antwoorden.'

Sophie Botta zweeg. Allen zwegen. Schiller haalde zijn armen van elkaar, pakte de fles en schonk een glas wijn in.

De deur ging open en het hoofd van Voigt kwam tevoorschijn. 'Uwe Genade, de koning is wakker. Beveelt Uwe Genade...' Met een handgebaar legde Carl August zijn minister het zwijgen op, en na een tweede geste sloot Voigt de deur weer.

'Wanneer hij eenmaal in de Notre-Dame tot koning wordt gezalfd,' sprak madame Botta, 'vraagt niemand meer naar zijn identiteit.'

'En wie dat toch doet, wordt de mond gesnoerd?'

Na deze belediging kwam Vavel de Versay overeind uit zijn stoel, maar Sophie Botta weerhield hem.

'Ik begrijp u niet,' zei ze. 'Wilt u, net als wij, een nieuwe regent op de Franse troon zien, een bedachtzame, vredelievende en wijze heerser, wat zijn afkomst ook moge zijn, of geeft u werkelijk de voorkeur aan de tiran Bonaparte, die op het punt staat de landen van Europa, waaronder het uwe, in bloed onder te dompelen?'

'Doet u nu niet alsof u zo begaan bent met het welzijn van de Fransen of de vrede in Europa. U gaat het erom macht te verwerven. Mocht uw nieuwe koning dezelfde eigenschappen bezitten en dezelfde doelen nastreven als Napoleon nu, zou u niet aarzelen zijn oorlogen te verdedigen.'

'Maar zo is het niet! Hij zou een goede koning zijn!'

'En al was hij de beste koning, dan zou hij altijd nog een onechte koning zijn. Met een dergelijk gegoochel mag de wereld niet worden bedrogen!'

Sophie Botta zuchtte als iemand die niet bij machte is haar gesprekspartner van zijn dwaling af te brengen. 'Uw moraal staat u in de weg, mijnheer Von Schiller.'

Schiller antwoordde niet maar dronk de wijn die hij had ingeschonken. De Française keek naar Goethe alsof het diens taak was zijn vriend op andere gedachten te brengen. Maar omdat ook hij niets zei, kwam ze overeind en zei met een plotselinge kilte in haar stem: 'Wij danken u voor uw hulp, mijnheer Von Schiller, ook als u onze dank wederom weigert te aanvaarden. Maar indien u zich na uw diensten voor het huis Bourbon als vijand van de Bourbons ontpopt, dient u er rekening mee te houden als zodanig te worden behandeld. Ik hoop dat ik me daarmee duidelijk genoeg heb uitgedrukt.'

Schiller liet de laatste slok wijn in zijn keel glijden, zette zijn glas neer en stond ook op. 'Pijnlijk duidelijk, madame Botta. Maar ik was in de onderwereld, en ik ben daaruit weergekeerd. Ik vrees geen menselijke toorn meer.'

'Die rovers en piraten kunnen me gestolen worden,' zei Schiller opgewekt toen ze van het slot naar huis liepen, 'mijn volgende stuk gaat over een onechte koning!'

'Dat meent u niet,' zei Goethe.

'Ik heb het niet over onze Louis. Maar als ik het me goed herinner kwam er in de geschiedenis van Rusland een man voor die zich uitgaf voor de zoon van Ivan en als zodanig tsaar werd. Een fascinerende grabbelton voor mijn fantasie, vindt u ook niet? Een paar eeuwen geleden is in Engeland ook iets dergelijks gebeurd...'

'Al is het nog zo fascinerend, ik smeek u, mijn vriend, neem het onder geen beding op tegen madame Botta en de royalisten.'

'Ik kan geen vorsten dienen. Dat kon ik vroeger al niet, en heeft het me schade berokkend? Ik laat me door dit slangharige monster geen angst aanjagen. Verbazingwekkend, hoeveel plaats een vrouwenziel biedt aan de hel!' Schiller schudde zijn hoofd. 'Ik wil een drama schrijven waar deze beulen hartgrondig van gruwen, ik wil hun politiek op de planken brengen. Als ze denken dat ik hun spelletje meespeel, hebben ze zich in mij vergist. Of bent u soms van plan de gebeurtenissen van de afgelopen weken te vergeten, alsof ze nooit hebben plaatsgevonden?'

'Inderdaad. Ik trek me terug in mijn huis zoals Diogenes in zijn ton en zal me voortaan niet met de grote wereld bemoeien. Ons avontuur heeft eens temeer bewezen dat poëten niets te zoeken hebben in de politiek. Laat vreemde landen maar voor zichzelf zorgen, en bekijk het politieke firmament hoogstens op zon- en feestdagen.'

'Interessant. Want ik ben tot een compleet tegenovergestelde conclusie gekomen.'

Door dit verschil van mening deden de vrienden er de rest van de weg het zwijgen toe. Op de markt kocht Schiller met de paar munten die hij nog bij zich had een bos bloemen voor Charlotte, om haar woede over zijn late terugkeer en zijn verwaarloosde toestand te temperen. Op de hoek van de Vrouwenpoortstraat en de Esplanade namen de twee afscheid van elkaar. Schiller zei dat het hem speet dat hij geen van hun kameraden vaarwel had kunnen zeggen, noch Humboldt, die bij hen was weggehaald, noch Arnim, Kleist of Bettine, die zonder te groeten waren vertrokken, en zelfs Karl niet, want hoewel hij hen had belogen en was gedeserteerd, was Schiller nog altijd niet in staat om hem te haten. Even herinnerde hij zich dat hij had gehoopt de pleegvader van een verlichte koning van Frankrijk te worden, en toen zei hij: 'De droom was goddelijk. Maar hij is vervlogen.'

'Minacht u me nu omdat ik, zoals u zegt, een dienaar van koningen ben?'

Schiller schudde zijn hoofd. 'Ik weet de man van zijn ambt te onderscheiden.'

Glimlachend reikte Goethe hem de hand. 'Het ga u goed.'

'Hoe vaak hebben we dat niet gezegd.'

'En hoe vaak zullen we het nog herhalen. En nu moet u me verontschuldigen, want de ton, of beter gezegd, de wastobbe roept. Ik stink als een bunzing.'

'En ik ben van plan lang te slapen,' zei Schiller. 'Deze laatste dagen waren een bezoeking. Ik zal ervoor zorgen dat Lolo me niet voortijdig wakker maakt.'

Goethe keek de baardige Schiller na tot deze met zijn boeket in zijn huis was verdwenen en ging vervolgens ook naar huis. Toen Christiane de deur opende en onder de baard en de lompen haar man herkende, barstte ze in tranen uit. Een uur later stond er een warm bad voor hem klaar.

11

De Esplanade

Nog voor Goethe naar Bad Tennstedt kon afreizen, zoals eigenlijk zijn bedoeling was, om daar met een zwavelkuur van de doorstane ontberingen te herstellen, werd hij getroffen door een ernstige nierkwaal en moest hij het bed houden. Dokter Stark maakte zich grote zorgen om hem en soms, wanneer hij kromp van de pijn, wenste hij dat hij destijds was getroffen door een kogel van de bonapartisten zodat hij de snelle, pijnloze dood zou zijn gestorven waar Kleist en Arnim altijd naar hadden verlangd en niet deze ellendige huisvaderdood. Het leven buiten in Weimar en in de wereld ging aan hem voorbij. Bij een visite van geheimraad Voigt hoorde hij alleen dat de vrouw die zichzelf Sophie Botta had genoemd en de man die zij Karl Wilhelm Naundorff hadden genoemd in gezelschap van graaf De Versay, wiens ware naam ongetwijfeld ook een andere was, Weimar hadden verlaten. Van Bettine hoorde Goethe niets, dus moest hij aannemen dat ze zich met permissie van Wieland in Oßmannstedt had gevestigd of zonder zijn hulp terug naar huis, naar Frankfurt, was gereisd. Maar niet veel later arriveerde er een brief die zijn genezing aanmerkelijk bespoedigde, waarin Alexander von Humboldt met een paar korte zinnen meldde dat hij in veiligheid was en in goede gezondheid verkeerde, dat hij aan de Fransen en Santing was ontkomen en dat hij op zijn beurt met grote opluchting kennis had genomen van de terugkeer van zijn kameraden. Een datum ontbrak op de brief, evenals het adres. Goethe was zielsgelukkig en hij deed Schiller een briefje met de verheugende tijding toekomen.

Tegen het einde van de maand bedaarden de kolieken wat en toen het mei werd voelde Goethe dat hij weer voldoende was aangesterkt om met Christiane, die dagelijks voor zijn genezing had gebeden, een wandeling door de stad te maken. Ze liepen door het Ilmpark tot aan het Romeinse Huis, staken via de volgende brug de rivier over en liepen langs de andere oever terug. In het tuinhuis hadden de bedienden koffie en gebak klaargezet en Goethe liet een leunstoel in de tuin zetten, waarin hij een dutje deed. De deken die zijn bediende over zijn schoot legde, trok de schrijver er algauw af, want de lente had reeds lang plaatsgemaakt voor de prille zomer, en zefiers weldadige adem streelde de zinnen. Toen hij wakker werd, zou hij het liefst een paard hebben laten komen om daarmee de bergen in te rijden, maar hij was door zijn ziekte nog zo verzwakt dat toen ze 's avonds terug naar huis liepen, Christiane hem op de trappen bij de Felsentor moest ondersteunen.

Toen ze over de Esplanade liepen, kwam juist Schiller met zijn Charlotte het huis uit, voornemens om naar een blijspel in de schouwburg te gaan. De vreugde over het weerzien was groot en Schiller was opgelucht om te horen dat Goethe aan de beterende hand was. En ook de vervelende wond op zijn hoofd was eindelijk volledig genezen, merkte Schiller op. Er resteerde alleen een wit litteken. Terwijl de vrouwen over hun eigen zaken praatten, nam Schiller zijn vriend terzijde omdat hij wilde horen hoe het ging met hun Mainzer kameraden, die hij al evenzeer miste als de gouden tijd in het Arcadië van de Kyffhäuser. Maar helaas wist Goethe zelf niets te vertellen over hun voormalige geestverwanten, en hij wist ook niet wat er was geworden van het voornemen van de gesluierde dame en haar emigrés om Karl op de Franse troon te zetten. Toen Goethe informeerde naar Schillers gewaagde plan om een toneelstuk over de pseudotsaar te schrijven, vertelde deze dat hij goede vorderingen maakte en dat zijn hele bureau was bedekt met kaarten van Krakau tot de Oeral en afbeeldingen van grijze bisschoppen en woeste Tataren, die hem vanonder hun borstelige wenkbrauwen tijdens het werk observeerden. Zijn onechte tsaren-zoon onderscheidde zich van Karl omdat hij zich er niet van be-wust was dat hij níét de zoon van de tsaar was, en juist daarom een morele held was. Midden in zijn verhaal werd Schiller overvallen door een lelijke hoestbui. Charlotte keek verontrust op.

'Een van de twee souvenirs van onze reis,' zei hij. 'Met al die koude baden die ik onderweg heb gehad, raak ik deze verkoudheid mijn leven lang niet meer kwijt. Maar grote geesten lijden in stilte.'

'Wat is het andere souvenir?'

'Nog altijd de dwaze angst te worden achtervolgd.'

Goethe lachte en Schiller lachte met hem mee. 'Gaat u toch met ons mee naar de schouwburg! Daarna drinken we nog een fles ma-laga, dan laat ik u mijn werk zien en ontvoer u naar het Rusland van tweehonderd jaar geleden.'

Goethe wuifde zijn woorden weg. 'U overschat mijn zwakke ge-zondheid, jongeman. De slaapmuts roept, ik moet naar bed. Een andere keer graag.'

De stellen namen afscheid en gingen ieder huns weegs. Nog voor in het theater het doek viel, was Goethe in slaap gevallen.

In de nacht van de 9e mei werd Goethe opnieuw door kolieken ge-kweld en in een boze koortsdroom voorzag hij zijn eigen dood, in de ruïne van een klooster, in een besneeuwd boslandschap tijdens de schemering – de zwaarmoedige nieuwe Duitse schilders had-den het niet akeliger kunnen weergeven. Bij het ontwaken laat in de ochtend was hij vermoeider dan de avond tevoren bij het sla-pengaan. Christiane bracht hem kruidenthee en een doek die ze eerst in warm water had gedompeld, zodat hij zich het opge-droogde zweet van het gezicht kon wissen. Toen beschreef hij haar zo goed en zo kwaad als het ging zijn romantische visioenen van die nacht en op het moment dat hij over zijn dood sprak, liepen haar ineens de tranen over de wangen, tranen die ze moeilijk kon verbergen.

'Huil niet, mijn geliefde,' sprak Goethe met een vriendelijke glimlach, en hij trok haar naar zich toe, 'het was toch maar een dwaze droom.'

Hoewel hij haar over haar haren streek, begon ze nu heviger te snikken, en toen ze eindelijk weer tot spreken in staat was, zei ze: 'Het is Schiller.'

Meer hoefde ze niet te zeggen. Goethe begreep het direct.

'Hij is dood.'

Christiane knikte, en steeds rijkelijker vloeiden haar tranen. Goethes blik verstarde. Op hetzelfde moment week alle pijn uit zijn lichaam en dook op een andere plaats weer op, en op dezelfde manier als tot dusver zijn lichaam had geleden, leed nu zijn ziel. Als men deze onvergelijkbare soorten pijn met elkaar zou kunnen vergelijken: de laatste was honderdmaal erger. Huilen kon hij niet. Christiane vertelde wat ze over het plotselinge overlijden had gehoord, maar Goethe hoorde haar stem alleen uit de verte, alsof zij zich drie kamers verderop bevond.

Een uur later had hij zich geschoren en aangekleed en begaf hij zich naar de Esplanade. De meeste mensen in Weimar wisten blijkbaar nog niet dat de stad een van zijn grootste burgers had verloren, en de aanblik van de spelende kinderen en de kletsende marktvrouwen in het meizonnetje vervulde Goethe met onvervalste weerzin. Hij wilde dat hij weer een baard had en in lompen ging, om zonder herkend te worden door de straten naar de Schillers te kunnen lopen.

Toen hij de bewoners van het huis trof, waren ze als verdoofd. De kinderen zaten dicht opeen in de kamer, niet tot spelen in staat, en zwijgend en met grote ogen bekeken ze de volwassenen om hen heen, alsof die schuldig waren aan de droevige stemming. Ook de baby was stil. De bedienden zochten hun heil in nutteloze karweitjes. Charlotte von Schiller nam Goethes condoleance haast apathisch in ontvangst, en haar zus Karoline voelde zich zelfs nog geroepen om de zwijgzaamheid van haar zuster te verontschuldigen terwijl ze bevend zijn hand vasthield. Alleen Voss, de leraar van de kinderen, was nog bij zijn volle verstand. In de gang naar de keuken vertelde hij Goethe op gedempte toon over Schillers laatste dagen, over de plotseling optredende, heftige tuberculose, die zich manifesteerde in ademnood, koorts en tijdelijke absenties, over de uitzichtloze diagnose van dokter Huschke en over Schillers laatste uren, waarin hij op het laatst had gevraagd of ze hem romantische verhalen wilden voorlezen... tot het moment dat op de vroege avond alles stierf wat sterfelijk was aan Friedrich von Schiller. Voss bood Goethe aan hem naar de sterfkamer te brengen, en aarzelend accepteerde deze de uitnodiging. De bediende Georg begeleidde hen naar Schillers studeerkamer op de bovenste verdieping.

Omdat het lichaam al was weggehaald, was de kamer leeg. Voss en Georg bewogen zich geruisloos door de kamer, alsof er gevaar bestond dat ze iemand zouden kunnen wekken. Er stond maar één vensterluik open en het halfduister en de geur van ziekte, angst en dood verzwakte Goethe zo erg, dat hij zich aan de deurpost moest vasthouden om niet in elkaar te zakken.

'Doe het andere luik alstublieft open, zodat er meer licht binnenkomt,' vroeg Goethe.

Pas toen het luik was geopend en de middagzon de schaduwen had verdreven, ging ook hij de kamer binnen. Zijn blik meed het bed waarin Schiller zijn laatste adem had uitgeblazen. In plaats daarvan bekeek hij de kaarten van het Oosten die rond het bureau tegen het groene behang hingen, de etsen van tsaren, bisschoppen en patriarchen, van officieren en soldaten van het oude Rusland, en een tekening van het Kremlin en een kaart van Moskou.

'U hebt alle tijd,' zei Voss, en hij beduidde de bediende samen met hem het vertrek te verlaten. Ze sloten de deuren achter zich.

Een rilling liep Goethe over de rug, want hij wilde niet alleen worden gelaten met de geest van zijn vriend, maar omdat zijn omgeving allesbehalve spookachtig was, kwam hij weer tot rust. Hij trok een stoel naar zich toe en nam plaats aan de schrijftafel, zodat het sterfbed zich achter zijn rug bevond. Links van hem stond een kleine globe; ook die stond met Rusland naar de waarnemer gekeerd. Enkele geschiedenisboeken leunden tegen de wereldbol aan. Tussen twee kandelaars tikte een klokje vrolijk de seconden weg, tot Goethe het stilzette. Naast enkele pennenschachten, een doosje met fijn zand, een vloeiblok en een inktpotje was de tafel bedekt met dichtbeschreven vellen papier. Goethes ogen dwaalden over Schillers aantekeningen voor zijn nieuwe stuk, en nu eens bleef hij bij een vreemdsoortige formulering steken, dan weer las hij met genoegen een geslaagde zin. Bij voorkeur las hij de passages die Schiller had doorgestreept, zwart gemaakt of van commentaar voorzien. Tussendoor betrapte hij zich erop dat hij wenste dat zijn vriend de kamer binnen zou springen en onder gelach van zijn gezin het sterfgeval een geslaagde grap zou noemen.

Zo verstreek een halfuur, totdat Goethe zich afvroeg waar het tsarendrama zelf was gebleven. Want uit de verspreid liggende aantekeningen was duidelijk op te maken dat Schiller allang begonnen was het op te schrijven, en desondanks was er nergens een couplet te bekennen. Zonder toestemming doorzocht Goethe eerst de la van het bureau, maar hij trof daar alleen een rotte appel aan, toen de la van een tweede tafel in de kamer en ten slotte de boekenkast. Hij besloot Voss ernaar te vragen. Voordat hij de werkkamer verliet, wilde hij de vensterluiken weer sluiten, maar het slot was kapot en een van de luiken bleef openklappen.

Nadat hij Voss had gevraagd naar Schillers laatste werk, verzekerde deze hem bij het opruimen van de papieren van de overledene naar de verzen te zullen uitkijken en ze naar Goethe te sturen, vooropgesteld dat de weduwe akkoord ging. Op zijn beurt bood Goethe de familie van zijn vriend alle steun aan die menselijkerwijs gesproken mogelijk was.

Toen Goethe weer op de Esplanade stond, was het donkerder geworden. Zeus had zijn hemel bedekt. Het kwam Goethe voor alsof de hemel met een zwart floers was bedekt en zo laag hing dat je je moest bukken om je niet te stoten. Op weg naar huis hield hij zijn hoofd gebogen en zijn blik gericht op zijn voeten, waardoor hij als een oude man met kleine passen over het plaveisel slofte. De helft van zijn lichaam voelde als verlamd. Hij wilde dat hij zijn stok had meegenomen om erop te kunnen steunen, maar het liefst had hij zich ter plekke laten vallen, zich gewoon op de bodem laten glijden om daar te blijven liggen, met zijn hoofd op zijn arm, onopgemerkt door de voorbijgangers, in deze heerlijke lucht.

Pas op het Frauenplan keek hij weer op en zag toen dat er voor de deur van zijn huis vier heren in eenvoudige jassen stonden. Toen Goethe op hen toeliep, herkende hij de mannen: het waren de boeren uit de herberg in Oßmannstedt, met wie Schiller en hij tot bloedens toe hadden gevochten, waarna ze aan hun wraak waren ontsnapt door over de dichtgevroren Ilm te vluchten.

'Herinnert u zich ons nog, heer geheimraad?' vroeg de sterkste van de vier, die ook hun woordvoerder was.

Goethe knikte vermoeid. 'Zeker herinner ik me u, mijne heren. Alleen hebt u voor uw wraak het ongunstigst denkbare moment uitgezocht. Maar ga uw gang, geeft u me mijn aframmeling maar, ik zal me niet verdedigen. Ik betwijfel echter of u me meer pijn kunt bezorgen dan ik al heb.'

De man nam haastig zijn muts af en de anderen volgden zijn voorbeeld. 'We hebben ervan gehoord, heer geheimraad,' zei hij met een droevig gezicht terwijl hij zijn muts in zijn handen ronddraaide. 'Daarom zijn we hier. Wel, eerlijk gezegd waren we eergisteren al in de stad om zaaigoed in te slaan, en we wilden u en uw vriend bij die gelegenheid, wel, met gelijke munt terugbetalen voor wat u ons toentertijd hebt geleverd, maar het… wel, het ongeval heeft ons uiteindelijk van ons voornemen afgebracht. U hebt van ons dus niets meer te vrezen.'

'Ik sta versteld. Dus u bent hier om uw deelneming te betuigen?'

'Wel, misschien, maar niet in de eerste plaats. Er is in de nacht dat mijnheer Von Schiller is overleden iets… wel, voorgevallen dat iemand zou moeten weten, en daarom zijn we opnieuw naar de stad gegaan, want buiten u, heer geheimraad, konden we niemand bedenken aan wie we het aldus voorgevallene zouden kunnen mededelen.'

'U bedoelt?'

Toen vertelden de mannen uit Oßmannstedt hoe hun op de avond van de 8e mei, nadat ze in de Zwarte Beer ettelijke potten bier hadden gedronken, de aangelegenheid met de heren uit Weimar te binnen was geschoten en dat ze onmiddellijk hadden besloten om voordat ze zouden terugrijden, gehoor te geven aan Goethes onbezonnen uitnodiging om wraak te nemen op de twee heren. Omdat Schillers huis dichterbij lag, zou hij de eerste ontvanger van het pak slaag zijn. Maar toen ze bij zijn huis waren aangekomen, waren de boeren het er niet over eens hoe ze het moesten aanpakken, want als niet Schiller maar een bediende de deur zou openen, moesten ze dan de heer des huizes laten komen? En wat moesten ze doen als hij al naar bed zou zijn gegaan – want het liep al tegen middernacht en de hele stad sliep – zouden ze hem dan in zijn nachthemd ervanlangs geven? Terwijl de vier dronkenlappen er in een zijstraatje fluisterend over discussieerden, ontwaarde de jongste een schaduw die tegen de kale gevel van het woonhuis van de Schillers naar boven klom. Met ingehouden adem zagen de mannen uit Oßmannstedt hoe de klimmer met grote bedrevenheid het luik van het raam van de zolderkamer openbrak en niet veel later in het huis verdween. Nu werd het het kwartet toch te bont: een stevige vuistslag op Schillers gezicht was één ding, een inbraak in het huis van zijn familie iets heel anders. Daarom stelden ze zich op onder het raam om de delinquent in de kraag te grijpen zodra hij zou terugkomen. Maar toen deze weer bij het raam verscheen, een leren map onder de arm, zag hij het ontvangstcomité op straat staan en in plaats van naar beneden te klimmen, stapte hij vanuit het raam het dak op en vluchtte met zijn buit over de daken van de naburige huizen. Zo gemakkelijk wilden de boeren zich echter niet gewonnen geven; ze volgden de dief door de straten en probeerden hun numerieke overwicht uit te buiten door hem de pas af te snijden. Bij de Graben kwam hij van het dak af, maar op de weg naar Berka kon hij zijn achtervolgers definitief afschudden, want daar wachtte zijn paard, dat hij aan een boom had vastgebonden, en hij galoppeerde ervandoor. De boeren waren door die exercitie en de frisse nachtlucht zo ontnuchterd, dat ze hun oorspronkelijke plan lieten varen en naar hun dorp terugkeerden. Pas vanmiddag hadden ze van iemand op doorreis gehoord dat Schiller de dag daarop was overleden, en die wetenschap wierp een ander licht op hun raadselachtige nachtelijke ontmoeting.

Terwijl ze hun verhaal deden, was Goethes vermoeidheid gaandeweg verdwenen en de vraag die hem het meest op de lippen brandde, was hoe de nachtelijke bezoeker eruit had gezien. De mannen uit Oßmannstedt inventariseerden vervolgens wat hun van de man in herinnering was gebleven en terwijl ze elkaar onderbraken en aanvulden, vertrouwden ze Goethe toe wat ze wisten. Goethe had echter al na de eerste zin begrepen wie de gezochte was. 'Hij droeg een ooglap over het rechteroog.'

'Zeer geëerde heren, zei Goethe toen ze klaar waren, 'u hebt er goed aan gedaan naar mij toe te komen en ik ben u meer dank verschuldigd dan u misschien vermoedt. Mijn beste wensen vergezellen u voor uw terugreis en weest u ervan verzekerd dat als ik me van bepaalde taken heb gekweten, ik opnieuw naar Oßmannstedt zal komen om me vrijwillig voor u op te stellen, zodat u me bij wijze van vergelding zoveel oorvijgen kunt toedienen als u gepast vindt, maar in eerste instantie om u een avond lang op mijn kosten te onthalen.' Dat aanbod werd door de landlieden aangenomen, en met een handdruk nam Goethe van ieder van hen afzonderlijk afscheid.

Toen hij weer thuis was, gaf hij Carl opdracht een paard te halen en te zadelen, en de proviand niet te vergeten. Hij moest zijn opdracht eerst herhalen voordat Carl, die de vorige dag nog bouillon aan het bed van zijn zieke meester had gebracht, er gehoor aan gaf. In zijn werkkamer haalde Goethe alle pistolen tevoorschijn die hij nog in zijn bezit had, en legde ze naast elkaar op tafel. Hij controleerde het ene na het andere op mechanische gebreken en legde de defecte opzij, zodat er drie overbleven die probleemloos functioneerden. Eigenlijk was één pistool voldoende geweest, aangezien hij maar één kogel op het hart van één man moest afvuren, maar tijdens de episode in Mainz was hem duidelijk geworden dat schieten nu niet bepaald zijn sterkste kant was. Verder nam hij de Franse sabel, die het laatste avontuur afgezien van een paar kerfjes onbeschadigd had doorstaan.

Vervolgens zocht Goethe zijn zoon op en vroeg August in een gesprek van man tot man op zijn moeder te letten, mocht Goethe iets overkomen. Dit verzoek verwarde de jongen, hij wist niet hoe hij het in verband moest brengen met Schillers plotselinge dood.

Maar het moeilijkst was het voor Goethe om naar Christiane te gaan, die hij in haar kamer aantrof terwijl ze een brief aan het schrijven was. 'Ik moet nog een keer vertrekken, en wel direct,' zei hij. 'Maar ditmaal duurt de reis niet lang.'

Christiane keek hem verbijsterd aan. 'Onmogelijk. U kunt niet paardrijden. U bent ziek.'

'Het is een andere ziekte dan die waaraan ik gisteren nog leed. De vorige heeft me verlaten toen ik gisteren van Schillers overlijden hoorde. En tegen de nieuwe bestaat maar één remedie.'

'En zijn begrafenis?'

'Ik hou zijn nagedachtenis meer in ere als ik ontdek wat Schiller is aangedaan dan wanneer ik een handvol aarde op zijn kist gooi. De nacht voor zijn dood kreeg hij ongewenst bezoek. En die bezoeker zal ik vinden en ter verantwoording roepen.'

Ze was door het bericht zo van haar stuk gebracht, dat ze even nodig had om uit haar woorden te komen. 'Vraag Carl August of hij zijn mannen kan sturen.'

'Laat me alleen gaan, zonder escorte. Een sterke man is het sterkst in zijn eentje.'

'Ik laat u gaan,' zei ze, 'maar alleen als u me belooft dat u behouden terugkeert.'

'Dat kan ik niet beloven.'

'U hebt het bij uw laatste afscheid ook gedaan en u hebt uw belofte gehouden.'

Daarop had Goethe geen antwoord. Hij zweeg en keek naar buiten, naar de tuin.

'Waar gaat de reis heen?' vroeg ze ten slotte, om zijn stilzwijgen te doorbreken.

'Naar het zuiden. Naar Beieren, vermoed ik.'

'Ga dan maar, in godsnaam, ga maar en keer met Gods hulp naar mij terug.'

Goethe pakte met beide handen haar hand vast en gaf haar een dankbare kus. 'Eén ding nog, lief snoetje van me,' zei hij, 'één ding nog voordat ik ga, want ik wil deze last onderweg niet dragen: sinds jij de moeder van mijn kind bent, Christiane... is mijn hart af en toe ontrouw geweest.'

'Wat bedoelt u?'

'Dat ik, hoezeer het me later ook speet, je niet altijd geheel was toegedaan. Dat ik andere vrouwen heb veroorloofd mijn hart binnen te gaan. Dat ik altijd een sterk hoofd, maar soms een zwak hart had.'

Ze legde haar andere hand op de zijne en glimlachte. 'Futiliteiten. U bent te groot voor mij alleen en uw hart is het misschien ook. Zolang daarin altijd een plekje voor mij vrij blijft, kan de rest me niet schelen.'

Toen ze hem aankeek, was het Goethe te moede alsof hij in de warme voorjaarszon stond. 'Jij bent de grootste van ons beiden,' fluisterde hij ontroerd. 'Kus me! Anders kus ik jou!' Daarna drukte hij zijn lippen op de hare en ze beantwoordde zijn kus met zo veel overgave, dat het leek of ze Goethe met deze ene kus voor altijd aan zich probeerde te binden – een onderpand voor zijn behouden thuiskomst. Hoeveel haast hij ook met zijn vertrek had gehad, hij was niet in staat zich uit haar omhelzing los te maken, en hij kuste heel haar gezicht en haar hals, en voordat hij er erg in had, had ze hem van zijn overjas ontdaan, de doek van haar schouders op de grond laten glijden en was ze hem met veel kussen en weinig woorden voorgegaan naar de slaapkamer. Toen de deur gesloten was, glipte ze uit haar schoenen, ging op het bed zitten en beduidde hem naast haar te komen zitten. Half trok ze hem, half viel hij achterover, en zo werd zijn afscheid nog een bijzonder teder halfuurtje uitgesteld.

12

Eishausen

Goethe galoppeerde naar Berka alsof de grond hem te heet onder de voeten was geworden. Iedere reiziger die hem tegemoetkwam, iedere landman langs de kant van de weg en iedere herbergier vroeg hij naar capitaine Santing. Vaak kreeg hij slechts een schouderophalen ten antwoord, maar voldoende mensen was de vorige dag een zuidwaarts rijdende ruiter met een ooglap opgevallen. In de veronderstelling dat de man uit Ingolstadt naar Beieren onderweg was, koos Goethe in Berka de Rudolstädter Chaussee en moest vervolgens, toen ook de vijfde passant van geen eenogige ruiter wist, rechtsomkeert maken en de weg naar Ilmenau kiezen. In Kranichfeld moest hij kwartier maken – iets waar de duisternis en zijn verzwakte lichaam debet aan waren – en hij steeg vermoeid de volgende dag nog voor aurora's eerste zonnestralen weer in het zadel. Hoe verder Goethe in de heuvels van het Thüringer Woud doordrong, des te verser werd Santings spoor. Goethe was blind voor de aanblik van de ontluikende bossen en dankbaar voor elk onbezet tolhuisje en elke openstaande slagboom, want tijdens zijn drijfjacht betrad hij ontelbare malen nieuw grondgebied, kwam van het ene door erfenis en ruil versnipperde dwergstaatje in het volgende: van Saksen-Weimar-Eisenach naar Saksen-Gotha-Altenburg, terug door Saksen-Weimar-Eisenach, opnieuw door Saksen-Gotha-Altenburg naar Schwarzburg-Rudolstadt, een derde maal via Saksen-Weimar-Eisenacher bodem verder naar Saksen, en ten slotte naar Saksen-Hildburghausen.

Toen hij in het licht van de avondzon naar het dal van de Werre afdaalde, kwam voor het eerst de gedachte bij hem op dat Santing wist dat hij werd achtervolgd en dat hij zijn achtervolger met deze rit kriskras door Thüringen voor de gek hield. In Hildburghausen raakte Goethe het spoor bijster. Het leek of de capitaine de stad nooit had betreden en zelfs als dat wel zo was, in Hildburghausen was een kruispunt van grote landwegen en wie had kunnen zeggen of hij vanhier naar Meiningen, naar Römhild, naar Coburg of naar Eisfeld was doorgereden? De moed zonk hem in de schoenen. Pas nu begreep hij hoe opmerkelijk het was dat hij het spoor van de capitaine al niet veel eerder was kwijtgeraakt.

In de Engelse Hof aan de markt gebruikte Goethe de maaltijd, terwijl er ondertussen voor zijn paard werd gezorgd. Ook de waardin had niets over een eenogige man te melden. Terwijl Goethe een ganzenbout met knoedels in bruine saus verorberde, werd hij overvallen door het verlangen zich te bedrinken, zoals hij zich de laatste keer in Spessart had bedronken. Alleen zou die dronkenschap niet op vrolijkheid, maar op neerslachtigheid uitlopen. Deze nacht zou in Weimar zijn vriend worden begraven. Toen de waardin hem het tweede glas bracht, bestelde hij meteen een derde. Hij hief het glas en proostte naar zijn spiegelbeeld in het raam waarvoor hij zat: 'Het ga je goed, Friedrich. Dat het hiernamaals je ten volle toebedeelt wat het leven je maar half heeft gegeven.'

Nu was er geen houden meer aan. Nog voor het glas op Schillers gezondheid helemaal leeg was, sprongen Goethe de tranen in de ogen en huilde hij in stilte. Beschaamd bedekte hij zijn gezicht met beide handen, in de hoop dat de huilende, eenzame man niet de aandacht van de andere gasten van de herberg zou trekken. De tranen liepen langs zijn handen in zijn mouwen. Een paar tranen vielen op het bord voor hem, druppelden op het ganzenbot en vormden patronen in de resten van de saus. Voor het eerst voelde hij zich zo oud als hij werkelijk was, een grijsaard van vijfenvijftig. De vriendschap met Schiller had hem een tweede jeugd bezorgd, een

jeugd die onvermijdelijk met Schillers dood moest eindigen. De
bron der jeugd was opgedroogd. Algauw kon Goethe niet meer
uitmaken of hij om Schiller huilde of om zijn eigen verloren jeugd.
De discrete waardin wachtte tot Goethes tranen waren opgedroogd
en hij ze met een servet had weggewist, en sprak hem vervolgens
aan. Ze zei dat ze monsieur ongaarne stoorde, maar een van haar
dienstmeisjes had vandaag in een dorp in de buurt van Hildburghausen een man gezien die net als de persoon die Goethe had beschreven een zwarte lap over het rechteroog had, en of monsieur
misschien een woordje met het meisje wilde wisselen.
Goethe ging onmiddellijk naar de keuken, waar de deerne een
paar kolen aan het fijnsnijden was, en ondervroeg haar. Het meisje
was juist eieren wezen kopen in een dorpje ten zuiden van de stad,
toen de eenogige ruiter met het grimmige gezicht voorbij was gereden. Ze had hem nagekeken tot hij van de straatweg af was gegaan en via een klein paadje in het bos was verdwenen. Meer wist
ze niet te vertellen, maar ze beschreef Goethe de weg naar het dorp
en de afslag het bos in. Goethe droeg de waardin op zijn paard, dat
al afgewreven en toegedekt was, weer te laten zadelen en drukte
zowel haar als het meisje als dank een paar dubbeltjes in de hand.
Het werd al donker toen Goethe zijn paard bergop naar de heuvels
achter Hildburghausen liet draven. Na een halfuur was de bergrug
bereikt en liep de weg steil omlaag naar het dal van de Rodach. Beneden zag hij de lichten van Eishausen al, want zo heette het dorp,
een lange rij lage huizen met leien daken tussen de weg en de beek.
Goethe vond het eerder beschreven pad het bos in, steeg af en
volgde het, zijn paard aan de teugels meevoerend. Omdat de zon
reeds lang onder- en de maan nog niet opgegaan was, had hij
moeite de weg door het bos te vinden en zijn paard, dat merkte
dat hij onzeker was, begon te briesen en te hinniken. Ten slotte zag
Goethe zich genoodzaakt de teugels aan een linde vast te maken
en alleen verder te gaan, om zijn komst niet te verraden. Van de
dingen die hij bij zich had, nam hij alleen zijn sabel, zijn pistolen
en een paar patronen mee, want hij voelde dat hij zijn doel snel
zou bereiken.

Toen hij een open plek bereikte, stond hij vis-à-vis met een kasteel, of liever een herenhuis, dat hier, ver van de stad aan de bosrand, vreemd misplaatst leek, alsof het met een reuzenhand uit de een of andere residentie was geplukt en op het platteland weer neergezet. Dit herenhuis was een solide kubus van drie verdiepingen met negen vensters per etage, opmerkelijk sober, want de decoratie bleef beperkt tot de fraai gesmede waterspuwers bij de dakgoot, een latwerk met wijnranken tegen de muur en een dubbele buitentrap, die omhoogliep naar de entree. Dicht bij het gebouw stonden een woonhuis en een stal, en op de achterkant sloot een hoge muur aan, die ongetwijfeld een tuin omsloot. Het pad dat Goethe was gevolgd kwam uit op een allee met kastanjes, die aan de ene kant naar het herenhuis liep en aan de andere via een ijzeren poort over een sloot terugvoerde naar de postweg naar Coburg. De poort was afgesloten. Op de bovenste en onderste etages van het huis brandde geen licht en de vensterluiken waren gesloten, maar daartussen bevonden zich vier verlichte vensters, drie in de linker- en een in de rechtervleugel.

Hij trok zich terug in de beschutting van de bomen, deed zijn jas uit en laadde de drie pistolen. Twee stak hij met de loop naar voren in zijn riem, de derde nam hij in zijn hand. Toen vertrok hij. In de schaduw van het woonhuis naderde hij het slot en hij liep er half omheen tot hij aan de smalle oostkant de deur naar de dienstvertrekken vond. Die was vergrendeld. Door het sleutelgat bekeek hij de ruimte erachter, kennelijk een voorraadkamer, en de aangrenzende keuken, waarin één enkele waskaars brandde. Bovendien zag hij dat de deur niet op slot zat, maar veeleer met een dwarsbalk van binnenuit was geblokkeerd. De deur was samengesteld uit massieve eikenhouten planken, die in de loop der jaren dusdanig waren kromgetrokken dat er kleine kieren tussen waren ontstaan. Goethe stak de kling van zijn sabel door een van de kieren en met veel moeite duwde hij het wapen een eind de deur in. Toen dat voor elkaar was, duwde hij de sabel met het handvat naar boven, zodat de kling de balk aan de andere kant van de deur uit zijn steunen tilde, en ten slotte bonkte deze met een dof geluid op de vloertegels. Nu moest Goethe zijn sabel weer snel loswrikken. Daar slaagde hij in door zich met beide voeten tegen de deur af te zetten, wat hem, verzwakt als hij was, heel wat zweetdruppels kostte. Opnieuw keek hij door het sleutelgat, maar blijkbaar had niemand op de tweede verdieping het geluid van de neerstortende balk, dat hem zo luid had geleken, gehoord. Goethe ging naar binnen en vergrendelde de deur weer.

Terwijl hij de voorraadkamer en de grote keuken onderzocht, hoorde hij voetstappen op de wenteltrap die omlaag liep naar de keuken, en zag een lichtschijnsel naderen. Goethe pakte het eerste het beste voorwerp dat hij in het kaarslicht zag liggen – een deegroller – en verstopte zich ermee achter een kast. Van de bediendentrap kwam nu een lakei. Hij droeg een dienblad met een theeservies, dat juist was gebruikt, en een kandelaar. De man had een volle, witte haardos en bewoog met welhaast Franse elegantie. Goethe wachtte tot hij het blad met het kostbare porselein veilig had neergezet en sloeg hem toen met de houten roller op het achterhoofd. Hij zakte zo langzaam in elkaar dat Goethe zijn val nog kon breken.

Via de wenteltrap bereikte Goethe de tweede verdieping. Voor de met behang beplakte deur zette hij de kandelaar die hij had meegenomen neer en nam in elke hand een pistool. Koud zweet stond in zijn handen. Hij haalde eenmaal diep adem en duwde de deur met zijn rug open. Met een sprong belandde hij in de ruimte erachter: een lege gang, verfraaid met een groot aantal spiegels, en met aan elke kant twee deuren. Achter een deur links sprak een man. Over het tapijt sloop Goethe dichterbij. Hij legde zijn oor tegen de deur. Hij probeerde Santings stem te onderscheiden, maar slaagde daar niet in. Er restte hem geen andere keus dan de deur te openen. Hij duwde de kruk omlaag, gooide de deur open en stapte naar binnen met beide lopen vooruit.

Het was een salon, eenvoudig, maar zeer stijlvol ingericht, met een piano en een paar meubels rond een open haard. Aan een tafel aan de andere kant van het vertrek zaten Sophie Botta en graaf Vavel de Versay, ieder met een paar speelkaarten in de hand, en naar het zich liet aanzien waren ze juist aan het patiencen. Als gewoonlijk droeg De Versay een pruik en een kastanjebruine jas met grote metalen knopen. Madame Botta droeg deze keer geen zwarte maar een witte jurk, met geborduurde lelies; de sluier die haar gezicht steeds had bedekt, had ze afgedaan en hing los om haar hals. Goethe was zo verbluft dat hij uitgerekend deze twee hier aantrof, dat hij zelfs vergat zijn pistolen weg te bergen. Ook de beide anderen konden geen woord meer uitbrengen en zo staarden de drie elkaar roerloos aan, als acteurs die hun tekst zijn vergeten en vergeefs op de hulp van de souffleur wachten.

'U hier?' vroeg de Hollander ten slotte.

'Vreemd,' zei Goethe, 'ik stond op het punt u dezelfde vraag te stellen.' Pas nu liet hij zijn wapens zakken.

Intussen hield madame Botta haar speelkaarten als een waaier voor haar mond, waarachter ze de sluier weer voor haar gezicht trok.

'Waar is Santing?' vroeg Goethe. Zijn vraag bleef onbeantwoord. 'U kunt het niet weten, maar de capitaine die de dauphin moest opsporen, is op weg hiernaartoe.' De Versay en Sophie Botta keken elkaar radeloos aan. 'Staat u toch op!' drong Goethe aan. 'Ik meen het, u moet voor lijf en leden vrezen!'

Maar in plaats van De Versay of madame Botta antwoordde Santing in hoogsteigen persoon: 'Dat moeten ze helemaal niet.' Goethe voelde het koude staal van een pistool in zijn nek. De man uit Ingolstadt had hem achter zijn rug ongemerkt beslopen.

Zonder dat Santing erom vroeg, ontspande Goethe de haan van beide pistolen en liet ze op het tapijt vallen, en nadat de capitaine zijn keel had geschraapt legde hij er het derde pistool en de sabel naast. Pas toen kreeg hij toestemming zich om te draaien en keek hij in het gezicht dat hij nog maar één keer had willen zien: achter de loop van zijn pistool. In de ene hand hield Santing een pistool en in de andere, zijn slachtoffer ten hoon, zijn trofee: de ivoren wandelstok van de vermoorde sir William.

'U zou altijd iemand bij zich moeten hebben die u rugdekking geeft, lieutenant Bassompierre.'

Eindelijk bewoog ook Sophie Botta. Ze wees naar de stoel bij de haard en zei met een vermoeide stem: 'Laten we gaan zitten.'

Goethe keek van de een naar de ander, en toen hij eindelijk had begrepen dat hij de enige in de kamer was die door Santing werd bedreigd, en dat de Française op haar beurt Santing commandeerde, werd hij overvallen door machteloze woede.

'Dat is niet waar,' zei hij. 'Zeg me in godsnaam dat ik droom.'

'Neemt u plaats, mijnheer Von Goethe,' zei madame Botta.

'Eerst zegt u mij of u met de bonapartisten gemene zaak maakt. Al verlies ik mijn verstand, ik wil het antwoord horen.'

'Integendeel. Wij zijn nog steeds trouwe royalisten. Mijnheer Santing is degene die zich bij het andere kamp heeft aangesloten. Hij werkt nu voor ons.'

'Dat wil er bij mij niet in! Sinds wanneer?'

'Sinds de opdracht de dauphin dood of levend naar Frankrijk te brengen is mislukt,' antwoordde Santing. 'Wie Napoleon teleurstelt hoeft niet op genade te rekenen, zoals bekend. Mijn loon zou ongetwijfeld uit een zandhoop en twaalf kogels hebben bestaan. Ik zou niet de eerste zijn. Dus er was weinig reden voor mij naar Mainz en het Franse leger terug te gaan.'

'Maar u bent bonapartist!'

'Ik ben soldaat, mijnheer de beambte, geen partijlid. Wiens brood men eet, diens woord men spreekt.'

'Mijnheer Santing was vooruitziend genoeg om ons op te sporen en zijn diensten aan te bieden, en wij zijn zo vooruitziend zijn aanbod aan te nemen,' verklaarde Sophie Botta. 'Wie zou ons beter kunnen bijstaan in onze strijd tegen Napoleon dan een capitaine van Napoleon? En nu, voor de derde keer: neemt u plaats. U ziet er doodmoe uit, als u me deze opmerking toestaat.'

Goethe ging nu eindelijk bij madame Botta en graaf De Versay zitten en als Santing niet tegenover hem had gezeten, met zijn geladen pistool op hem gericht, had men het tafereel voor een gesprek tussen vrienden bij de open haard kunnen houden. De Versay belde zelfs nog een tweede bediende om op dit late uur koffie te serveren. Bij die gelegenheid werd ook de neergeslagen bediende in de keuken aangetroffen en bij zijn positieven gebracht.

Goethe wilde weten of Karl zich ook in het gebouw bevond, maar die was allang onderweg naar Mitau, vertrouwde madame Botta hem toe, waar hij voor Bonapartes achtervolgers veiliger zou zijn dan hier, in hun schuilplaats op het platteland van Thüringen.

'En Friedrich von Schillers drama?'

'Bevindt zich bij ons, jazeker, onder de hoede van graaf De Versay.'

'Hebt u het gelezen?'

'Ja.'

'En is het de diefstal waard geweest?'

'Inderdaad. Laten we elkaar niet verkeerd begrijpen. Ik heb het niet over esthetische zaken. Daar heb ik geen verstand van. Maar mijn vrees dat uw vriend de... kwestie in de openbaarheid wilde brengen, bleek gegrond. Daarom zal niemand anders dan ik dit werk onder ogen krijgen.'

'Ongetwijfeld overdrijft u. Het is een toneelstuk, geen onthulling. Ik ben er zeker van dat Friedrich fantasie en werkelijkheid niet door elkaar heeft gehaald.'

'Niet? En dat zegt uitgerekend de schepper van de *Natuurlijke Dochter* en de *Groß-Cophta*? Werther in levenden lijve?'

'Goeie god, ik bezweer u: u berooft het nageslacht van het laatste werk van de grootste Duitse toneelschrijver.'

'Ik ben ervan overtuigd dat het nageslacht beter af is als het niet wordt gepubliceerd. Het spijt me, maar u kunt me niet op andere gedachten brengen.'

'En zijn dood?'

Santing schoot in de lach en zei toen: 'U vergist zich enorm als u denkt dat dat mijn werk is. Dat was alleen het werk van Onze-Lieve-Heer. Hoewel ik moet bekennen dat mijn vingers jeukten toen hij daar zo weerloos en argeloos voor me lag.' Hij raakte zijn ooglap aan.

'Monsieur Santing had uitdrukkelijke orders alleen het toneelstuk te ontvreemden,' zei de Française.

Santing vertelde dat Schiller de nacht voor zijn sterfdag diep en vast had geslapen – de laatste keer, voor de eeuwige slaap – en zelfs niet wakker werd van de inbreker die het raam openbrak, de papieren op het bureau doorzocht en het drama stal. Daarna feliciteerde Santing Goethe ermee dat deze het had gepresteerd hem door heel het Thüringer Woud tot hieraan toe te volgen. 'Maar treur niet over de dood van uw collega; nu hij dood is, zal hij uw roem niet meer kunnen overtreffen. Want dat had hij zeker gedaan.'

Goethe sprong op en wilde de grijnzende soldaat voor zijn lasterlijke taal te lijf gaan, maar Santings pistool dwong hem weer te gaan zitten. Hij nam een slok koffie om tot bedaren te komen.

'Hoe moet het nu verder, mijnheer Von Goethe?' vroeg madame Botta.

'U overhandigt mij het manuscript en laat me gaan.'

'Uitgesloten.'

'Dan zal het u duur komen te staan. Carl August weet waar ik ben. En morgen zullen zijn mannen al hier zijn.'

'Als zelfs u niet wist waarheen u reed,' merkte De Versay op, 'hoe kan de hertog het dan weten?'

Toen Goethe hem het antwoord schuldig moest blijven, zei Santing: 'Die armzalige truc wilde toen ook al niet lukken.'

'Het is laat geworden,' zei de Française terwijl ze opstond. 'Laten we ons terugtrekken en morgen beslissen wat er moet gebeuren. Alleen nog dit: het is niet goed voor u dat u nu mijn gezicht kent.'

'Ik ken uw gezicht, maar wat moet het me zeggen? Het is het gezicht van een vrouw die kennelijk alleen achter de façade van een sluier tot misdaden in staat is.'

Santing en de tweede bediende brachten Goethe naar een klein slaapvertrek op de bovenste verdieping. Voor de ramen waren tralies aangebracht. De deur werd achter hem op slot gedaan, en de bewapende bediende ging op een stoel in de gang zitten om hem te bewaken. Goethe verspilde geen tijd met het zoeken naar een mogelijkheid om te vluchten. Hij trok zijn jas uit en liet zich op bed vallen, en nog voor alle andere bewoners van het kasteel van Eishausen viel hij in een diepe, droomloze slaap.

Als het noodlot komt, komt het snel. De volgende ochtend werd Goethe naar een eetzaal gebracht om in gezelschap van de madame, de graaf en de gewezen capitaine te ontbijten. Toen de kokkin de tafel had afgeruimd, liet Sophie Botta hem weten dat ze die nacht hadden besloten dat Goethe deze wereld moest verlaten. Het risico dat hij hun toevluchtsoord in Eishausen zou verraden en vooral dat hij de dauphin zou verraden, was te groot. Ze betreurde het harde besluit ten zeerste, zei madame Botta, maar ze zag geen andere mogelijkheid, gezien de belangen van de royalisten en Louis XVII.

'Ik heb mijn leven en dat van mijn kameraden meer dan eens op het spel gezet,' zei Goethe, 'om een bedrieger uit de klauwen van het grootste leger van Europa te bevrijden, en dat is mijn dank? En er is geen andere manier, geen ander middel, dan de dood... of liever moord, weerzinwekkende moord? Dat is ongehoord. Het is goddeloos, dat kunt u niet menen. U kunt dat onmogelijk beslissen en tegelijkertijd Napoleon en de jakobijnen voor beesten uitmaken.'

Verlegen deed De Versay suiker in zijn koffie en zweeg. 'Niemand heeft u gevraagd hierheen te komen,' antwoordde Sophie Botta. 'Mijn waarschuwingen in de residentie te Weimar lieten niets aan duidelijkheid te wensen over. Maar afgezien daarvan zijn we u werkelijk dankbaar voor de bewezen diensten.'

'En wat heb ik aan uw dank?'

'Uit dankbaarheid komen we u in zoverre tegemoet dat we u de Atheense dood toestaan.'

Goethe lachte bitter. 'Ik moet mezelf vermoorden? Ik moet de gifbeker zelf uitdrinken, zodat uw handen niet door zonde worden bezoedeld? Schande over u! Schande over u allen, doortrapte schurken!' Vol weerzin spuwde Goethe op het witte damast.

'Als u niet vrijwillig heengaat,' zei Santing, terwijl hij een dolk uit zijn riem trok, 'zal ik u graag naar gene zijde helpen. Oog om oog.'

'Jij gedrocht!' riep Goethe woedend, en hij gooide de suikerpot naar Santing, die tegen het behang boven hem stuksloeg zodat de suiker op hem neerdaalde, 'ik sla je tanden je keel in als je nog één woord zegt!'

Madame Botta maakte een sussend gebaar naar de dichter. 'Bedaart u toch. Denk eraan dat we het gif ook in de koffie hadden kunnen doen die u daarnet hebt gedronken. Dat u ons veracht, begrijp ik, maar respecteert u tenminste dat we zo oprecht zijn u niet op slinkse wijze te vermoorden.'

'Ik ben u zeer verplicht. Inderdaad, ik zal u voor het kruis van het Legioen van Eer voordragen. En wanneer moet deze schertsvertoning plaatsvinden?'

'Zodra u voelt dat u er klaar voor bent.'

'Dat zou dan in 1849 zijn.'

Sophie Botta zuchtte. 'Uw gedrag is nog onverkwikkelijker dan dat van uw collega zaliger. U weet dat u zult gaan, dus ga met de waardigheid die past bij uw titel en uw leeftijd. Vanavond, mijnheer Von Goethe. Besteed de dag aan uw gebeden en als u nog wensen hebt, laat het ons dan weten.'

'Alleen deze: dat jullie allemaal bij elkaar op je reet in de hel mogen belanden!'

Goethe werd nu door dezelfde begeleiders als de vorige nacht teruggebracht naar het slaapvertrek dat zijn kerker was geworden, en nu begon deel twee van de tragedie: nauwelijks was de deur achter hem vergrendeld of de kolieken laaiden weer op in zijn lichaam alsof hij geen andere zorgen in zijn leven had. Zijn nier brandde zo erg dat hij op bed moest gaan zitten, zijn lichaam gekromd, tot de ergste pijn voorbij was. Hij nam een slok water uit de karaf die hij had meegekregen. Zijn fantasie spiegelde hem voor dat het anders smaakte dan gewoon water. Zijn vingers trilden als dorre bladeren in de wind. Hij betrapte zichzelf op de wens dat de Française hem inderdaad heimelijk zou hebben vergiftigd, en dat alles allang voorbij was.

Nu is de angst van een mens die weet dat hij móét sterven, volkomen anders dan de angst van iemand die weet dat hij zou kúnnen sterven. Een soldaat in een veldslag, een wandelaar omringd door wolven of een matroos op hoge zee klampt zich uit alle macht aan het leven vast en grijpt elke kans op redding aan, en accepteert de dood dan toch als hij komt. Maar de enige bezigheid die iemand rest die ten dode is opgeschreven, is zich op de dood voorbereiden, en toch is hij tot op het laatst niet in staat zich bij de dood neer te leggen. 'Sinds wanneer ben je bang voor de dood?' vroeg Goethe aan zichzelf. 'Je hebt genoeg geleefd. Je was blij met elke dag. Nu eindigt het leven, en het had al veel eerder kunnen eindigen. Ik neem afscheid van het leven, maar ik héb geleefd. Beschouw het voorbije leven puur als geschenk en vrees de dood niet!' En hij voegde eraan toe: 'Alleen lafaards zijn bang voor de dood!' Maar of hij was laf, of de spreuk was onwaar.

Rusteloos ijsbeerde hij door de kamer en omdat hij het er bedompt en stoffig vond, wilde hij het raam openen. Maar niet alleen zaten er tralies voor, het was ook nog afgesloten. Omdat hij geen zin had om zijn cipiers om een gunst te vragen, pakte hij kordaat een stoel en sloeg daarmee een van beide ramen in. Eindelijk stroomde er frisse lucht in de kamer, maar het was tevens warme lucht – want het beloofde een buitengewoon warme dag te worden – en algauw had Goethe er spijt van dat hij het raam, dat hij nu niet meer kon sluiten, had vernield. Het enige wat hij kon doen was de gordijnen sluiten, maar de duisternis vond hij nog moeilijker te verdragen dan de hitte.

Hij ging bij het raam staan en keek naar beneden, naar de omheinde tuin van het slot; een prachtige tuin, fris en groen. Zou er van de twaalf maanden een maand zijn die minder geschikt was om te sterven dan mei? De bloemenpracht en het vrolijke gekwetter van de vogels klonken hem als hoon in de oren, en hij moest aan zijn eigen tuin aan de Ilm denken, en aan Weimar, en aan Christiane en August. Tussen de struiken en perken liep een zwangere zwarte kat rond. In de verte stak de kerktoren van Eishausen boven de boomtoppen uit, maar het was te ver om iemand om hulp te roepen. Madame Botta en haar Hollandse schaduw hadden een goede keuze gemaakt met hun residentie in ballingschap. Toen de zon rond het huis was gegaan en direct zijn cel in scheen, zodat het zweet hem op het voorhoofd stond, ging hij weg van het raam en wierp zich moedeloos op zijn bed. Zelfs in de grot diep in de schoot van de Kyffhäuser, waarin zijn toestand nauwelijks rooskleuriger was geweest dan nu, was hij niet zo bang geweest.

Ten slotte deed Goethe toch nog een wens die men voor zijn terechtstelling diende te vervullen: hij vroeg om een galgenmaal. Niet omdat hij verzadigd de eeuwigheid in wilde gaan, nee, het was omdat hij geen mogelijkheid tot uitstel onbenut wilde laten. Er werd gehoor gegeven aan zijn verzoek en de kokkin van het huis diende een exquis diner van vier gangen op, waarvan Goethe het meeste onaangeroerd op zijn bord liet liggen. Want honger had hij niet. En ook de beide anderen aan tafel, De Versay en Sophie Botta, aten nauwelijks. Verderop zat de gewezen capitaine in een leunstoel bij de haard, als altijd met een pistool in de aanslag en de Engelse wandelstok naast zich. In de haard brandden een paar houtblokken, hoewel het buiten ondanks het vallen van de duisternis nog altijd drukkend warm was. Achter de hoge vensters lag de maanloze nacht als een gordijn van zwart fluweel. Goethe transpireerde zo hevig dat het mes twee keer uit zijn hand gleed.

Goethe schepte een ruime tweede portie van het dessert op, maar het moment van zijn dood liet zich niet langer uitstellen. 'Laten we het ten einde brengen,' zei madame Botta. Daarop verdween graaf De Versay in de kamer ernaast en kwam met een houten koffertje terug. Hij opende het en pakte er een flesje met een bruinachtige vloeistof uit. Ook madame Botta en Goethe gingen staan. Alleen Santing bleef zitten.

'Als het u troost,' zei de Hollander, wie het was aan te zien hoe ongelukkig hij was met de strenge maatregel, 'we zullen u vanzelfsprekend een christelijke begrafenis geven.'

'Dat troost me niet, en u zal het voor het godsgericht ook niet helpen.'

'Bij het nageslacht zult u in elk geval onmetelijk beroemd worden,' zei madame Botta. 'De grote Goethe, die op de dag van Schillers dood en op het toppunt van zijn creatieve kunnen spoorloos verdwijnt... U zult onsterfelijk zijn.'

'Ik zou de onsterfelijkheid bij voorkeur niet verwerven door spoorloos te verdwijnen maar door niet te sterven.'

'In welke drank wenst u uw druppels? We hebben wijn, maar ook limonade.'

'Grote god!' hoonde Goethe. 'Vergif in de limonade, en dan sterven! Dat is al te smakeloos. Geef me een slok water.'

Madame Botta liet het aan de Hollander over om het gif voor Goethe door een glas water te mengen. Goethe keek haar strak aan. 'Als ik de drank heb opgedronken, vertelt u me dan wie zich achter de sluier verbergt?'

'Nee.'

'Goed. Het interesseert me toch al niet.'

Santing nam het woord. 'Ik kan u een pikant geheim toevertrouwen waarmee u tijdens uw reis naar gene zijde kunt stoeien.'

'U? Wat mag dat zijn?'

'Het betreft uw fijne kameraad Humboldt.'

Inderdaad slaagde de man uit Ingolstadt erin Goethe door het noemen van Humboldts naam nog een keer in verwarring te brengen. 'Wat is er met hem?'

Santing knikte naar de beker die De Versay nu aan Goethe gaf. 'U komt het te weten zodra u hebt gedronken. En doet u aan de andere kant uw vriend Schiller de hartelijke groeten.'

Goethe bekeek de beker. Het gif was in het water opgelost zonder een spoor na te laten. Hij dacht aan Schiller. Zou hij hem werkelijk terugzien? Hij hief het glas met de dodelijk drank en sprak: 'Dan zal de dood ons verenigen.' Toen draaide hij de beker om boven het tapijt, dat water en vergif snel absorbeerde. Het glas zette hij op tafel.

'U gelooft toch niet in alle ernst dat ik me laat degraderen tot handlanger van uw laffe sluipmoordenaarspraktijken, Bourbonse heks.'

'U weet natuurlijk,' zei madame Botta, 'dat we nog een paar ampullen in voorraad hebben. We zullen hiermee doorgaan.'

'Zoals ik ermee door zal gaan uw tapijt te vergiftigen.'

De Française knikte. Langzamerhand leek haar geduld op te raken. Santing hief zijn pistool op. 'Mag ik?'

'Geen bloed en geen lawaai,' antwoordde ze, en tegen Goethe zei ze: 'Bent u voornemens de volgende beker te drinken?'

'In geen geval. Ik ben van plan als een wild zwijn van me af te bijten.'

Madame Botta belde om haar bedienden en gaf hun aanwijzingen. Vervolgens grepen Santing en de jongste bediende Goethe vast. Goethe schopte, sloeg en beet van zich af als een dolle hond, maar de anderen waren sterker; hun greep werd steviger en steviger en zijn ledematen verzwakten meer en meer. Ten slotte drukten ze hem tegen de grond en kon hij zich niet meer bewegen. De Versay nam een tweede flesje uit de koffer, trok de verzegelde kurk eruit en gaf het aan de bediende met het witte haar. Dit keer moest Goethe het gif onverdund worden toegediend. Goethe perste zijn lippen zo stevig mogelijk op elkaar. De bediende boog zich over hem heen met het flesje in zijn rechterhand en hield met zijn linker Goethes kin vast. Maar Goethes lippen waren niet van elkaar te krijgen. De verre kerktoren van Eishausen sloeg eenmaal. De jonge bediende probeerde zijn kaken met geweld open te breken, maar toen ook dat niet lukte, kneep Santing Goethes neus dicht. Als hij niet wilde stikken, moest hij vroeg of laat zijn mond wel opendoen. Goethe voelde dat zijn longen pijnlijk samentrokken. Zijn ogen lieten het dodelijke flesje niet los en hij dacht aan hun mislukte overval op de koets in de Hunsrück. Maar dit keer zou Kleist hem niet uit de penarie helpen. Hij kon zijn adem niet veel langer inhouden.

Ineens brak een van de hoge vensters aan stukken en als een bolbliksem uit donkere onweerswolken vloog Heinrich von Kleist erdoorheen, geheel in het zwart gekleed. In zijn vlucht liet hij de zweep los waaraan hij de salon in kwam gezwierd en hij kwam buitelend tot stilstand op het tapijt, een spoor van scherven achterlatend. Hij stond nog niet stil of hij sprong overeind, trok zijn pistolen met zijn familiewapen uit zijn riem en riep '*Haut les mains!*'; maar zijn hoofd tolde nog zo van de onstuimige koprol – een snelle wals had hem niet erger kunnen doen duizelen – dat hij als een op drift geraakte draaitol opzij stapte, struikelde als een dronkenman en viel. Tot overmaat van ramp ging op hetzelfde moment een van de pistolen af, zodat een van de intacte vensters sneuvelde.

Maar de aandacht was volledig van Goethe afgeleid, zodat hij zich aan de greep van zijn vijanden kon ontworstelen en de ampul uit de hand van de bediende kon slaan. Het flesje met gif rolde over het parket onder een commode. Kleist was weer opgestaan, net op tijd om een waarschuwingsschot te lossen in de richting van Santing, die zijn pistool wilde grijpen, dat nog steeds op de stoel lag. Toen wierp Kleist zijn pistool weg en ontblootte zijn sabel. '*Haut les mains*, zeg ik, canaille!'

Goethe wilde opstaan, maar Santing duwde hem weer tegen de grond. Toen volgde Santing madame Botta en graaf De Versay, die de salon verlieten. 'Het manuscript!' riep madame Botta tegen haar Hollandse begeleider. Santing dekte hen tot ze op de gang waren en sloeg de deur achter zich dicht. Kleist wilde de drie achternagaan, maar de jonge bediende versperde hem de weg; in zijn hand had hij geen sabel maar een pook die hij bij de haard had gevonden, en daarmee haalde hij zo hard uit naar Kleist, dat het ding door de lucht floot. Kleist deinsde terug voor het zwarte stuk ijzer.

Vanuit zijn ooghoeken zag Goethe dat de grijze knecht Santings pistool op de stoel had zien liggen en het wilde pakken, en op het laatste moment kon Goethe hem bij zijn enkel pakken en ten val brengen. De lakei trapte naar hem en raakte met zijn hak Goethes schouder en gezicht, maar deze knielde meteen boven hem, balde zijn rechtervuist en liet deze vastbesloten op het gezicht van de man neerdalen. 'Vuist één,' zei hij, en terwijl hij een linkse uitdeelde: 'Vuist twee!' De tweede slag was te veel voor de oude man: zijn ogen vielen dicht en zijn hoofd knikte opzij.

Intussen had Kleists tegenstander bij een misslag zijn evenwicht verloren, zodat Kleist hem met het handvat van zijn sabel uit alle macht tegen zijn nek kon slaan. De bediende viel half op tafel en vervolgens op de grond, porselein en tafelzilver meesleurend in zijn val. Goethe pakte Santings pistool.

'Verdraaid!' zei Kleist prijzend. 'U hebt een goede stoot in huis!'

'Geef me uw sabel.'

Kleist gehoorzaamde en kreeg er het pistool voor terug. 'Alexander is nog op het dak. Bettine wacht voor het huis, voor het geval dat die moordenaarsbende de aftocht blaast.'

'Bettine? Humboldt? Ik sta paf.'

'Ja, de wereld is een zonderling oord.'

'U hinkt?'

'Mijn sprong door het raam,' zei Kleist, die inderdaad niet op zijn linkervoet kon staan. 'Om te struikelen heb je maar twee voeten nodig.'

'Vind de Hollander. Voor de dichtkunst is het van levensbelang, hoort u, dat u hem een leren map afhandig maakt met dichtbeschreven vellen papier.'

'En de man uit Ingolstadt...'

'... is ten dode opgeschreven. Laat die maar aan mij over.' Goethe liep de gang in en de trap af.

Hij arriveerde nog net op tijd in de entreehal achter de grote buitentrap: Santing opende juist de deuren om met madame Botta te verdwijnen in de nacht. Ze had zo'n haast dat ze niet eens een jas over haar jurk had geslagen.

'Tot daar en niet verder!' riep Goethe als een god der wrake. Zijn stem galmde door de hal.

Santing draaide zich naar Goethe om. Het litteken op zijn hals stak af als een verse brandwond. 'Gaat u naar de koets,' fluisterde hij tegen madame Botta, 'ik kom zo achter u aan.' Hij droeg geen sabel aan zijn riem, maar nu hield hij Stanleys wandelstok omhoog en zei: 'Sir William heeft me iets heel nuttigs nagelaten: een stok als een Engelsman, houterig aan de buitenkant, aan de binnenkant van ijzer.' Met deze woorden draaide hij de knop met de leeuwenkop rond en trok hem van de houten schacht. Uit de holle stok kwam een floret tevoorschijn. Grijnzend gooide Santing de stok aan de kant.

'Leg rekenschap af aan de hemel,' zei Goethe, en hij liep de laatste paar treden af. 'Je laatste uur heeft geslagen.'

'Klets niet zo, oude man. Val aan! Ik pareer.'
'Pareer dan!' riep Goethe, en hij sloeg toe, maar de kling gleed af
op die van Santing.

Terwijl de hal vervuld was van zwaardgekletter, dat door de spiegels en marmeren wanden werd weerkaatst, liep Sophie Botta de
buitentrap af. Ze pakte een brandende fakkel uit de houder aan de
muur en stak daarmee het voorplein naar de stallen over. Ze duwde de deur open, legde de fakkel weg en zocht naar een zadel en
een hoofdstel om een van de vier paarden, die door haar plotselinge binnenkomst uit hun halfslaap waren gewekt, op te tuigen.
'Sophie Botta?'
De aangesprokene draaide zich met een ruk om. In de deur van de
schuur stond Bettine. Ze droeg zwarte rouwkleding en was daarom
moeilijk in het donker te onderscheiden. 'Ik moet u verzoeken niet
te vluchten,' zei ze, 'en ik hoop dat u zich vrijwillig zult overgeven.'
Madame Botta antwoordde niet. Ze legde het zadel dat ze juist van
de bok had getild op een baal stro, tilde haar zwarte rok op en trok
een dolk tussen haar laars en haar kuit vandaan.
Toen Bettine de smalle kling in het flakkerende licht zag glanzen,
trok ze een wenkbrauw op. 'Wat is dat?'
'Dat is een mes.'
Na dat antwoord trok Bettine op haar beurt een hartsvanger uit
een foedraal aan haar jurk, waarvan de kling aanzienlijk groter
was, en ze sprak: 'Dát is een mes.'
Madame Botta begreep dat ze in het nadeel was. Ze liet haar wapen zakken, en slingerde het vervolgens met de punt vooruit naar
Bettine. Die dook onder het projectiel door. De dolk plantte zich
in de aarde van het voorplein. De Française, die nu ongewapend
was, vluchtte de donkere stallen in en Bettine volgde haar met het
jachtmes in de hand.

Nadat Kleist Humboldt door het gebroken raam had toegeroepen
dat hij naar beneden kon komen en deze de zweep waaraan Kleist
de salon in was geslingerd, weer omhoogtrok, ging Kleist, gehin-

derd door zijn pijnlijke voet, op zoek naar de Hollander. Omdat hij hem met de anderen de trap af had horen lopen, strompelde hij ook naar de benedenverdieping en opende daar de ene deur na de andere. Een van de deurkrukken gaf niet mee en achter de vergrendelde deur waren geluiden te horen.

'Openmaken,' riep Kleist, 'openmaken, of ik trap de deur in!'

Omdat niemand notitie nam van zijn bevel, wierp Kleist zich met zijn hele gewicht, de schouder vooruit, keer op keer tegen de deur terwijl hij de deurkruk omlaag hield, tot eindelijk het slot uit het hout brak. Na een laatste aanloop sprong de deur open. In het vertrek erachter, dat door een paar kaarsen werd verlicht, was Vavel de Versay juist door het open raam gevlucht. Kleist zag alleen zijn jaspanden fladderen en een prachtige kruik van Delfts blauw, die op de vensterbank had gestaan, viel door De Versays onoplettendheid op de grond en brak in stukken. Kleist rende naar het raam. De Versay was niet gesprongen: hij klauterde langs het latwerk voor de wijnranken omlaag. Kleist gebruikte bij gebrek aan een sabel de loodzware deurkruk, die hij bij het forceren van de deur had losgetrokken en die hij niet meer had losgelaten, en sloeg hem met het andere eind van het stuk ijzer op zijn gezicht. Met een klomp lood had hij de Hollander niet erger kunnen raken. Met een gapende wond dwars over zijn neus en wang viel De Versay op de grond, maar hij bleef niet liggen; ondanks zijn wond en de val krabbelde hij in het donker overeind. 'Leef je nog!' vloekte Kleist. 'Dat je de...' Maar juist toen hij op de vensterbank klom om de ander achterna te springen, gooide De Versay een handvol inderhaast bijeengeraapt grof zand in zijn gezicht, waardoor Kleist zo verblind was dat hij in het nachtelijk duister geen hand voor ogen meer kon zien, laat staan de Hollander. 'Schurk!' riep Kleist, en terwijl hij met een hand zijn brandende ogen bedekte, vuurde hij met de andere zijn pistool in het wilde weg in het donker af. 'Pest, dood en wraak!' Maar De Versay kon hij niet meer achterhalen; het enige wat deze had achtergelaten was zijn pruik, die na zijn val was blijven hangen aan de gekruiste latten van de wingerd onder het venster.

Maar nu, omdat Kleists gezichtsvermogen was aangetast, stelde zijn reukzin iets vast wat hem nog niet eerder was opgevallen. Het rook naar brand, rook trok door de ruimte. Hij dwong zichzelf zijn geteisterde ogen te openen, ook al werd hij haast gek van de pijn, en door de tranen en het zand zag hij dat De Versay een rol papier achteloos in de haard had gegooid, die vlam had gevat en nu in lichterlaaie stond. Met één sprong was Kleist bij het vuur; hij rukte het manuscript uit de haard en trapte erop tot elke vlam die het papier verteerde en elke smeulende rand was gedoofd, en er geen rook meer van de kostbare bladzijden opsteeg. Maar toen Kleist het manuscript oppakte, viel de onderste helft op de grond in verkoolde snippers uiteen, die zich nog minder tot een geheel lieten samenvoegen dan de scherven van de Delftse vaas. Kleist had nog niet de helft kunnen redden. Omlijst met roet en de afdrukken van zijn schoenzolen openbaarde de titel van het geruïneerde werk zich aan hem in Schillers sierlijke letters, DEMETRIUS, en verdween daarna weer in een waas van tranen.

Kleist stak het manuscript in zijn jas en liep op het lawaai van het sabelgevecht in de entreehal af. Hij arriveerde er op hetzelfde moment als Bettine, die de buitentrap op was gelopen en nu in de geopende voordeur stond. Beiden waren ze getuige van de laatste slagenwisseling van het duel tussen Goethe en Santing. De man uit Weimar was de mindere van de man uit Ingolstadt en het zweet liep al in stromen over zijn gezicht, zijn hemd was aan de zijkant rood gekleurd vanwege een snee. Maar zijn wapen was zwaarder en alleen al door zijn vasthoudendheid had hij de capitaine zo wit-heet gemaakt, dat deze op zijn beurt fouten was gaan maken. Met zijn dunne floret sloeg hij op Goethe in, die niets anders restte dan te pareren en zich terug te trekken, en bij een van die slagen gebeurde het dat de smalle kling van de floret doormidden brak. Ongelovig staarde Santing naar de leeuwenknop met het korte eindje dat hem nog restte. Maar Goethe legde het lemmet op Santings keel, bereid om de aderen van de hals bij de minste beweging door te snijden. De eenoog grijnsde nu zelf. Langzaam ging hij voor Goethe op zijn knieën.

Bettine en Kleist, die de twee kemphanen tot dan toe onbeweeglijk als zoutpilaren hadden aangestaard, gingen nu naar Goethe toe. Die hield zijn gevangene scherp in het oog. 'Waar is Botta?' vroeg hij.

'Bij de schuur,' meldde Bettine, 'en ze zal niet zo snel wakker worden, die doorgedraaide bloedworst. Ik sloeg haar gesluierde hoofd tegen een houten balk, en nu is het een sluimerend hoofd.'

'En De Versay? Moet u huilen, mijnheer Von Kleist?'

'Ik heb wat in mijn oog gekregen,' verklaarde Kleist. 'De graaf is met bebloed hoofd naar huis gegaan. Maar de papieren zijn hier gebleven.' En terwijl hij naar de Ingolstadter keek, die zijn straf als enige niet had ondergaan, voegde hij eraan toe: 'Gerechtigheid, neem uw loop. Nu sterf je dan, hond.'

'O, hij zal me niet doden,' antwoordde Santing doodkalm. 'Mij een proces aandoen, ja, maar een weerloze man die aan zijn voeten ligt de keel afsnijden... nee.'

Goethe zweeg. Boven hen waren snelle voetstappen op de trappen te horen, want eindelijk was Humboldt erin geslaagd van het dak af te komen en met zijn pistool in de aanslag daalde hij naar hen af. Toen hij op de laatste overloop was aangekomen en zijn drie vrienden zag met Santing geknield in hun midden, vertraagde hij zijn pas. Ook Humboldt ging geheel gekleed in het zwart, zoals altijd een buitengewoon knappe man, maar hij had een duistere uitdrukking op zijn gezicht.

'Dat doet me plezier,' zei Goethe, die zijn kameraad voor het laatst geboeid en gekneveld in de handen van de vijand had gezien.

Santing draaide zich grijnzend naar Humboldt om en zei 'Mij ook', waarop deze de laatste treden af liep, zijn pistool ophief, afdrukte en Santing van dichtbij door het hoofd schoot. De kogel doorboorde Santings voorhoofd en bleef in de hersenen steken. Goethe was zo verbluft dat hij zijn sabel niet eens weghaalde, zodat de dode een bloedige snee opliep toen hij opzij gleed. Hij bleef op zijn rug op de tegels liggen, het ene oog, waarin nog altijd verbazing stond te lezen, wijd open. Goethe wendde zich vol afgrijzen af. Zijn bebloede sabel liet hij op de grond vallen. Bettine hield met haar vingers haar oren dicht, hoewel het schot allang was verklonken. Kleist zocht naar woorden als een vis op het droge die naar water hapt.

'Bliksems! Alexander,' tierde hij ten slotte, 'wat heb je gedaan?'

'Deed ik niet wat wij allen reeds lang wensten?' antwoordde hij iets te luid. 'Eindelijk de luis platdrukken die ons keer op keer beet!'

Goethe was naast de dode geknield. 'Aanschouw de teloorgang van een woesteling,' mompelde hij, en hij sloot nu ook het tweede oog van de man uit Ingolstadt voor de laatste maal.

Eindelijk haalde Bettine haar vingers uit haar oren. 'Wat nu?'

'We hebben alles, we hebben verder niets nodig. Laten we gaan.'

'Zullen we ten afscheid het slot in elke hoek in brand steken?'

'Nee, mijnheer Von Kleist. Alstublieft geen vuur, geen bloed meer. Ik heb er genoeg van.'

Toen ze bij de buitentrap voor het landhuis kwamen, hoorden ze paardenhoeven. Graaf De Versay was teruggekeerd, gezeten op een ongezadeld paard, waarmee hij nu wegreed over de allee. Voor hem lag, dwars over de rug van het paard als een ontvoerde bruid en nog steeds buiten bewustzijn, madame Botta. Geen van de vier maakte aanstalten de twee royalisten te volgen. In plaats daarvan verlieten ook zij de tuin. Kleist, die nauwelijks kon kijken of lopen, werd door Humboldt ondersteund. Bettine en Goethe hadden fakkels gepakt om hun de weg te wijzen.

Toen de vier metgezellen in het bos waren verdwenen en er weer stilte over het Eishausener slot was neergedaald, kroop de zwangere huiskat onder een struik vandaan en plukte ze De Versays pruik van de latten om er een behaaglijk nest voor haar jongen van te maken.

Toen ze naar de paarden liepen, legde Bettine uit wat er aan Goethes onverwachte, tijdige redding vooraf was gegaan. Bettine had de maand april bij een vriend van haar grootmoeder in Oßmannstedt doorgebracht, zoals Goethe had voorgesteld, en toen het mei werd dacht ze er al over om naar Frankfurt terug te keren, toen haar en Wieland het bericht van Schillers dood bereikte, op de dag

van de begrafenis. Ze waren vervolgens in rouwkleding naar Weimar vertrokken om bij de plechtigheid aanwezig te zijn. 's Nachts
hadden ze bij het mausoleum van het Jacobskerkhof Humboldt en
Kleist getroffen, die samen naar Weimar waren gekomen – de een
om met Goethe te spreken, de ander om de beloofde honderdvijftig daalders op te eisen – en eveneens door de tragische tijding
waren verrast. Maar aan het graf van Schiller, die het edelmoedigst
van hen allen was geweest, konden ze zich niet echt over het weerzien verheugen. De metgezellen waren niet weinig verbaasd over
Goethes afwezigheid: Pollux blijft weg bij Castors begrafenis? Wieland had geopperd dat zijn nierkwaal misschien de reden was, of
zijn afkeer van kerkhoven en alles wat met de dood te maken had.
Maar later was Kleist erin geslaagd Vulpius te ontmoeten, die erg
bezorgd was en vertelde dat Goethe de avond ervoor ijlings naar
het zuiden was gereden. Ze wisten niet wat ze daarvan moesten
denken, maar ze hadden allen op onverklaarbare wijze bespeurd
dat de koning der dichters zich in groot gevaar bevond. Op dat
moment hadden ze geen andere keus dan bij de hertog, die ook
aanwezig was, te rade te gaan. Nadat ze zich aan de hertog hadden
voorgesteld als drie van de koningsrovers, en de hertog hen persoonlijk had bedankt, brachten ze het gesprek op Goethe. Maar
ook Carl August had hun geen antwoord kunnen geven, want
het enige reisdoel in het zuiden dat Goethe zou kunnen aandoen,
was ten eerste geen kamp van de bonapartisten en ten tweede had
de hertog gezworen het nooit bekend te zullen maken. Hoezeer
de metgezellen er ook op aandrongen het enig beschikbare aan-
knopingspunt prijs te geven, de hertog bleef zwijgen, tot Bettine
vroeg: 'Wilt u binnen een paar dagen ook de tweede grote dichter
van het hertogdom verliezen, en een vriend bovendien?' Ten slotte
had Carl Augusts bezorgdheid om Goethe zijn verzet gebroken;
hij brak zijn belofte en vertelde over de schuilplaats van madame
Botta en graaf De Versay in het vorstendom Saksen-Hildburghausen. De drie werden plotseling bevangen door een heilig vuur en
zonder zich voor de rit in het ongewisse uit te rusten, ja, zelfs zonder hun rouwkleding door reiskostuums te vervangen, bestegen ze

nog diezelfde nacht hun paarden en ondernamen een stormach-tige rit naar Eishausen, waar ze vierentwintig ademloze uren later, en geen minuut te vroeg, arriveerden. Het paard zonder ruiter dat ze vlak voor het slot in het bos aantroffen, vormde het onomstote-lijke bewijs dat hun voorgevoel juist was, en tegelijk een aanspo-ring om haast te maken.

Omdat hij alle woorden van dank voor de onbaatzuchtige wijze waarop ze hem van de dood hadden gered tekort vond schieten, zei Goethe nadat Bettine haar verhaal had gedaan: 'Het weerzien met jullie heeft mijn hart verwarmd als een glas brandewijn.'

Zwijgend liepen ze het laatste stukje naar de paarden. Humboldt, Kleist en Bettine hadden hun paard naast dat van Goethe vast-gebonden. Bettine klemde haar fakkel in een gat in een linde, en samen maakten ze de afgematte paarden los. Alleen Goethe deed niets.

'Waarom hebt u Santing gedood?' vroeg hij aan Humboldt.

Humboldt keek op van de teugels. 'Hoe bedoelt u? Zou u hebben gewild dat ik die schoft had laten leven?'

'Ik denk het niet. Maar u hebt hem niet uit wraak gedood. De dood van Santing kwam u heel goed uit.'

'Wat wilt u daarmee zeggen?'

'Ik kon er tot dusver geen verklaring voor vinden waarom Santing, een door de wol geverfde officier – tenslotte slaagde hij erin u ge-vangen te nemen op uw rit naar Weimar – u na het gevecht op de Kyffhäuser in leven heeft gelaten, hoewel hij anders nooit zijn tegenstanders spaarde, en bovenal hoe u uit uw gevangenschap kon ontsnappen. Vannacht heb ik, geloof ik, de oplossing gevon-den.' Aller ogen waren nu op Goethe gevestigd. Kleist en Bettine staarden hem met open mond aan. 'U had het op een akkoordje gegooid met de Ingolstadter. Is het niet zo?'

Humboldt antwoordde niet. Goethe knikte.

'Uw wapens alstublieft, mijnheer Von Humboldt.'

Onder de ongelovige blikken van de anderen trok Humboldt zijn pistool uit het foedraal en zijn sabel uit de schede, en overhandig-de beide aan Goethe. Die legde de wapens neer naast zijn paard.

'Allemachtig,' zei Kleist, 'dat is ongehoord! Alexander, zeg toch dat hij liegt met dat vervloekte gezwets van hem, in vredesnaam!'

'Hij spreekt de waarheid,' zei Humboldt. 'Tijdens mijn rit naar Weimar had ik niet ver van de Kyffhäuser de pech middagpauze te houden in een herberg die even later ook door de Fransen werd bezocht. Het was onmogelijk om te vluchten of te vechten. Santing verlangde dat ik hem naar Louis-Charles zou brengen, en als tegenprestatie zou hij me ongedeerd laten gaan. Ik ging akkoord, maar onder voorwaarde dat niet alleen ik, maar ook jullie een vrijgeleide zouden krijgen. Toen Karl in ons kamp niet aan hem werd uitgeleverd, voelde hij zich niet langer verplicht jullie leven te sparen. Maar nadat we gezamenlijk de Kyffhäuser hadden verlaten, liet hij mij na de instorting van de muzentempel volgens afspraak vertrekken, omdat hij dacht dat de dauphin onder het puin begraven lag. Dat is het hele verhaal.'

Bettine schudde haar hoofd. 'Maar waarom? Toch niet uit... angst?'

'Nee. Ik deed het omdat ik in wezen hetzelfde doel nastreefde als Santing. Onze opdrachtgevers, Bettine, zijn koningsgezinden en vorsten die het rad van de tijd willen terugdraaien naar de periode voor de Franse revolutie. Dat mag niet gebeuren. Vanaf het moment dat de heer Von Goethe ons onthulde dat we niet waren vertrokken om Karl te redden maar om hem op de troon te zetten om het Franse volk opnieuw te onderwerpen, ging onze campagne me tegenstaan. U respecteert Napoleon, mijnheer Von Goethe, en u hebt een hekel aan de revolutie. Bij mij is het andersom. Ik heb een afkeer van Napoleon, maar ik heb nog altijd meer respect voor hem dan voor welke andere Europese vorst dan ook. En als het niet anders kan, word ik liever door de Fransen bevrijd dan door de Duitsers onderdrukt. Wie mij regeert, is me om het even, maar hóé er wordt geregeerd, niet.'

'U verbaast me,' zei Goethe.

'Onwaarschijnlijk. Wat dacht u dan, toen u mij vroeg om u en mijnheer Von Schiller te begeleiden? Dat een vriend van Forster, een vriend van Bonpland, een strijdmakker van verbannen revolutionairen, verandert in een rabiate tegenstander van Napoleon, die als geen ander de revolutie belichaamt, en dat alleen omdat ik een Duitser ben? Niet de grens tussen Frankrijk en Duitsland doet ertoe, maar die tussen onder en boven. Ik heb de revolutie in Parijs meegemaakt, en dat zal voor immer de leerzaamste, onvergetelijkste tijd van mijn leven zijn. Dat heeft niets te maken met de bloederige gruwelverhalen die u destijds in het verre Weimar in de krant hebt gelezen. Er was ook een tijd vóór de guillotines. De aanblik van de Parijzenaars, hun Assemblée Nationale, van hun onvoltooide vrijheidstempel op het Marsveld, waar ik zelf nog zand naartoe heb gereden, is een visioen dat me nog altijd duidelijk voor de geest zweeft. Dat was het morgenrood van de Franse revolutie, de opmaat naar een nieuw, gouden tijdperk, en ik weiger pertinent de Fransen in hun vooruitgang te dwarsbomen. Daarom was ik bereid Karl op te offeren en daarom kon Santing me zonder veel moeite overtuigen. Het behoeft geen betoog dat ik niet wilde dat jullie iets zou overkomen en dat ik na het instorten van de grot gekweld werd door smart en de allergrootste wroeging. Ik wilde alleen de dauphin verraden, maar jullie niet.'

Nu haalde Humboldt ook zijn zweep, die hij had vergeten af te geven, van zijn riem en overhandigde die aan Goethe. 'Vellen jullie maar een oordeel over mij. Ik accepteer het, ook als het de dood betekent.'

'Wat verwacht u dan?' vroeg Goethe. 'Genade, nadat u de man uit Ingolstadt zojuist in koelen bloede hebt omgebracht?'

'U wilt ons vast niet over één kam scheren.'

Kleist, die tot dan toe aan een merkwaardige verstarring ten prooi was gevallen, niet bij machte om te spreken, te handelen of ook maar de teugels van zijn paard los te laten, kwam nu eindelijk tot leven en deed dat met de heftigheid van een vulkaan die na eeuwen te hebben geslapen plotseling tot uitbarsting komt. Voordat hij sprak, ontblootte hij de ijzeren ring om zijn linkerpols. 'Verrader! Jij ellendige verrader!'

'Heinrich...'

'Spreek mijn naam niet uit, die klinkt smerig uit jouw mond! Het

[313]

had een haar gescheeld of we waren gecrepeerd in de Kyffhäuser, en dat is jouw schuld!'

'Santing gaf me zijn woord dat jullie niets zou overkomen.'

'En wat dan nog?' schreeuwde Kleist. 'Als de wolf zijn woord geeft dat hij de lammetjes niet zal verscheuren, laat je hem dan de wei in? Heeft een boze geest je van je verstand beroofd, Alexander? Wat jij hebt gedaan is niet meer als lichtzinnig te bestempelen; jij hebt de weg vrijgemaakt voor de kogels die op ons werden afgevuurd. Moge je daarvoor tot as vergaan!'

'Begrijp je dan tenminste mijn beweegredenen? De revolutie…'

Kleist, die Humboldt tot op enkele passen was genaderd, deed nu een stap achteruit. Hij hield zijn hoofd in zijn handen. 'Mij is het zo langzamerhand alles om het even: de revolutie, de republiek, de monarchie; Napoleon, Louis, Karl; Duitsland, Frankrijk en Europa… Alleen jíj, jij was nog belangrijk voor me. Ik heb van een judas gehouden! Als Judas heb je ons verraden' – en hier brak zijn stem – 'en als Judas heb je het met een kus gedaan.'

Kleist schraapte zijn keel, veegde met zijn mouw het zand uit zijn rode ogen en richtte zich tot Goethe. 'Heer geheimraad, als u me werkelijk wilt bedanken voor uw redding, wil ik u twee dingen vragen: voor het verraad aan onze groep moet Alexander worden terechtgesteld. En vanwege het verraad aan mijn hart wil ik het doen.'

'Nee!' riep Bettine, wie de tranen over de wangen rolden. Maar Goethe keek van Kleist naar Humboldt en terug, en knikte toen. Bettine begroef haar gezicht in de flank van haar paard om het vreselijke tribunaal niet langer te hoeven aanzien.

Humboldt maakte geen aanstalten om te vluchten toen Kleist zijn patroontas tevoorschijn haalde om zijn pistolen te laden. Intussen veegde Kleist keer op keer met zijn mouw over zijn ogen.

'Je hart heb ik nooit verraden,' zei Humboldt. 'Ik heb oprecht van je gehouden, en ik hou nog steeds van je.'

Kleist antwoordde niet. De laadstok viel in het gras en in het flakkerende licht van de fakkel kon hij hem met zijn geïrriteerde ogen niet meer terugvinden. Humboldt raapte de stok op. Kleist rukte de

uitgestoken stang nors uit zijn handen en duwde de dodelijke kogels ermee in de loop. Toen spande hij de haan van beide pistolen.
'Vooruit,' zei hij tegen Humboldt. 'Jij neemt de fakkel.'
Humboldt nam de fakkel uit Goethes hand en knikte hem en Bettine toe. 'Vaarwel.'
Bettine wilde tussenbeide komen, maar Goethe hield haar met
zachte hand tegen. Toen liep Humboldt het bos in, en Kleist
strompelde achter hem aan, met in beide handen een pistool. In de
weerschijn van de fakkel zagen ze eruit als figuren in een schaduw-
spel. Bettine en Goethe keken het dwaallicht van hun fakkel na tot
het volledig tussen de bomen was verdwenen.
Bettine ging in haar rouwkleren op het gras zitten. 'Ik haat jullie.
Waarom moeten jullie twee geliefden die elkaar hebben gevonden
op deze manier uiteendrijven?'
Goethe staarde naar het punt in de duisternis waar hij de fakkel
van de anderen het laatst had gezien. Er danste een lichtpuntje
voor zijn ogen. Zo wachtten ze op het onvermijdelijke schot.
'Hoe zit het met de dauphin?' vroeg Bettine opeens.
Goethe draaide zich naar haar toe. 'De dauphin is dood.'
'Wat?'
'Wees gerust, Karl is gezond.'
'Ik begrijp het niet...'
'Met Karl gaat het goed. Meer hoef je niet te weten,' zei Goethe. 'Ga
je terug naar Oßmannstedt?'
'Ik ga naar Frankfurt. Ik zal Achims vrouw worden.'
Goethe knikte. 'Hij is een goed mens.'
'Dat is hij zeker, als hij ondanks alles nog van me houdt. God moge
ook mij de kracht geven om hem eeuwig lief te hebben.'
Goethe greep naar zijn zij, omdat zijn nier opnieuw pijnlijk van
zich deed spreken, en raakte per ongeluk de open wond die San-
ting hem had toegebracht. 'Ik hoop dat je me niet vergeet.'
'Wat ik met jou heb beleefd, blijft een kostbare herinnering die ik
koester in mijn hart.'
Hij slaakte een zucht. 'Wat waren we ooit gelukkig...'
In het bos brak een tak, en Goethe verstomde onmiddellijk. Toen

zagen ze hoe Kleist alleen en zonder fakkel uit de schaduw van de bomen stapte en naar hen terugkwam. De twee pistolen slingerden als loodzware klokklepels aan zijn gestrekte armen. Bettine kwam overeind en ging naast Goethe staan, en zwijgend wachtten ze tot Kleist, die tot op het laatst zijn blik op de grond gericht hield, bij hen was gekomen. Toen keek hij op.

'Ik kon het niet,' zei hij. 'Mijn leven en het zijne zijn als twee spinnen in een doosje. Ik zou óf hem hebben neergeschoten en daarna mezelf, óf geen van ons beiden.' Hij liet de ongebruikte pistolen achteloos in het gras vallen.

'Jij bent de betere mens,' sprak Goethe, oprecht onder de indruk. Hij kuchte. 'Geen mens kan zich hoger verheffen dan hij die vergeeft.'

En toen spreidde Goethe zijn armen uit, liep naar Kleist toe en omarmde hem met haast vaderlijke hartelijkheid. Kleist liet het over zich heen gaan. Hij legde zijn vermoeide hoofd op Goethes schouder en sloot zijn ogen. Lange tijd stonden ze even roerloos als de hen omringende linden. Een rilling liep over Bettines armen. Ze leunde tegen de warme rug van het paard en kon haar ogen niet van het schouwspel afhouden.

Toen de twee elkaar eindelijk loslieten, laadde Kleist Humboldts wapens op diens paard, maakte het los en stuurde het met een klap tegen de achterhand de nacht in om zijn ruiter te vinden. Vervolgens knoopte hij de teugels van zijn eigen paard los en steeg in het zadel. De anderen volgden zijn voorbeeld. Bettine pakte de fakkel uit het kwastgat in de boom en schoffelde hem onder tot hij doofde. Pas daarna zagen ze dat er aan de hemel boven het bladerdak geen sterren meer stonden. Het was geen nacht meer en nog geen ochtend. Goethe reed voorop, terug naar de postweg, en daar nam Bettine afscheid van hen. Ze beloofde Kleist dat ze altijd een zuster voor hem zou zijn en Goethe dat ze zou schrijven zodra ze weer in de Zandsteeg was. Toen Goethe 'Adieu, mignon' zei, antwoordde ze alleen 'Bettine'. Dat was het laatste wat ze zei. Ze draaide haar paard naar het westen en reed weg.

'Waarom bent u me eigenlijk komen helpen?' vroeg Goethe zodra

het hoefgetrappel van Bettines paard was weggestorven. 'Ik dacht dat ik een worst had als hart, en dat u me haatte? Tenminste, het laatste wat ik van u heb gehoord, waren vloeken die menige ketel-lapper het schaamrood op de kaken zouden hebben gejaagd.'
Kleist glimlachte wrang. 'Ik verander wel eens van mening,' zei hij. 'Weet u, bij mij is eigenlijk niets bestendig, behalve het onbesten-dige.' Hij greep in zijn vest en haalde het halfverbrande manus-cript van Schiller tevoorschijn om het aan Goethe te geven. 'Dit is wat ik ervan kon redden. Het spijt me zeer dat ik niet sneller was.'
Goethe pakte de bladzijden aan en borg ze secuur op in zijn zadel-tas. Toen hij de as van zijn handen veegde, was het hem te moede alsof het de as van zijn vriend was. Toen reden ze langzaam weg.
'Waar gaat de reis heen, mijnheer Von Kleist?'
'Van Weimar naar Berlijn en door naar de Oder, en vandaar uit-eindelijk naar Koningsberg.'
'Nee maar! Wat wacht u daar?'
'Ik ga terug naar het Pruisische leger. Mij is een tijdelijke betrek-king bij de Kamer der Domeinen aangeboden.'
'Maar u bent dichter.'
'Ik zei toch: bij mij is niets bestendig. Misschien is mijn tijd als dichter nog niet gekomen.'
'Onder het paardrijden, of al rondtrekkend, komen gedachten op die je urenlang kunt herkauwen, zoals een stuk tabak,waar je maar niet van afkomt. Kent u dat?'
'Natuurlijk.'
'Zo dacht ik tijdens de rit naar hier over uw komedie na.'
'Ach?'
'Jazeker. Uw *Kruik* heeft tempo, is geestig en er komt een bonte stoet wonderlijke figuren in voor; uitzonderlijke eigenschappen, die mij bij tweede lezing bijzonder zijn bevallen. Misschien verrast het u, maar ik speel met de gedachte om het in het theater van Weimar op de planken te brengen, en het zelfs hoogstpersoonlijk te ensceneren.'
'U maakt een grapje.'
'Verre van dat. En ik wil dat niet zozeer doen omdat ik u geld

schuldig ben of omdat u meer dan eens mijn leven hebt gered, maar omdat ik denk dat het een aardig succesje kan worden.'

'U wilt die in elkaar geflanste klucht in alle ernst ensceneren?'

'Zozo, wat zijn dat ineens voor bescheiden geluiden? Wat zei Wieland ook alweer, die u altijd zo vlijtig citeert?'

Kleist antwoordde zacht: 'Dat van mij in de dramatische kunst grotere dingen te verwachten zijn dan ooit in Duitsland zijn vertoond.' *'Et voilà.'*

Terwijl Kleist over Goethes aanbod nadacht, richtte deze zijn blik naar het oosten, waar de morgen zich aankondigde achter de heuvels. Een eenzame wolk hoog boven hen werd al door de eerste zonnestralen verlicht en hing als het gulden vlies aan de hemel. Voor hen lag Hildburghausen. Goethes nieren deden pijn, evenals de open snee in zijn zij, zijn kaak en zijn hele gezicht, maar in de eerste plaats moest zijn lege maag tevreden worden gesteld.

'Kan ik u wellicht voor een ontbijt interesseren?' vroeg hij aan zijn jonge metgezel. 'Tegen de tijd dat we in de stad zijn aangekomen, zou een van de eethuizen open moeten zijn, en zelf bespeur ik een flinke eetlust.'

'Alle duivels,' zei Heinrich von Kleist, die door Goethe uit zijn overpeinzingen was opgeschrikt, 'ik ben daar zelfs buitengewoon in geïnteresseerd.' De Pruis klakte met zijn tong en zette zijn paard aan tot galop, en overmoedig riep hij over zijn schouder: 'Wie het laatst aan tafel is, betaalt het gelag!'

Ook Goethe pakte nu de teugels en gaf zijn paard de sporen, zodat het hinnikend steigerde, en lachend volgde hij de ander op zijn duizelingwekkende rit naar het dal van de Werra: 'Heinrich, Heinrich!'